狩獵出行圖（章懷太子墓壁畫）

這張狩獵圖描述的是太子李賢的狩獵生活。馬兒矯健奔騰，騎手揚鞭奮進，形象栩栩如生，再加上唐代特有的絢麗色彩，讓人彷彿身歷其境，感受到千載以前，那一陣來自盛唐的風。

十八學士夜宴圖（摹本）

「李白繡口一吐，就是半個盛唐。」唐代文人的風流文采，已經成為整個中華民族的寶貴記憶。唐代文人蓬勃向上的時代精神、瀟灑張揚的性格特點，在這幅夜宴圖中表現得酣暢淋漓！

客使圖（章懷太子墓壁畫）

大唐盛世，萬邦來朝。這幅客使圖形象地描繪了「萬國衣冠拜冕旒」的盛況。看，大唐官員器宇軒昂，外來藩臣恭謹嚴肅。這是多麼開放的時代！

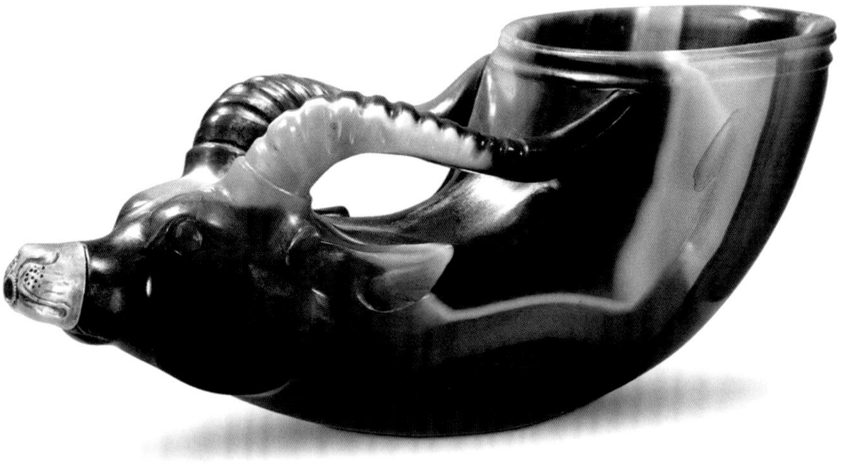

獸首瑪瑙杯

這可能是中西亞某國進奉的國禮，晶瑩剔透的紅色瑪瑙杯凝聚猛獸奔馳的一瞬，我們彷彿看到東西方文明碰撞的絢爛火花。

蒙曼說唐

唐玄宗

上部

從開元之治到安史之亂

目次

第二十回　后位之爭 259

第二十一回　寵臣興衰 273

第二十二回　宰相紛爭 285

第二十三回　二相登臺　297

第二十四回　宰相鬥法　309

第二十五回　太子風波　321

前言

蒙曼

一九九五年暑假，我還是一個剛滿二十歲的大孩子。雖然已經在歷史系上了三年學，但是，對歷史是什麼並不甚了解，對自己的未來也充滿迷惘。正是在這樣的心境下，我漫遊到了西安，又搭順風車到了埋葬唐玄宗的泰陵。看到泰陵之前，我已經瞻仰過西安的許多勝蹟，秦始皇陵的兵馬俑、昭陵的石刻都給我留下深刻的印象。帶著這樣的印象再來看泰陵，我真的震驚於它的卑小。難道，這不足一人高的石獅子守衛的就是大名鼎鼎的盛世天子唐明皇嗎？搜尋一下自己的歷史知識，依稀記得，玄宗逝於安史之亂中。也許，天下大亂，陵寢就只好因陋就簡了？可是，清末更是亂世，慈禧太后的定東陵不也照樣奢華無比嗎？

帶著這樣的疑問回到學校，向來不求甚解的我竟然頗翻了幾本書。這才知道，慈禧定東陵之所以華麗，是因為它前前後後修了三十五年之久；而泰陵之所以簡陋，不僅因為成於亂世，更因為它是在唐玄宗逝世之後才開始修建，從動工到完成不足一年，豈有不倉促之理！得知這個緣由的一剎那，我心頭的震撼真是無以復加：唐玄宗當政四十四年，竟然不修陵寢！難道，這是一個不知道自己會死的皇帝嗎？差不多也就是在那一年，我決定要學唐史，我要了解這個不考慮死亡的時代！

如今，我真的在研究唐史、研究唐玄宗了。他究竟是怎樣的一個皇帝呢？十多年前形成的印象並沒有改變——玄宗真是個極富生命力的皇帝！早年，他旺盛的精力施之於政治，於是，就有了中國古代歷史的顛峰——開元盛世;中年以後,當他的政治熱情如潮水一般退卻時,旺盛的精力則施之於情愛,於是,又有了感金石、回天地、昭白日、垂青史的愛情傳奇。他追求完美,無論是道、是情,總要轟轟烈烈,總要發揮到極致,這才不負其才、不虛此生!在這樣的追求中,只有不能自已的生命熱情,哪裡還有死亡的位置呢!這不正是我們孜孜以求的慷慨揮灑、盛唐氣象嗎!

然而,既然是一個無比鮮活的生命,那就會體現生命的自然規律。唐玄宗會變老、會倦怠、會改變追求的目標,也會轉移生活的重心。早年,他意氣風發,渴望建功立業,於是,觀滄海,歌大風,能文能武;中年以後,他功成名就,渴望享受生活,於是,賞名花,對妃子,亦醉亦仙。這樣階段性的生活安排本沒有錯——如果他是你我一樣的普通人。但是,他是皇帝,是專制時代的專制皇帝。這個角色需要他以權力意志控制一切,甚至控制自身。也許,清代的康熙皇帝做到了這一點,但是,唐玄宗做不到。當他對情的追求勝過對道的追求時,他就由明變昏了。隨之而來的是安史之亂、馬嵬泣血。一個曾經讓生命的力量臻於極致的皇帝,也最終耗盡生命,埋進泰陵的黃土。和埋葬武則天的乾陵不同,泰陵沒有什麼傳說。但是,盛衰交迭的國運,大起大落的人生,讓唐玄宗的形象無比豐滿。「倚天把劍觀滄海,斜插芙蓉醉瑤臺。」這樣的生命比傳說更美麗。

二〇〇九年十二月二十四日

引子

他天資英武，雄才大略。

他風流多情，多才多藝。

他是中國歷史上最知名的皇帝之一，

大唐盛世的形象代言人。

他一手開創了大唐王朝的黃金時代——開元盛世；

他一手演繹了與大美女楊貴妃的千古愛情神話。

然而，這個聲名顯赫的偉大帝國，又在他的統治下遭遇唐朝歷史上最大的一次劫難——安史之亂。

他也眼睜睜地看著自己心愛的女人香消玉殞。

他就是唐玄宗。

說到他，人們就會想到錦天繡地、盛世華章；說到他的時代，人們就會心馳神往、追慕不已。這個帶領著古代中國衝上歷史顛峰的皇帝，究竟有著什麼樣的雄才偉略？他的一生，又為中國歷史書寫著什麼樣的傳奇？

唐皇室世系表

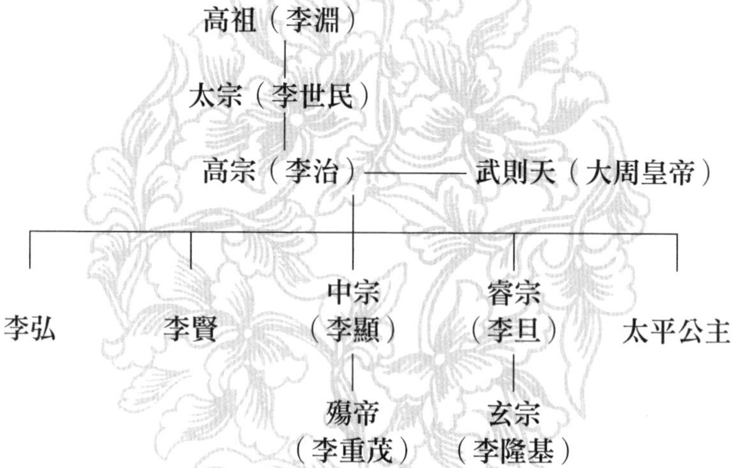
高祖（李淵）
太宗（李世民）
高宗（李治）
武則天（大周皇帝）
李弘
李賢
中宗（李顯）
睿宗（李旦）
太平公主
殤帝（李重茂）
玄宗（李隆基）

第一部

玄宗出世

【第一回】

天子風流

西元六八五年八月，一個男嬰降生在武則天的四兒子李旦家中。沒有人會想到，這個男嬰就是後來中國歷史上大名鼎鼎的一代英主——唐玄宗。他統治中國近半個世紀，親手締造了中國古代歷史上的黃金時代——開元盛世。然而，同樣是在他的統治下，唐朝也經歷了有史以來最大的一次劫難——安史之亂。從此以後，大唐王朝江河日下、一蹶不振。歷史的反差如此巨大，讓後世的人們在慨嘆之餘也會深深地思索：唐玄宗究竟是一個什麼樣的皇帝？他有著怎樣的業績？又有著怎樣的失誤？歷史的教訓在哪裡？歷史的經驗又在哪裡？

說起唐玄宗李隆基，在中國古代歷史上恐怕是無人不知、無人不曉。伴隨著他的一生，有三個標誌性符號深入人心。

第一，大唐王朝。這是中國古代歷史上最強盛的王朝，聲威赫赫，遠播海外，所以現在海外華人的聚居地還叫唐人街。第二，開元盛世。這是大唐這個黃金時代裡的黃金時段，也是中國歷史上盛世的典範。第三，楊貴妃。她是中國古代四大美女之一，一生經歷極具傳奇色彩，既是無數文人墨客抒情的對象，也是歷代市井小民八卦的話題，在民間的知名度不亞於玄宗本人。這三個標誌性符號都和唐玄宗息息相關。他是讓大唐王朝走向顛峰的皇帝，是開元盛世的締造者，也是大美女楊貴妃的丈夫。李、楊二人郎才女貌的愛情佳話，正是那個夢幻時代的夢幻傳奇。可以說，唐玄宗就是大唐的形象代言人，他的形象，本身就意味著錦天繡地、盛世華章。

那麼，唐玄宗到底是什麼形象呢？以四個字概括，就是風流天子。注意，這個風流，可不能簡簡單單理解為私生活浪漫、風流成性，而應該理解成毛澤東在《沁園春·雪》裡所謂「數風流人物，還看今朝」的風流。

那麼，唐玄宗到底有哪些風流之處呢？我給他三個概括：事業風流，情趣風流，愛情風流。

一、事業風流：政治、經濟、國際地位與文化的成就

唐玄宗前後當了四十四年皇帝，此後又當了六年太上皇，當時號稱五十年太平天子，是中國歷史上統治時間最長的皇帝之一。在他的治理之下，當時的中國在各個領域都臻於極盛。

先看政治領域，有幾個標誌性的成就引人矚目。首先就是君明臣賢的政治空氣。怎樣才叫君明臣賢呢？唐代筆記小說《次柳氏舊聞》裡記載了這樣一則佳話。開元初年，唐玄宗剛剛任命姚崇當宰相。有一天，姚崇拿著一批郎官的名單來找唐玄宗，意思是問問皇帝任用這批人合適不合適。結果，他把名單念了一遍，玄宗只是看著房梁，不說話。姚崇不明就裡，又問了一遍。玄宗還是看著房梁不說話。這樣一來，姚崇真是丈二和尚摸不著頭腦，非常惶恐地退出去。他一走，玄宗身邊的大宦官高力士就勸諫唐玄宗。他說：您剛當皇帝沒多久，宰相奏事，您應該當面回答人家行還是不行，怎麼能夠不理人家呢？唐玄宗回答：我讓姚崇當宰相，他有大事自然要和我商量，小事自己決定就可以了，任命五品郎官這樣的小事，我有什麼必要一定去插手呢！高力士聽皇帝這麼一說，明白了，趕緊跑到姚崇那裡，告訴他，皇帝不是輕視你，那是信任你。那麼，姚崇聽了之後是什麼心情呢？根據記載，他是「且解且喜」，理解了皇帝的心思，也很高興，從此辦事就更有主見了。

這件事能反映什麼問題呢？就是君明臣賢。唐玄宗雖然年輕，剛剛三十歲，但是識大體，知道自己什麼該管、什麼不該管，能夠信任宰相，是個明君。而宰相姚崇雖然久負盛名，年紀也六十多歲了，但是知道尊重皇帝，不敢專權。還有，我們看中國歷史，常常覺得宦官都不是好東西，總在皇帝和大臣之間挑撥離間、招惹是非。但是高力士非但不挑事，反而主動溝通皇帝和大臣之間的想法和感情，這也是難能可貴的品質。所以，和姚崇一樣，也是賢臣。有了這樣的明君賢臣，朝廷、內官還有皇帝這三種自古以來就難於擺平的勢力不就和諧了嗎？這則小故事之所以千古流傳，就因為它反映了玄宗時代這麼一個讓人緬懷的政治特色。正因為有這樣的政治空氣，所以當時不僅有一代英主唐玄宗，還有千古流芳的賢相姚崇、宋璟，甚至還有號稱千秋忠義的宦官高力士，整個政壇可謂群星閃耀。這是第一個標誌性成就。

第二個標誌性成就是彪炳史冊的典章制度。我們現在既講究以德治國，也講究依法辦事。因為如果把社會進步僅僅寄託在幾位明君賢相身上，就很有可能人在政在、人亡政息。只有把彰顯人類智慧的政令制度化，才能保證它長期穩定地惠及人民。唐玄宗時代文治昌明，也進行了大規模的典章制度建設，像中國最古老的行政法典《唐六典》[1]、最完備的禮儀規章《大唐開元禮》[2]、都是在玄宗時代修成，這就保證了社會長期、穩定、有序地向前發展。

第三個標誌性成就是崇高的國際地位。衡量一個國家的發展水準，不僅應該從縱向的角度跟歷史比，更應該從橫向的角度跟周邊國家比。當時的唐朝在全世界範圍內都是當之無愧的超級大國，首都長安也因此成為全世界的心臟。大量的商人、使者、留學生、學問僧經由陸路和海路匯集到唐朝，雲集於長安、洛陽等大城市。

大家都知道李白有一首詩叫做《哭晁卿衡》：「日本晁卿辭帝都，征帆一片繞蓬壺。明月不歸沉碧海，白雲愁色滿蒼梧。」這個牽動李白情思的晁衡就是日本留學生，原名阿倍仲麻呂。開元五年（七一七年），十九歲的阿倍仲麻呂隨日本遣唐使來中國留學，後來考中進士，賜名晁衡，在唐朝作官，一直當到了從三品的祕書監兼衛尉卿，相當於國家圖書館館長。晁衡前前後後在中國生活了五十四年，經歷整個開元、天寶盛世，直到七十三歲時在長安去世。晁衡素負詩名，與當時的大詩人李白、王維等都有詩文唱和。其中，晁衡《銜命使本國》詩云：「銜命將辭國，非才忝侍臣。天中戀明主，海外憶慈親。伏奏違金闕，騑驂去玉津。蓬萊鄉路近，若木故園鄰。西望懷恩日，東歸感義辰。平生一寶劍，留贈結交人。」這首詩家喻戶曉，是對王維的回贈。

當時長安城裡像晁衡這樣的國際友人太多了，號稱「九天閶闔開宮闕，萬國衣冠拜冕旒」。「萬國衣冠」固然是詩人誇張的寫法，那麼，實際上到底有多少國呢？根據《唐六典》的統計，開元年間，與中國有朝貢關係的國家有七十多個。有這麼多的國家和唐朝有朝貢關係，那麼，長安的外來人口有多少呢？根據現今學者的估算，當時長安城的外國人口占總人口的百分之二，一點也不亞於現在的北京、上海等大城市。大家都知道唐僧西天取經的故事，其實，當時有更多的人是到東方的中國來取經，中國的制度不僅影響到同處東亞的日本與朝鮮半島，甚至遠在西亞的伊斯蘭教創始人穆罕默德也說：「知識即使遠在中國，亦當往求之。」可見中國國際地位的崇高。

唐玄宗即位後，廣施德政，重視民生，百姓安居樂業，國威遠播海外，政治領域的高度成熟造就了大唐開放包容的名聲。那麼，在經濟領域，大唐是否也取得了令人驚歎的成就呢？

再看經濟領域。衡量古代經濟發展狀況，有兩個核心指標。一個是人口數字，一個是人均糧食占有量。唐玄宗一朝的人口數字，當時官方統計是五千多萬口，但是因為有大量人口瞞報、漏報現象，所以現代學者估計，實際人口應該在七千萬到九千萬之間。這個數字意味著什麼呢？做一個比較就知道了。直到十四世紀，整個歐洲的人口總和才達到八千一百萬。我們現在講科技是生產力，在古代自

1 我國現存最早的一部行政法典。由唐玄宗發起，張說、張九齡等人編纂，開元二十六年李林甫任相時進上。故舊提「唐玄宗御撰，李林甫奉敕注」。書中敘述了官制的歷史沿革，規定唐代中央與地方國家機關的機構建制。共計三十卷，近三十萬字。

2 中國古代最重要的禮學典籍之一。唐代開元年間修撰，詳盡而完備地記載了以皇帝為中心的國家典禮儀制，兼及地方政府的祭儀和官僚家庭的吉凶之儀，對於整個漢字文化圈的禮樂律令制度都產生過重大影響。

然經濟條件下，人口就是生產力。因此，這個比整個歐洲還要多的人口數字本身就表明了國力的強盛。

另外，中國有所謂「民以食為天」的說法，糧食占有量的多少，本身就是一個重要的幸福指數。那麼玄宗時代的人均糧食占有量是多少呢？根據現代學者胡戟先生的測算，大約是七百斤。這個數字多不多？我再舉一個數字來比較。一千多年以後，直到一九八二年，中國的人均糧食占有量才重新達到七百斤。今天，即使經過改革開放三十年的飛速發展，中國的人均糧食占有量也只有八百斤。從人口和糧食這兩個數字我們也能看出來，所謂開元盛世，絕對不是浪得虛名。實際情況就像杜甫在《憶昔》詩裡說到的：「憶昔開元全盛日，小邑猶藏萬家室。稻米流脂粟米白，公私倉廩俱豐實。九州道路無豺虎，遠行不勞吉日出。齊紈魯縞車班班，男耕女桑不相失。」正因為生產發展、經濟繁榮，老百姓都安居樂業，社會治安好了，社會風氣也好了，盛世到來了。

再看文化領域。講到中國傳統文化，你可能不會背《三字經》、不會背《論語》，但是哪個中國人不會背誦這首詩呢？「床前明月光，疑是地上霜。舉頭望明月，低頭思故鄉。」這首詩的作者是誰？李白，中國歷史上響噹噹的詩仙。連詩聖杜甫都是他的粉絲。事實上，不光是詩仙李白、詩聖杜甫，我們從小熟知的詩人王維、孟浩然、王之渙、岑參等全都生活在唐玄宗時代，整個詩壇群星璀璨。詩人成了時代的寵兒，寫詩也就變成全社會的風尚——娶媳婦要寫詩，交朋友要寫詩，找工作還要寫詩。文人寫詩也就罷了，連將軍不打仗的時候也在琢磨怎麼寫詩。很多人知道，唐朝有一個著名的將軍叫郭元振，在西北地方屢立戰功、威名赫赫。可是，上馬殺賊的郭將軍，下馬還能吟詩！吟什麼詩呢？《春江曲》。詩是這樣寫的：「江水春沉沉，上有雙竹林。竹葉壞水色，郎亦壞人心。」清新猶如樂府民歌的詩句裡，懷春少女的嬌憨躍然紙上。誰能想到，「十步殺一人，千里不留行」的將軍，竟然有這樣旖旎的情思呢！所以有人說，唐朝是詩的國度。這些詩人中哪個最優秀？歷史上一直是見仁見智，我個人覺得李白最好。為什麼？聽聽他的詩就知道：「天生我材必有用，千金散盡還復來！」、「仰天大笑出門去，我輩豈是蓬蒿人！」這是什麼？這是一種對人的認可，是一種個性的張揚，表現了蓬勃向上的時代精神！所以當代臺灣著名詩人余光中先生講：「李白繡口一吐，就是半個盛唐！」這樣的風流文采，其實已經超越了大唐，成為整個中華歷史上最美好的記憶了。而這一切，無論是政治領域的風流宏偉、經濟領域的風流富貴，還是文化領域的風流儒雅，全都打上了唐玄宗的烙印，這就叫做事業風流。

開元盛世，文治武功，成為唐玄宗身上一個標誌性的符號。可是，唐玄宗給後世留下的標誌性符號還不止這些，他還是出名的玩家，不但會玩，而且還玩出了名堂，以至於後人把他奉為梨園鼻祖。那麼，唐玄宗有什麼情趣愛好呢？

二、情趣風流：一位文武全才的皇帝

事業風流還不是全部，玄宗可沒那麼刻板，他還是一個富有生活情趣的人。唐玄宗有什麼值得誇耀的業餘愛好嗎？太多了，可以說是文武全才。

先看文藝方面的才能。首先，唐玄宗能寫詩。有人說這不稀奇，唐朝文風那麼盛，是個人就能寫兩筆！沒錯，關鍵是唐玄宗不光能寫，而且寫得不錯。他的詩是唯一入選《唐詩三百首》的皇帝詩歌，詩名叫做《經魯祭孔子而歎之》，云：「夫子何為者，栖栖一代中。地猶鄹氏邑，宅即魯王宮。歎鳳嗟身否，傷麟怨道窮。今看兩楹奠，當與夢時同。」一唱三歎中，皇帝對儒學的禮敬、對先賢的尊崇抒發得淋漓盡致。要知道，《唐詩三百首》可是清朝人編的，入選詩人七十七位。清朝人已經不用拍唐朝皇帝的馬屁了，唐玄宗還能當選百強，靠的就不是名氣，而是實力。除了寫詩，唐玄宗還能作曲。在歷史上，他作曲的名氣又比寫詩大多了，是當時世界級的大作曲家。唐朝很多著名的法曲[3]，都經過了玄宗的創作或整理。當然，最著名的還是《霓裳羽衣曲》。這首曲子經由唐玄宗創作、楊貴妃編舞，天寶年間風靡一時，成為李、楊愛情的美好象徵。我們學英語知道形容詞有原級、比較級、最高級。比方說「好」這個詞，原級就是「好」，比較級是「更好」，最高級是「最好」。拿這三級來界定唐玄宗的業餘愛好，寫詩是好，作曲是更好，最好是什麼？唐玄宗打羯鼓[4]最好。羯鼓是西北少數民族樂器，聲音激越響亮，在整個樂隊裡能起到指揮的作用，很符合唐玄宗的強者性格。唐玄宗打羯鼓好到什麼程度呢？著名宰相宋璟也是音樂愛好者，他曾經有一個評價，充滿讚歎之意。他說，玄宗打羯鼓的時候：「頭如青山峰，手如白雨點。」說他打鼓的時候頭像青山一樣文絲不動，而手卻像暴雨敲擊，快速有力。讓宰相引為知音已經很棒了，更絕的是，唐玄宗打羯鼓的水準連專業的藝術家都望塵莫及。當時有一個著名的藝人叫李龜年，號稱羯鼓打得最好。唐玄宗把他召來，問他：你羯鼓打得好，肯定常練習吧？李龜年驕傲地說：是啊，我已經打壞了五十根鼓槌了。唐玄宗一聽笑了，說：你才打壞五十根呀！我已經打壞四櫃子鼓槌了。

正因為自己有音樂方面的愛好，所以唐玄宗特別注意這方面人才的培養選拔。他設立了一個專門機構，叫做梨園，從男女樂工及民間藝人裡挑優秀的人才專門培養，相當於現今的藝校。而玄宗就是這所藝校的校長兼教授。有皇帝當老師，這批音樂歌舞人才特別驕傲，號稱皇帝梨園弟子。後來，梨園成了戲曲界的代稱，唐玄宗李隆基也被譽為梨園鼻祖，至今享受著供奉呢！

再看武藝方面的才能。唐玄宗能騎馬打獵，更擅長打馬毬[5]。關於他的這項技藝，還有一則故事。在唐中宗晚期，吐蕃使者到長安商量和親的事情。當時雙方都有親善的想法，打馬毬又是一種國際流行的體育項目，為了加強友誼，吐蕃使者就提出打一場馬毬比賽。唐朝這邊當然是欣然接受，派十個國家隊隊員上場了。沒想到，這十個運動員都是繡花枕頭，中看不中用，很快，連輸三場。唐中宗覺得沒面子，要求換人，說：我們國家隊不行，英雄都在民間呢！我們換票友隊。這票友隊一共就四個人，其中之一就是後來的唐玄宗。唐玄宗在球場上表現如何呢？根據唐代筆記小說《封氏見聞錄》的記載，「玄宗東西驅突，風回電擊，所向無前，吐蕃功不獲施。」很快把十個吐蕃隊員打得落花流水，替唐朝挽回了面子。唐玄宗打馬毬不僅青年時代打，直到老年還是酷愛此道，真可謂超級票友。從以上例子我們可以看出，唐玄宗不僅是個優秀的政治家，而且業餘愛好豐富多采。這就是情趣

3 法曲又名法樂，始見於東晉《法顯傳》，因用於佛教法會而得名，是西域各族音樂傳入中原地區後，與漢族音樂相融合發展而成。法曲南北朝出現，隋代、盛唐發展至極盛，中唐以後逐漸衰微。

4 中國古代的一種打擊樂器。產於西域地區，南北朝時傳入內地，盛行於唐開元、天寶年間。羯鼓兩面蒙皮，腰部細，其音激揚高越、充滿朝氣。唐玄宗是打羯鼓的高手，他認為羯鼓是八音的領袖，其他樂器不可與之相比。

5 現代馬球之祖。史稱「擊鞠」、「擊球」等，相傳唐初由波斯（今伊朗）傳入，稱「波羅球」。遊戲者乘馬分成兩隊，手持長柄球槌，共同擊打一個拳頭大小的木球，以打入對方球門為勝。在唐代宮廷風行一時，現存唐皇家墓室多有馬毬壁畫出土，充分表現了唐代馬毬運動的盛況。

風流。

唐玄宗不僅是一個優秀的政治家，而且還是一個職業的玩家。然而他最醒目的名聲，當屬他和楊貴妃的愛情了。李、楊愛情佳話經過千餘年的渲染，早已家喻戶曉。那麼，在唐玄宗身上，愛情風流到底意味著什麼呢？

三、愛情風流：集風流與專情於一身

根據《舊唐書》的記載，唐玄宗「儀範偉麗，有非常之表」。長相英俊瀟灑，又多才多藝，還是皇帝，諸多優點集於一身，感情生活豐富多采也就不足為奇了。事實上唐玄宗的確以多情著稱，史書上有名的妃子就有二十四名，沒名的就更多了。嬪妃多了，難免挑花了眼，怎麼辦呢？唐玄宗想出一個解決辦法。根據《開元天寶遺事》的記載，開元末年，每當春天鮮花盛開的時候，玄宗就讓妃嬪頭上插滿鮮花在宮裡歡宴，唐玄宗本人則放飛一隻粉蝶，彩蝶上下翻飛，停到哪位妃子頭上，玄宗就臨幸那位妃子。嬪妃已經夠多的了，更多的是宮女。唐玄宗時代，各個離宮別館的宮女加起來，總數達到四萬人。四萬年輕姑娘呀！一旦入宮，就再也沒有出頭之日，在深宮裡，一天天從紅粉佳人熬成皤然老嫗，這樣的命運太悲慘了。有些宮女實在不甘心，就動了和外面溝通的心思。怎麼溝通呢？開元年間，玄宗曾經讓宮女給戍邊的士兵做戰袍，有一個宮女就偷偷在袍子裡面縫了一首詩：「沙場征戍客，寒苦若為眠。戰袍經手做，知落阿誰邊？蓄意多添線，含情更著綿。今生已過也，結娶後生緣。」戍邊的戰士是個老實人，穿衣服時發現了這首詩，不敢隱瞞，馬上上報給主帥，主帥上朝彙報工作的時候又報告給玄宗。玄宗拿著這首詩「遍示六宮」，每個人都問到了，這時候那個宮女出來說，這是奴婢寫的，奴婢罪該萬死！並等著玄宗發落。沒想到玄宗說了，妳寫詩說「今生已過也，結娶後生緣」，如今我為你們結個今生緣吧！乾脆就把這宮女嫁給士兵。這故事聽起來挺浪漫的，不過要記得，若不是唐玄宗霸占這麼多宮女、嬪妃，也就不必有什麼戰袍傳詩了。

但是，如果一味地講玄宗多情花心也不公道，唐玄宗也有他專情的一面，他專情的對象就是楊貴妃。自從有了楊貴妃之後，玄宗就再也不做什麼粉蝶撲花的遊戲了，而是把感情全部投注在楊貴妃這枝「解語花」上，李、楊愛情雖以悲劇告終，但是，「在天願為比翼鳥，在地願為連理枝」的情懷還是傳唱了一千多年，打動了無數的癡男怨女、芸芸眾生。這就是所謂的愛情風流。

四、盛極而衰：將大唐推向盛世，又拉至谷底

正是這個集事業風流、情趣風流和愛情風流於一身的風流天子，讓大唐王朝煥發出璀璨奪目的光輝，這是時代的主旋律。但是，僅僅「風流」二字並不足以評價唐玄宗。有一個說法叫做「月圓則缺，水滿則溢」。唐玄宗天寶十四年（七五五年），正當玄宗和楊貴妃在華清宮一起享受浪漫溫泉浴時，唐朝歷史上最大的一次內亂爆發了。這場內亂就是著名的「安史之亂」。發動叛亂的安祿山和史思明從今天的北京一帶一路南下，橫掃大半個北方，大唐盛世就此戛然而止。白居易有詩句說：「漁陽鼙鼓動地來，驚破霓裳羽衣曲。」事實上，安史之亂驚破的不僅是李隆基和楊貴妃的愛情神話，更是千千萬萬老百姓的安居樂業之夢。這場戰爭持續了將近八年，它不僅給唐玄宗的皇帝生涯畫上句

號，也成為大唐盛衰的分界點，乃至整個中國帝制時代歷史的分水嶺。怎麼叫中國歷史的分水嶺？首先，在文化方面，中國不再像原來那樣自信地吸收外來文明，伴隨著世界主義的減弱，民族主義開始抬頭，中國文化的保守主義傾向日趨濃厚；在政治方面，因為敵對力量的變化，中國的政治重心逐漸從西北轉移到華北，最明顯的體現就是首都從長安逐漸轉移到北京；在經濟方面，因為安史之亂對北方的摧殘，中國的經濟重心也最終從北方轉移到江南，從此，南北關係取代東西關係，成為中國的主要話題。更加令人遺憾的是，安史之亂後，中國又經歷了若干朝代，在這些朝代裡，中國經濟也曾強盛，疆域也曾遼闊，文化也曾昌明，但是，說起全盛，已不復盛唐風範。

國家如此，玄宗本人也是如此。安史之亂結束後，唐玄宗從四川回到了長安。但是，此時的他已經不再是叱吒風雲的皇帝，而成了寄人籬下的太上皇。沒過多久，就被當皇帝的兒子軟禁起來，身邊舊人風流雲散，只剩下幾名年老體弱的宮女伺候。面對瑟瑟秋風、滿階落葉，暮年的唐玄宗經常吟誦一首詩：「刻木牽絲做老翁，雞皮鶴髮與真同。須臾弄罷渾無事，還似人生一夢中。」（唐梁鍠《詠木老人》，一說唐玄宗《傀儡吟》）意思是說自己就像提線木偶一樣，戲已演完，該收場了。確實，這時候的玄宗連人身自由都沒有，事業更無從談起，不就像一個謝了幕的偶人嗎？與此同時，他也失去了伴侶楊貴妃，令人羡慕的愛情付之東流。堂堂皇帝，最後連自己的寵妃也不能保護，人生還有什麼能比這更失意的呢？史書記載，玄宗在安史之亂後又去過一次華清池，在安史之亂前，他每次都是騎馬去，這次卻是乘輦去的。在路上，有父老問他：皇帝為何不騎馬？玄宗傷感地回答：我老了，騎不動了！當年的情趣和豪氣都已經蕩然無存。

毫無疑問，玄宗的人生充滿矛盾。他把大唐推上盛世的顛峰，又親手把大唐拉入戰亂的谷底。正是這樣的壯麗事業和這樣的悲涼結局構成的強烈反差，讓人們對唐玄宗充滿感情。這種感情既不是對太宗那樣的崇拜，也不是對中宗那樣的鄙視，而是一種愛恨交加的感情。我們很容易就把他當作一個和自己一樣有血有肉、有抱負也有缺點的人去看待，至少我個人是如此。為什麼我們會有這樣的感情呢？我想，明代著名文人張岱說得好：「人無癖不可與交，以其無深情也；人無疵不可與交，以其無真氣也。」唐玄宗就是這樣一個既有癖好又有瑕疵的人，我們每個人都可以理解、可以笑罵、可以神交。

接下來，帶著這樣的理解與同情，我們一起審視這位帝王，也審視這個時代。唐玄宗究竟是一個什麼樣的皇帝？他有著怎樣的功業和失誤？歷史的教訓在哪裡？歷史的精神又在哪裡呢？

請看下回：憂患王子。

【第二回】

憂患王子

唐玄宗李隆基生於帝王之家，按照常理推測，他應該是一個錦衣玉食、無憂無慮的貴族公子哥，過著神仙一般快活的日子。他可能知識淵博、才華橫溢，但是，他必定不知道「憂患」二字的真實涵義。然而，歷史並不總循常理。真實的李隆基恰恰是生於憂患，從小飽嘗人間的磨難。憂患的童年，會讓李隆基得到怎樣的鍛鍊呢？

孟子說過：「天將降大任於斯人也，必先苦其心志，勞其筋骨，餓其體膚，空乏其身，行拂亂其所為，所以動心忍性，增益其所不能。」這段話分析起來有兩層意思。一層意思是說複雜的環境和艱苦的生活可以促進一個人的成長；另外一層意思，則是暗示偉大的人物必然有不一般的早年經歷。按照任何時代的標準，唐玄宗李隆基都是個接受天降大任的人，那麼，他又有著怎樣的早年經歷？這些早年經歷會對他日後的政治生涯產生怎樣的影響呢？

為了說清楚這個問題，我們先來了解一下唐玄宗李隆基的家系。唐朝自高祖李淵開創帝業，如果不算武則天，到李隆基算是第七任皇帝，如果算武則天，則是第八任皇帝。李隆基可謂天生貴冑，他的高祖父是唐高祖李淵，曾祖父是唐太宗李世民，祖父是唐高宗李治，祖母是大周皇帝武則天，伯父是唐中宗李顯，父親是唐睿宗李旦。這是父系。再看母系。李隆基的母親竇氏生前封為德妃，雖然不是父親的正室，但是出身著名的關隴大族，地位也非常顯赫。李隆基一共兄弟六人，活到成年的有五個，他排行老三。這樣的出身雖然高貴無比，但是因為庶出，而且排行老三的緣故，不必承擔什麼政治責任。按照常理，李隆基應該是個花天酒地了此一生的貴族公子哥，恐怕和磨難一詞無緣。但是，歷史的發展往往不遵循常理，童年時代的李隆基確實經歷了三大磨難，飽嘗了人生的艱辛。

一、父系凋零：武則天對李唐皇族大開殺戒

童年李隆基遭遇的第一個磨難就是父系凋零。大家知道，中國傳統社會是父系社會，父親和父親的宗族都是孩子最重要的依靠。李隆基的父系如何呢？有人可能說，李隆基的父系很強啊！從高祖父

直到父親都是皇帝。沒錯，李隆基是生在一個皇帝家族。但是，因為一代女皇武則天的緣故，這個家族在他小時候卻恰逢倒楣時節。李隆基出生在垂拱元年（六八五年）。當時，他的祖父唐高宗已死，祖母武則天圖謀稱帝的步伐正在加速進行。為了實現自己的皇帝夢，她殺掉自己的二兒子廢太子李賢，廢掉自己的三兒子中宗李顯，改立四兒子李旦當皇帝。本來，李旦做為最小的兒子，沒有任何當皇帝的希望。但是，因為這一連串的變故，皇冠突然落在他的頭上。李旦成為皇帝，李隆基也就在這種背景下，誕生於皇帝之家，成了當朝皇帝的兒子。

不過，李旦雖然有皇帝的名分，卻並沒有皇帝的權力。不僅如此，從當上皇帝的第一天起，他就被母親軟禁起來，閉門謝客了！他閉門謝客，誰來行使權力呢？當然是武則天。武則天成了真正意義上的無冕之王，離君臨天下只有一步之遙。不過，從無冕到有冕可不是戴一頂帽子那麼簡單，中國古代王朝都是一家一姓，想改朝換代，武則天不僅要換皇帝，還要剪除整個李唐宗室。所以，就在李隆基四歲那一年，武則天利用宗室李貞父子叛亂一事，對李唐皇族大開殺戒。兩年之間，唐高祖、唐太宗、唐高宗三代皇帝的兒子基本被殺光，只留下她親生的兒子中宗李顯和睿宗李旦。不過，李顯雖然沒死，但已被遠貶房州，嚴密看管起來。李隆基自從降生之日起，就沒見過這個伯伯。本來偌大的李唐皇族，這時候只剩下了李旦一家，真是煢煢孑立、形影相弔。更要命的是，就在睿宗載初元年（六九〇年），李隆基五歲的時候，武則天終於改唐為周，當上大周王朝的開國皇帝。李隆基的父親李旦也隨之被降為皇嗣，整天被武家的姪子們算計，活得戰戰兢兢。最嚴重的一次，李旦落到酷吏手裡，要不是樂工安金藏剖腹鳴冤[1]，捨命相救，恐怕李旦一家都得死於非命。這樣看來，李隆基小時候，什麼父親的保護、叔伯的愛護都談不上，真是勢單力孤。

當然，要說童年的李隆基身邊，一個父系親戚都沒有也不盡然。他的叔叔伯伯固然是死的死、貶的貶，但是，不要忘記，他還有一個姑姑，就是大名鼎鼎的太平公主。太平公主與李隆基一家關係如何呢？我想，應該說是若即若離吧！為什麼「若離」呢？我們講過，太平公主在武周一朝頗為得寵，處境比李旦好多了。而且，太平公主那麼乖覺，就從避嫌起見，也未必願意跟哥哥李旦多來往。那為什麼又「若即」呢？太平公主和李旦畢竟是一母同胞，何況，做為李家女兒，太平公主的內心未必沒有興復李唐的夢想，因此，和哥哥李旦又頗有利益一致之處，所以也並不特別疏遠。但是，無論大人之間有多少明爭暗鬥、鉤心鬥角，對於小小的李隆基而言，太平公主畢竟是他唯一能看到的本家親戚，可以想像，對這個姑姑，李隆基還是會有依戀之心吧！

在武則天執政時期，為了保障政權的穩定，武則天不惜一切手段遏制李唐皇室的發展，在這種情況下，李旦一家活得是戰戰兢兢、如履薄冰。看來，在父親這邊，少年李隆基是得不到什麼應有的庇護。但是，李隆基的母親出身名門望族，在父親靠不上的情況下，母親會不會對他呵護有加呢？

二、母黨死喪：只因一名宮女，竇氏慘死

父親方面凋零殆盡，母親那方怎麼樣呢？更慘，乾脆被殺了。怎麼回事呢？我們剛剛說過，李隆基的母親竇氏出身大族。她的曾祖父叫竇抗，是唐高祖李淵的大舅子，李唐王朝的國舅爺。這樣算起來，李隆基的父親李旦和母親竇氏本來就是親戚。唐朝貴族流行親上加親，竇氏容貌秀麗端莊、性格溫良恭儉讓，長大之後也就順理成章地嫁給李旦，被封為德妃，給李旦生下一個兒子，就是李隆基，

另外還有兩個女兒。武則天對這個兒媳是否滿意，史書沒有記載，但是，長壽二年（六九二年）正月初二，武則天終於用行動表態了。這一天，竇妃和李旦的正妃劉氏按照規矩，一起去給武則天拜年，無數人看著她們倆進了大殿，但是，沒有一個人看見她們出來。兩個年輕貌美的妃子就這麼人間蒸發、屍骨無存了。這一年，李隆基才八歲。聽起來像是鬼故事，但是大家都知道，世間本無鬼，鬼故事背後必定有人操縱。這個人是誰呢？當然就是武則天。

武則天為什麼要殺兒媳婦呢？根據史書記載，直接原因是當時有一個宮女叫韋團兒的告密。據說，韋團兒很有野心，看上李旦這支潛力股，想要勾引他，高攀皇族。沒想到李旦不領情，拒絕誘惑。韋團兒一氣之下，就把怨氣撒到了李旦的兩個妃子身上，誣告她們行厭勝[2]之法，在院子裡埋小桐人，詛咒武則天。詛咒皇帝自然是罪該萬死，所以武則天就把她們給殺了。但是，事情果真那麼簡單嗎？不可能呀！韋團兒不過是一個宮女，借給她十個膽子，也不敢隨便誣陷皇嗣的妃子。所以，這件事表面上看似桃色事件，其實背後恐怕是政治黑幕。哪隻黑手在指使韋團兒呢？按照推理小說誰受益誰就有嫌疑的原則，當然最有嫌疑的就是武家人了。當時武則天的姪子正在和皇嗣李旦爭奪繼承權，按照他們的想法，讓韋團兒告李旦的妃子，自然就會牽連到李旦，只要把李旦從皇嗣的位置上拉

1 安金藏，武則天時太常寺樂工，中國古代著名的忠臣。武周時期，皇嗣李旦被人誣告謀反，安金藏為了幫皇嗣洗脫罪名，當眾用刀剖腹，並說「願剖腹以明皇嗣不反」。武后深受感動，李旦因此而倖免於難。

2 「厭勝」意即「厭而勝之」，係透過法術詛咒或祈禱以達到制勝所厭惡的人、物或魔怪的目的。如將一塊破瓦和一把斷鋸藏在正梁頭的接縫處，據說居住者會家破人亡。以厭勝之術危害他人在中國古代被視為重罪。

下來，武則天的接班人不就是武家人了嘛！這是個連環套、大陰謀。武家人打的這些算盤，武則天是否明白呢？以她的睿智，自然心知肚明。那她是什麼態度呢？別忘了，她的皇位畢竟是從兒子手裡奪來的，所以她也願意敲山震虎，給李旦點顏色看看。於是，順水推舟，把李旦的兩個妃子殺了，看看李旦是什麼反應。那麼，李旦到底是什麼反應呢？沒反應。不僅自己請安問好一切照常，還嚴厲地叮嚀幾個孩子，也要裝得跟沒事人一樣。讓一個七、八歲的孩子對母親的死表現得無動於衷，多麼殘酷啊！但是，沒辦法，環境催人，誰敢不少年老成呢！

按說兒子李旦這麼窩囊，武則天心裡該放鬆下來吧？沒有。兒媳婦固然死了，可是兒媳婦還有娘家呀！李隆基的外祖父竇家是大族，仍有可能給李旦提供支援。所以，就在竇妃死後不久，另一起勝案子又出來了，這次的被告是竇妃的媽媽，說她半夜在家詛咒皇帝早死，好給她女兒報仇！這個案子審來審去，最終結果是竇氏全家都被貶到嶺南。這樣一來，李隆基不僅失去母愛，也失去了來自外祖父家的支持，真是屋漏偏逢連夜雨，破船又遇打頭風。不過，就像父系那邊還有一個姑姑太平公主一樣，母親一方也有一個親戚倖存下來，誰呢？竇妃的妹妹，李隆基的姨媽。現在我們論起母親一邊的親戚，有一個說法叫做娘親舅大，不太重視姨媽了。但是唐朝不一樣。當時姨媽號稱從母，算是半個母親，地位很高。李隆基這麼小就失去母親，這位竇姨就經常關照他，把他帶在身邊，成為李隆基童年難得的依靠。

父系的凋零，母黨的死喪，少年的李隆基果真就應了那句話「生於憂患」。在缺少父母呵護的情況下，李隆基自身的命運又會怎樣呢？

三、自身沉浮：地位一降再降，憂患遠多於安樂

因為武則天的關係，李隆基的父系和母系都七零八落，那麼，他自身的命運又如何呢？關於李隆基的童年時代，有三個小故事頗為有趣。

第一個，摔不死的故事。根據《冊府元龜．帝王部．神助》的記載，李隆基虛歲三歲、實際剛剛兩歲的時候，武則天有一天含飴弄孫，抱著他在高樓上憑欄遠眺。老太太一生憂勞國事，腦子裡千頭萬緒，不知忽然想起什麼來，一分神，把孩子從手裡掉了下去。左右大驚失色，趕緊去救孩子。沒想到，小小的李隆基落在地上不僅沒被摔死，反倒怡然自得，笑了。武則天因此嘖嘖稱奇，感覺這個孩子不一般。

第二個，摸大獎的故事。根據唐人鄭處誨《明皇雜錄》記載：「唐天后嘗召諸皇孫，坐於殿上，觀其嬉戲。因出西國所貢玉環、釧、杯、盤列於前後，縱令爭取，以觀其志。莫不奔競，厚有所獲。獨玄宗端坐，略不為動。后大奇之，撫其背曰：『此兒當為太平天子。』因命取玉龍子以賜。」什麼意思呢？武則天在殿上逗一群小孫子玩，為了考驗他們的志向，特地用一個大盤子，擺滿了西域各國進貢的各種珍稀玉器，讓小孫子們隨便挑。有點類似於民間的抓週。別的小孩都爭著去盤子裡淘寶貝了，唯有李隆基端坐不動。武則天一看又是嘖嘖稱奇，說：這孩子以後一定是太平天子！還給了他一個玉龍子做為獎賞。

第三個，鬧朝堂的故事。據《資治通鑑》記載，李隆基七歲那年，武則天可能是當上皇帝心情超好的緣故，煥發了人生第二春，髮白再黑，齒落更生，這讓她非常高興。一高興，也就對皇嗣李旦放

鬆了防範，允許他的幾個兒子，也就是李隆基兄弟們出閣了。要知道，這裡所說的出閣，可不是女孩子出嫁的意思，而是指小王子們離開宮廷、離開父母身邊，到宮外居住。按照規矩，這些出了閣的孫子們在每月的初一和十五都要到宮裡來拜見奶奶。有一次，李隆基來朝拜，正好趕上武則天的堂姪武懿宗值班。武懿宗這個人長相、性格都很猥瑣，但是仗著自己是當朝皇帝的姪子，眼高於頂，目中無人。一看李家小孩來了，而且還儀衛嚴整、落落大方，就有些氣不順，於是找茬挑刺，辱罵李隆基的衛隊。別看李隆基只有七歲，他可不是吃素的，馬上就發作了，說：「吾家朝堂，干汝何事！敢迫吾騎從！」這是我們家朝堂，關你什麼事！武則天一看小孫子這麼厲害，更是嘖嘖稱奇了，從此就很寵這個孫子。

這三個故事聽起來都不錯，足以證明小小的李隆基雖然身處逆境，沒什麼靠山，卻是英明天縱。但是，這些故事可信嗎？咱們一個個分析。第一個摔不死的故事是不是真的呢？顯然不是。一個小孩掉在地上沒摔死是有可能的，但是他絕不可能被摔笑了。這個故事違反常識，一看就是瞎編的。

那第二個呢？也是假的。李隆基是李旦的第三個兒子，而且不是李旦的嫡妻所生，所以按照常理，無論如何也輪不到他當「太平天子」，武則天做為一個在政治漩渦中摸爬滾打一生的政治家，怎麼能說出「此兒當為太平天子」這樣不負責任的話來呢？這不是故意要引發政變嘛！還有，中國古代都喜歡小孩少年老成，所以，從小就教孩子端架子，邁方步，學小老頭。說哪個孩子有出息，也一定強調他從小不說不笑不愛玩。但在事實上，唐朝的宮廷教育遠沒有那麼嚴肅，唐玄宗一生活潑好動，打獵、打毬樣樣來，怎麼會看到新鮮東西反倒像呆子一樣一動不動呢？很顯然，這個故事編得也不符合他的性格特徵。

再看第三個故事。這個故事流傳得非常廣，《舊唐書》也有記載，可靠程度當然遠遠超過前兩個。而且，這個故事裡李隆基的言行比較符合他驕傲強悍的性格特徵，所以，我認為它主體是真的。但是，儘管如此，我還是比較懷疑這個故事的結局。按照記載，李隆基大鬧朝堂，英雄氣十足，讓武則天非常賞識，從此對他的印象超好。但是事實上，就在這件事之後不久，就發生了李隆基的母親竇妃被殺的事。所以我懷疑，正是李隆基這一句無心之言激起武則天的疑慮。如果一個小毛孩子都知道說這是我家的朝堂，他的父母還不知是怎麼想的呢！這不是復辟的賊心不死嘛！可能就在這種疑慮心情的影響下，武則天才對兒媳婦痛下殺手。如果這個猜測不錯，那麼，李隆基這句豪言壯語不僅沒能讓奶奶產生後繼有人的驕傲感，從而疼愛這個少有大志的孫子，相反，恐怕這正是導致唐玄宗家庭悲劇的導火線之一！這樣看來，所謂李隆基童年不同尋常，而且極受奶奶武則天寵愛的故事都不怎麼可靠，基本上屬於拉大旗、做虎皮，是利用武則天這麼一個政治奇人給李隆基抬轎子的帝王神話。

既然神話不可信，那麼，李隆基童年乃至少年時代的真實情況是怎樣的呢？我想，有兩點猜測可能是準確的。

第一，地位一降再降，憂患遠多於安樂。怎麼叫做地位一降再降呢？我們看看他的履歷就知道了。李隆基少年時代的身分一共變了三次。第一個身分是楚王。這是在他三歲時封的。當時他爸爸李旦還在當皇帝，所以兒子當然要封王。但是，到李隆基八歲的時候，他的身分變了，從楚王變成臨淄王。楚王和臨淄王，一個是兩個字的王，一個是三個字的王。有什麼差別嗎？差別可大了。楚王是國王，臨淄王是郡王。差一級呢！為什麼降級？因為當時武則天已經改朝換代，李隆基的爸爸也就不是皇帝，而是皇嗣了。自己降級，兒子當然也跟著降級。臨淄王就是他的第二個身分。到他不滿九歲的時候，因為竇妃被殺事件的影響，李隆基雖然臨淄王的頭銜沒變，但是人被關起來了，幽禁在後宮裡，一關就是五年。這個身分一直持續到聖歷元年（六九八年），李隆基十三歲的時候。

聖曆元年，年邁的武則天在李、武兩家之間搖擺了多年之後，終於選定三兒子李顯當太子，把他從房陵給召回來。換言之，老太太決定在死後還政於李唐王朝。這對於李唐皇室的每一個人來說當然都是大喜事。但是，唯獨對李隆基的父親李旦來說，幸福感沒那麼強烈。任命李顯當太子，就意味著李旦落選，十多年的皇嗣白當了，以後不可能再晉升為皇帝。不當皇嗣當什麼呢？武則天給了他一個封號，叫做相王。這樣一來，李隆基的身分也就有了第三次改變。變成什麼了呢？還是臨淄王。但是，此臨淄王非彼臨淄王。當年，他第一次當臨淄王的時候，還是皇嗣的兒子，皇嗣多少有點皇太子的影子，而現在這個臨淄王，僅僅是一個親王的兒子。從這個角度來說，李隆基的身分實際上是降了。當然，任何事情總是禍福相依的，李隆基雖然暫時失去了成為皇帝兒子的可能性，但是，他也得到了久違的自由。就在這一年，武則天重新讓他們兄弟出閣。這次出閣，他已經十三歲，童年時代基本過去了。可以說，自打記事之來，李隆基的地位一降再降，憂患多於歡樂，甚至是幽禁多於自由。

第二，強顏歡笑，朝不保夕。開元年間，李隆基的堂兄、章懷太子李賢的兒子李守禮每次天氣變化之前都能預知，比現在的天氣預報還靈。這讓已經當了皇帝的李隆基很好奇，也有點緊張。這個堂哥很神啊！別是有什麼特別的道術吧！追問之下，李守禮說，我哪有什麼道術啊！只是則天皇后當政的時候，我不是被軟禁在宮裡嗎？每年沒事也要被責打上幾頓，每次都打得背上傷痕累累，直到今天，疤痕也沒有下去。此後每逢天氣變化，我的背就又痠又疼，所以我才能預報天氣啊！說完之後，淚下沾襟。講李守禮的故事有什麼意義呢？要知道，李守禮和李隆基的身分是一樣的。李守禮的爸爸是武則天的二兒子，李隆基的爸爸是武則天的四兒子，兩個人真是難兄難弟，李守禮整天挨打，想來李隆基那時也不會生活得太幸福吧！李隆基七歲那年，有一次武則天舉行宮廷宴會，李隆基兄妹都奉命表演節目。其中，李隆基跳了一支歌舞戲[3]，叫《長命女》，他的弟弟，五歲的李隆范則表演了一段歌舞戲，叫《蘭陵王》。李隆范入場的時候，大聲說：「祝願神聖神皇萬歲，子孫成行！」要知道，武則天為了能當皇帝，早已自剪羽翼，把子孫殺了個七零八落。因此，小小的李隆范喊出「神皇萬歲，子孫成行」這樣的祝詞，簡直像是諷刺。但是，當時，無論是李隆基還是李隆范，誰敢諷刺聖母神皇武則天啊！他們這樣討好，只不過是為了保全自己的性命罷了！

那麼，這樣的童年和少年時代對李隆基的成長到底意味著什麼呢？我總結了四點影響：

首先，早歲已知世事艱。李隆基確實出身高貴，但是，因為時局的影響，他從小就飽嘗憂患，絕不是只知道享樂的二世祖。他從小就熟悉宮廷鬥爭，也深知政治的殘酷。這對一個注定要與政治結緣的孩子來說，當然是難得的歷練。

再者，心機深沉。每個人都曾經有過天真的童年，但是，如果一個七歲小孩子意識到自己的一句話就有可能導致母親的死亡，我想任何人都能學會喜怒不形於色。這是險惡的鬥爭環境決定的。

除此之外，多才多藝。剛剛說過，李隆基和他的兄弟們都經歷了漫長的幽禁歲月，在幽禁生活

3 中國南北朝、隋、唐以來在前代歌舞、百戲基礎上發展而成的有故事情節、有少數角色扮演，載歌載舞，或同時兼有伴唱和管弦樂器伴奏的一種雛形戲曲。歌舞戲是宋雜劇、金院本和宋南戲的先聲。

裡，沒人敢來看望，他們日常能夠接觸的，只有父親和一群樂工。但是，睿宗李旦本來就是個才子，擅長書法，也會寫詩。既然在政治上無從施展，就只能盡心盡力地教兒子讀書，所以李隆基也能詩善書。另外，因為整天和樂工泡在一起，李隆基的音樂天分也充分發展起來。這些才藝，在當時有幾分無奈，但是在日後就顯得十分輝煌。

最後，情深義重。人在冷漠中更知道感情的可貴。李隆基並不是蜜罐裡泡大的孩子，自從母親死後，他能夠享受到的溫情並不多。正因為如此，他對身邊的親人都有很深的感情。就拿竇姨來說，這個撫養過玄宗的老太太後來被封為鄧國夫人，她的幾個兒子也都當了大官。另外，在漫長的皇帝生涯中，李隆基對待和自己一起吃過苦的兄弟一直手下留情。他的這份手足深情對他日後的政治生涯會產生什麼影響呢？我們以後還會講到。

雖然有了這些素質，但是，這時候的李隆基還沒有什麼真正值得稱道的地方，他一直在政治漩渦中摸爬滾打，但本身並不是政治人物。不過，值得一提的是李隆基的名字。我們都知道他叫李隆基，因為排行老三，號稱「三郎」。廟號[4]「玄宗」，謚號為「至道大聖大明孝皇帝」，所以又稱唐明皇。但是，大多數人不知道，李隆基還有一個外號叫「阿瞞」。他小時候，宮裡的人都這麼叫他。眾所周知，阿瞞是曹操的小名。曹操的形象，在後世已經成為一張大白臉，意味著奸詐和權謀；但是，唐朝時對曹操的評價並非如此固化。當時，這個名字固然意味著工於心計、亦正亦邪，但同時也意味著卓越的領導才幹。這代表著當時人對李隆基素質的認定。這是一種政治家的素質，只是還沒有發展的機會。那麼，機會會很快到來嗎？
請看下回：因禍得福。

4 中國古代帝王死後追封的名號，標於太廟的牌位上，故稱廟號。廟號起源於商朝，最初嚴格規定只有重大貢獻的皇帝才配享有廟號。到魏晉南北朝時期開始氾濫，後代的皇帝幾乎都有廟號。「高祖」、「太宗」、「玄宗」都是皇帝的廟號。

【第三回】

因禍得福

少年時代的李隆基雖然貴為皇族公子，但是從小就飽嘗了生活的艱辛，地位也是一降再降，小小年紀就嘗盡了愁滋味。神龍元年（七〇五年），一次還政於李唐的政變，讓久經磨難的李隆基重新找回了皇族公子的自尊，可是再一次爭權奪利的鬥爭，又讓本來沒有關係的李隆基跌入人生的低谷。那麼這究竟是怎麼回事呢？這兩次政變又帶給李隆基怎樣的人生契機呢？

中國人吃飯都用筷子。要是有一天你往桌子上放一根筷子，這筷子突然立起來了，而且按都按不倒，你會怎麼想？害怕吧？是不是鬧鬼了？當然，一般人也根本碰不上這樣的荒唐事。可是，李隆基就碰過。但是，他看到這根筷子不屈不撓地挺立之後並沒有害怕，反而露出躊躇滿志的神情。這是怎麼回事呢？

我們上一回講過，聖曆元年（六九八年），武則天最終決定立自己的三兒子李顯當太子，表明了還政李唐的意圖。與此同時，她也讓小兒子李旦當了相王，並且讓李旦的兒子們都到宮外居住。面對久違的自由，少年李隆基欣喜若狂，整天鬥雞走狗，盡情享受生活的歡樂。就這樣，一晃幾年過去了。到了神龍元年（七〇五年），「神龍政變」爆發了。太子李顯、相王李旦、太平公主以及張柬之等五位大臣聯合發動政變，武則天被迫下臺，李顯當上皇帝，即唐中宗。神龍政變對李唐王朝的發展意義重大，但是，李隆基做為二十歲的青年王子，似乎並沒有真正參與此事。這也不難理解。當時，政壇上的主力還都是他的父輩，根本輪不到他出場。神龍政變後，唐中宗李顯從太子變成了皇帝，按照常理，相王李旦一系理應淡出政治舞臺，李隆基做為相王的兒子，離政治核心似乎更遠了。武周統治結束後，新皇帝李顯決定恢復李氏皇族的地位，好多流落民間的皇族遠親都被找了回來，封官拜爵。李隆基做為唐中宗的親姪子，更是近水樓臺先得月，官拜衛尉少卿。衛尉少卿是四品官，品級不低，但其實是個閒職。所以，李隆基每天的生活照樣是騎馬打獵、鬥雞走狗。看起來，他今後的生活軌跡似乎已經確定下來了。但是，唐中宗神龍三年（七〇七年），李唐王朝又出事了，而且在很大程度上改變了李隆基的命運。

一、放虎歸山：臨淄王李隆基被降職擔任潞州別駕，遠離長安

我們說過，唐中宗李顯自身實力不強，靠著張柬之等功臣與相王李旦、太平公主的幫忙才取得神龍政變的成功，當上了皇帝。李顯當了皇帝之後，張柬之等人都封了王，相王李旦則加封為安國相王，太平公主加封為鎮國太平公主，一時間功臣氣焰熏天，這讓中宗李顯感覺壓力很大。為了削弱這些功臣的勢力，李顯被迫和韋皇后及武則天的姪子武三思[1]結盟，還把愛女安樂公主嫁給了武三思的兒子。這樣一來，朝廷就成了李、武、韋三位一體的政治聯盟了。本來，唐中宗這樣做，也不過是為了穩住自己的地位。可是，他沒想到，這樣的舉動刺激了一個人的野心，也打擊了一個人的信心。刺激了誰的野心呢？安樂公主。她是唐中宗和韋皇后最疼愛的親生女兒，又是武三思的兒媳，李、武、韋三大勢力都在她這兒集合，所以特別張狂。張狂到什麼程度呢？她提出要當「皇太女」，以後接父親的班當皇帝！她這野心一膨脹，有一個人對自己沒信心了。誰呢？她的同父異母哥哥、唐中宗的太子李重俊。李重俊雖然是太子，但並不是韋皇后的親生兒子，跟武家更是沒有關係，李、武、韋三方勢力他只占了一方，而且顯然爸爸李顯對他也不親熱。現在妹妹安樂公主提出要當皇太女，這不明擺著要奪他這個太子的權，是可忍，孰不可忍！就在這種激憤情緒的支配下，李重俊發動政變，想要捍衛自己的地位。沒想到政變由於組織草率又臨陣慌張，失敗了，李重俊做了刀下之鬼。

1 武則天姪子，是武周朝至中宗時代重要的政治人物。他生性乖巧、善揣人意，深受武則天信任。後又受中宗、韋后、上官婉兒青睞，其子娶中宗愛女安樂公主，在中宗朝是武姓勢力的代表。七〇七年重俊政變時被殺。

本來，這場政變隨著李重俊被殺也就該宣告結束，可是，當時唐中宗重點防範的對象是相王李旦和太平公主，所以在政變結束後，中宗擴大株連範圍，想把相王和太平公主也牽連進來，藉這個案子把他們倆解決掉。可是，相王兄妹真的沒有參與政變，讓他們抵罪，人心不服啊！再說，相王和太平公主也都是有勢力的人，馬上就有官員來給他們喊冤了，勸中宗說：「陛下富有四海，不能容一弟一妹，而使人羅織害之乎！相王昔為皇嗣，固請於則天，以天下讓陛下，累日不食，此海內所知。奈何以祖雍一言而疑之！」輿論壓力很強大。唐中宗李顯也不願意犯眾怒，只好表態，不追究了。不追究歸不追究，但是，中宗心裡對弟弟李旦始終還是不放心，所以，沒過多久，李旦的兒子們倒楣了，紛紛被發配到地方。其中，臨淄王李隆基被任命為潞州別駕[2]。

潞州是今天山西省的長治市，位於太行山區，戰略地位很重要。不過潞州別駕卻沒什麼重要性，因為別駕一職雖然名義上是潞州的副長官，但實際是個閒職，不具體管事。那麼，李隆基這次任命，到底是好事還是壞事呢？乍看肯定是壞事。首先，這次調動是降職了。李隆基原來的職位是四品的衛尉少卿，而潞州別駕是五品。從四品變成了五品，當然是降職了。其次，潞州比長安差遠了。長安是首都，可以說是花柳繁華地、溫柔富貴鄉。而潞州僅是太行山區的一個小城而已。就好比現在從北京調到山西長治，平級調動尚且沒人願意去，何況還降級任用呢！所以這次發配，對李隆基可是一個不小的打擊。離開長安的時候，李隆基也是垂頭喪氣。不光他垂頭喪氣，他在長安結交的朋友也挺鬱悶的。有一個叫做崔滌的，跟李隆基住在同一個小區，關係特別好，想想李隆基這一去不知什麼時候才能回來，就一直把他送到了潞州，頗有點《水滸傳》裡魯智深送林沖去滄州的味道，怎麼看都透著辛酸。

景龍二年（七〇八年）初夏，李隆基接到潞州別駕的任命書後，就告別了父親，也告別了首都長安的溫柔富貴鄉，開始自己的獨立生活。從繁華的天子腳下發配到小城潞州，這對李隆基來講究竟是好事還是壞事呢？

我們經常說的一句話，就是「禍兮福所倚，福兮禍所伏」。李隆基去潞州，固然不是高升，但是，也有好的一面。

第一，他可以真正了解民間。李隆基從小就知道宮廷鬥爭的險惡，但是，他畢竟從來沒有離開過首都、沒有離開過貴族圈子。他知道在宮廷裡，為了一個皇位，需要白骨鋪路、鮮血暈染，但是，他不知道，在民間，哪怕為一個饅頭，也可能要付出同樣多的血淚。換句話說，他可能知道政壇的艱辛，但是並不了解民間的疾苦。所以，這次到潞州，對他是個難得的歷練。這種歷練對於一個政治家而言當然不無益處。

第二，他的實際政治地位也有所提升。長安是首都，真所謂冠蓋滿京華。一板磚下去，可以拍到三個王子外加兩個三品大員。李隆基在這裡算什麼呢？論出身，他僅僅是一個普通王子；論官品，他不過是個四品閒職。比他強的人比比皆是，他並不出眾。但是，到了偏遠的潞州可就不一樣了。在這裡，他就是李唐皇室的代表，同時又是州里的副長官，兩項優勢加起來，就是潞州刺史也要敬他三分。在長安他不過是顆星星，在這裡可就是眾星捧出來的那輪明月，所以說，他的實際地位提升了。

2 官名。漢時開始設置，為州刺史的副手。刺史駕車巡視時，他乘驛車隨行，因此得名。魏晉以後均承漢制，職權甚重。唐高宗時開始以皇族為別駕，但已經成為閒職。

第三，他的自由度增加了。在長安，因為是相王的兒子，頗受伯父李顯的猜忌，就像這次重俊政變，明明跟他沒有關係，他也照樣要背黑鍋。但是到潞州就不一樣了，那裡山高皇帝遠，他幹什麼誰會知道呢？廣闊天地，正可以大有作為。

第四，這次潞州之行，對於他投身政治也是一個有力的推動。李隆基本來就是一個有英雄氣的人。但是，在長安，臨淄王的悠閒生活只能消磨這種英雄氣。現在，他僅僅因為是相王的兒子就被中宗猜忌，這對他是一個強烈的刺激。他身上阿瞞的素質覺醒了。從此，李隆基意識到，以他的身分，今生注定要與政治結緣，在殘酷的政治鬥爭中，不進則退。要想自保，只能不斷擴充自己的實力。換言之，從此，李隆基要主動投身政治舞臺了。

發配潞州是李隆基人生路途上的一道里程碑，對於李隆基來講是利大於弊，可是對於唐中宗李顯來講，那就是放虎歸山。沒有了羈絆的李隆基在潞州終於可以大有作為，那麼，他在潞州究竟做了什麼呢？李隆基的所作所為究竟顯示了他怎樣的性格呢？

二、結交英雄：以張暐為切入點，擴充人脈

既然決定主動投身政治，就不能再虛度光陰，必須拿出點行動來。李隆基在潞州幹的最重要的一件事就是結交英雄。他結交的第一個英雄叫張暐，這個傢伙是潞州當地的一個縣令（銅鞮令），家裡非常有錢，喜歡打獵，好交朋友，跟李隆基性格很相投。李隆基在潞州不就是李唐皇室的代表嗎？自武則天執政以來，皇室不寧，誰也不知道哪塊雲彩有雨，誰敢說這個王子以後一定沒出息呢？所以，

張暐除了跟李隆基意氣相投之外，也有心巴結他，因此跟他傾心交往。從李隆基這邊看，他既然已經打算投身政治，那就要想辦法擴充自己的實力。張暐不是好交際嗎？本身就朋友多、路子廣。李隆基要想在潞州打開局面，結交張當然是最佳切入點。這樣一來，兩個人彼此看好，一拍即合，很快就成了形影不離的朋友。通過他，李隆基又認識了不少當地人物。

李隆基結交的第二個英雄叫李宜德。論出身，這個人比張暐可差遠了。李宜德原本是一個有錢人的奴隸。雖然出身低微，但是身手矯健，馬騎得好，射箭也是百發百中，相當於《水滸傳》裡浪子燕青的角色。李隆基也是英雄，英雄之間惺惺相惜，李隆基就想把他買下來，給自己當保鏢。李宜德原來的主人是一個普通人，本來就不覺得李宜德有什麼了不起，整天耍槍弄棒，還怕他給自己惹事呢！既然有人出價，出價的又是地方長官，不好得罪，那就賣吧！跟李隆基兩人一商量，五萬文，成交！那五萬文是多還是少呢？不多不少，正好是當時一個奴隸的標準價格（當時一般奴隸價值兩百五十匹絹，而一匹絹大約兩百文）。這個價錢說明什麼問題呢？從李隆基的角度講，這叫按市場價交易，不仗勢欺人；從李宜德前主人的角度講呢？也並沒有奇貨可居、趁機提價。看來，李宜德在前主人那裡也就是一個普通奴隸，前主人並沒有拿他當回事。但是，本來沒沒無聞的李宜德一到李隆基手下可就不一樣了，馬上脫穎而出，榮升為李隆基的貼身保鏢。李宜德前後為什麼判若兩人呢？古人說得好：「人以眾人遇我，我以眾人報之；人以國士遇我，我以國士報之。」李隆基把李宜德當成人才使用，李宜德當然也會傾全力扶助李隆基了。隨著李宜德的出場，潞州城的大街上也就出現了一道風景：李隆基不管什麼時候出門，身邊總有兩個保鏢，一左一右，形影不離。這兩個保鏢一個是李宜德，另一個叫王毛仲。這王毛仲是個高麗人，出身官奴，也因擅長騎射被李隆基挑中，從長安帶到了潞州。有這兩個人助威，李隆基真像得了左膀右臂一般。有人可能會說，跟張暐交往還說得過去，李宜德不就是一個保鏢嗎？他算什麼英雄呢？其實，這和當年孟嘗君結交雞鳴狗盜之徒是一個道理，小人物照樣能辦大事情！至於他們都辦了什麼事，我們以後還會提到。

經過這麼一番活動，李隆基身邊出現了一批追隨者，他平生第一次有了自己的親信勢力。這是他在潞州活動的主要方面。

李隆基到潞州的時候才剛滿二十三歲，正是風流俊俏的青年公子。李隆基一生多情，所以，除了結交英雄外，第二個重要成就，就是結交美人。他在潞州結交的美人姓趙，是山東人，出身樂工家庭，能歌善舞，風情萬種。大概在山東老家不好混吧！所以趙姑娘就跟著父親到潞州來了，父女倆賣藝為生。李隆基從小就喜歡音樂歌舞，會填詞譜曲，又會玩樂器。潞州是軍事重鎮，民風剽悍，藝術方面卻並不見長。跟張暐那些朋友在一起，騎馬打獵可以，但是談到藝術就是對牛彈琴了。所以，李隆基也比較鬱悶。現在看到趙姑娘的演出，簡直如聞天籟之音，寂寞的李隆基一下就愛上了她，一心要把她收在身邊。但是，李隆基當時已經有了兩名妃子，正妃王氏出身軍人家庭，脾氣暴躁，帶回家去，萬一激起她的嫉妒之心，反而不美。怎麼辦呢？這時候好朋友張暐就派上用場了。他不是有錢嗎？家裡房子多、奴婢多，招待一個客人不算什麼，所以，李隆基乾脆就讓趙姑娘住到張家裡。這樣一來，李隆基跑張家就更勤了，又見朋友，又會情人，生活真是幸福甜蜜。從李隆基這段浪漫史上，我們可以看出什麼問題呢？我想，有兩個方面很值得重視。第一，在性格上，李隆基確實風流豪爽、不拘小節，對情人的出身不很在乎，這也符合唐朝相對開朗的大風尚。第二，在審美上，李隆基欣賞動態美，喜歡美麗活潑而又能歌善舞的姑娘，日後楊貴妃的影子已經初露端倪。就這樣，在其樂融融的氣氛裡，一年之後，趙姑娘在張家給李隆基生了一個兒子，此子就是後來的廢太子李瑛[3]，李隆基當然更是喜上眉梢。潞州既有朋友，又有情人，簡直讓他樂不思蜀，不想回長安那個爾虞我詐的權力場了。

潞州生活使李隆基熟悉了國情民風，發展起來一股新興的政治勢力。可是，就在景龍四年（七一〇年），李隆基突然接到一紙召他回長安的敕書，這讓李隆基憂心忡忡。那麼，這紙敕書對李隆基來講究竟是凶還是吉呢？李隆基又是如何應對的呢？

三、占卜入都：吉兆，李隆基信心百倍返回長安

原來，唐中宗李顯在韋皇后的攛掇之下，要舉行祭天大典。這可是重大的禮儀活動，因此，要求各州的長官都入朝陪祭。李隆基做為潞州的副長官，當然也在召喚之列。那麼，李隆基對此次返回長安是什麼反應呢？我想，他恐怕是忐忑不安。因為此刻韋皇后的勢力正在節節攀升，她不僅跟唐中宗一起臨朝聽政，而且要在這次祭天活動中充當亞獻！在祭天活動中，皇帝是首獻，第一個向天神奉上祭品；其次就是亞獻，第二個向上天獻上祭品。這是相當重要的政治身分。當年，武則天為了提升自己的政治地位，和唐高宗一起封禪泰山，也曾充當亞獻，如今韋皇后也這麼幹，李隆基不由得感覺寒意凜凜。她是不是也想當武則天第二？另外，召集大家到長安觀禮也未必是好事，當年武則天因為洛

3 本名李嗣謙，唐玄宗第二子，趙麗妃所生。開元三年（七一五年）立為太子。後其母趙麗妃失寵，李瑛受武惠妃的譭謗，開元二十五年（七三七年）被廢為庶人，不久被害。

水裡打撈出一塊所謂的寶石，就召集所有的宗室到洛陽集合，結果引起了越王李貞父子的反叛，武則天借題發揮，最終把李唐宗室幾乎一網打盡。這是李隆基小時候發生的事，他常聽父親提起，早已耳熟能詳。現在中宗和韋皇后召他回去，會不會也有什麼陰謀呢？李隆基愈想愈不放心。怎麼辦呢？古代人迷信，找人算一卦吧！

根據《隋唐嘉話》的記載，潞州有一個術士叫韓凝禮，也有史書寫成韓擬禮或韓禮，受命來給李隆基算卦。中國古代算命的工具很多，這個人算卦用筷子。沒想到，韓凝禮剛把筷子擺開，一根筷子突然立起來了。他趕緊把筷子按倒，沒想到手一鬆，筷子又立起來了，這樣反覆三次。韓凝禮趕緊給李隆基跪下，說：「這是個無卦之卦，貴不可言啊！」這是一個版本。另一個版本是《舊唐書・玄宗本紀》的記載，說算卦用的不是筷子，而是蓍草。這根草也是昂首挺立，難度比筷子還大。總之，最後得出的結論都是貴不可言。那麼，大家是否相信這個故事呢？估計相信的人不多，但是，我相信。

我想，這個卦本身就是政治野心的反映。誰的野心呢？當然首先是李隆基的。他想算一算此去長安是凶是吉。換句話說，他不會甘心接受命運的擺布，無論結果如何，他恐怕都會有所作為。但是，還要看到，這次算卦並不完全反映李隆基本人的政治野心，其中也包括潞州豪傑的政治野心。為什麼呢？很簡單，因為牛頓的萬有引力定律告訴我們，受地心引力的影響，無論是蓍草還是筷子，在自然狀態下，都不可能真的立起來，如果它立起來了，那就是人工操縱的結果，有人在那兒變魔術呢！是誰在變魔術呢？我覺得，很有可能就是李隆基結交的那些潞州豪傑。這些人出身不高，但是有著強烈的政治野心。從武則天執政以來，政治變故不斷，社會的流動也空前頻繁，底層人上升的例子數不勝數，這給了他們強烈的刺激。而這個時候，中宗的政局依然不穩定，因此，在他們眼裡，李隆基這個臨淄王也是奇貨可居，他們願意刺激一下李隆基。如果李隆基能夠有所作為，那麼，他們就能雞犬升天。所以，我覺得，或者是豪傑們買通了術士，或者是術士本身就是豪傑。李隆基本來就有凌雲之志，現在得到這個吉兆，自然更是信心百倍地準備上路。

從景龍二年到景龍四年（七〇八—七一〇年），李隆基在潞州待了整整兩年。那麼，潞州之行對他意味著什麼呢？我想，拋開愛情故事不談，李隆基在潞州有三個收穫。第一，他結交了一群朋友，這也是他第一次擁有自己的勢力。當年從長安到潞州的時候，他只有一個朋友相送，但是，從潞州回長安，他已經有了自己的一班人馬。這些人具有強烈的草根性，當然，還有更強烈的欲望和野心。這是一群可以一起打天下的朋友。當年，他的祖母武則天能夠當皇帝，很重要的一個因素就是借助了中下層想改變命運的強烈欲望。現在，李隆基還想走這條道路。事實上，這條道路不僅僅是李隆基的道路，也是中國古代創業英雄們最主流的道路。從這個角度講，李隆基不僅複製了祖母的經驗，也複製了中國歷史上英雄創業的基本過程。第二，他獲得了許多跟社會中下層打交道的經驗，也初步理解了他們的喜怒哀樂。這是每位成功的政治家都必須具備的經驗，這些經驗在他以後的人生中還要繼續發揮作用。第三，他開始真正有了自己的政治企圖，此次回到長安，他想幹一番事業了。

此刻的李隆基，既有宮廷鬥爭的背景經驗，又有了更廣闊的社會歷練。在這種情況下回到長安，他會有怎樣的作為呢？

請看下回：異軍突起。

【第四回】

異軍突起

唐朝歷史上，除了武則天之外，還有一個想當皇帝而且有實力當皇帝的女人，那就是唐中宗的皇后韋后。可是在韋后緊鑼密鼓地為自己鋪就皇帝之路的過程中，李隆基竟然神不知鬼不覺地成為她的最大競爭對手。那麼，名不見經傳的李隆基究竟是如何在韋后的眼皮子底下，發展起自己的勢力來的呢？

中國古代人很聰明，既推崇四世同堂的大家庭，又很現實地贊同樹大分杈、人大分家。分家有什麼好處呢？從積極角度說，它可以讓兒子們更充分地鍛鍊、成長，獨當一面；從消極的角度說，當這個家庭遇到風險時，也可以各自逃生、減少損失。有本事的兒子甚至還可以運用自己的力量，拯救整個家庭。李隆基就是一個例子。怎麼回事呢？

上一回我們提到，景龍三年（七〇九年）年底，因為唐中宗要舉行祭天大典，李隆基奉命從潞州回到長安。半年之後，景龍四年六月二日，一件誰也意想不到的事情發生了。

一、韋后出擊：韋皇后單方面撕毀遺詔，引相王一黨出招

唐中宗死了，而且是暴崩。唐中宗到底是怎麼死的？這是歷史上一個大謎案，有人說是被妻子韋后和女兒安樂公主毒死的，也有人認為是自然死亡。我覺得，考慮到韋皇后母女當時還需仰賴中宗的庇護，不可能自毀長城；也考慮到唐中宗有心腦血管疾病的家族病史等情況，他應該是死於突發性的心腦血管疾病。但是，唐中宗死因如何其實並不重要，重要的是，在他死後，李唐王朝將何去何從。

當時政壇上真正有影響的是兩大勢力——一支是以韋皇后為首的后黨，核心成員包括安樂公主和上官婉兒[1]；另一支則是以李隆基的爸爸、相王李旦為首的李唐宗室，核心成員還有太平公主。這兩大集團勢均力敵，誰也不能把對方壓倒。這種情況下政局該怎樣發展呢？按照現在的政治常規，最合理的辦法就是推舉一個雙方都可以接受的新元首，然後兩派共同組成聯合政府。唐朝的情況也差不多。只不過現在新元首也好、聯合政府也好，一般都是通過選舉的方式產生，而在唐朝，則要通過老皇帝遺

詔的方式來實現。可是，唐中宗本來是暴崩，並無遺詔可言，怎麼辦呢？只好替他起草一份了。

既然是兩派力量，遺詔的起草班子也就由雙方代表共同組成。韋皇后的代表是著名才女上官婉兒，李旦的代表則是太平公主。這兩位代表選得非常得體，她們倆都不是集團老大，但是又都是各自集團的核心成員，能夠代表老大拍板，而且兩個人都經驗豐富，有足夠的智慧擺平局面。這兩個人工作配合得相當好，中宗去世的當天晚上，所謂的先帝遺詔就起草出來了。這份遺詔由三部分組成，第一，新任皇帝由唐中宗最小的兒子李重茂擔任；第二，皇帝年幼，韋皇后以太后身分臨朝聽政；第三，鑑於孤兒寡母的政治局面，新皇帝由叔叔相王李旦輔政。

這份遺詔起草得應該說是相當有水平的。首先，李重茂這個皇帝選得好。他是唐中宗的兒子，符合父死子繼的繼承原則。另外，他只有十六歲，算是未成年人，因此需要大人幫忙輔政，這符合韋皇后和相王的政治利益，所以雙方都能接受。其次，遺詔的第二和第三部分兼顧了韋后勢力和相王李旦勢力，讓他們兩個人都有參政空間。可以看出，這是一個煞費苦心的遺詔。當然，這也是一個存在不安定因素的遺詔。因為韋皇后集團和相王集團勢同水火，按照一山難容二虎的原則，日後雙方還得一決高下，但是，至少從眼前看，這個遺詔兼顧了各方面的利益，應該可以維持一段時間。

只是沒想到，這個遺詔一出世就遭到了朝中大臣的激烈反對，竟然沒有執行，這究竟是怎麼回事呢？

1 唐高宗時宰相上官儀的孫女，唐代女詩人，政治家。其父祖因罪被殺，隨母配入皇宮。因才氣過人，受武則天賞識，得以掌管文誥。唐中宗時期繼續參政，朝廷很多詔令均出自其手，後世稱為「巾幗首相」。唐隆政變時與韋后同時被殺。

就在起草後的第二天，韋皇后便把這份遺詔提交給當時的宰相集團審查。韋皇后集團的重要成員之一，也是當朝宰相的宗楚客說話了。他說：「相王輔政，於理非宜；且於皇后，嫂叔不通問，聽朝之際，何以為禮？」韋皇后和相王是嫂子和小叔子的關係，按照古禮，叔嫂不說話，怎麼能既讓韋皇后臨朝，又讓相王輔政呢？這讓他們倆在聽朝的時候怎麼相處呢？宗楚客提議，既然叔嫂不通問，索性把相王輔政一條拿掉，直接讓韋皇后臨朝稱制吧！那麼，宗楚客這個顯然損害相王利益的提議能否得到認可呢？要知道，韋皇后也跟中宗一起執政好幾年了，沒少提拔自己人，所以當時的宰相班子裡，支持韋皇后的居多，宗楚客這個提議一出來，大多數宰相也就隨聲附和。這樣一來，遺詔的結構可就大大地改變，就剩了小皇帝李重茂接班、韋皇后臨朝稱制兩條，沒了相王的位置！換言之，韋皇后單方面撕毀遺詔，打算自己組閣了！既然原來的勢力均衡原則一筆勾銷，韋皇后方面也知道，相王一黨不可能善罷甘休，怎麼辦呢？

修改了遺詔之後，韋皇后緊急調遣五萬府兵進入長安，和禁軍[2]一起，對長安實行軍管。府兵和禁軍一共六個最高軍事將領，任命的全都是韋家子弟或女婿。最高指揮則由韋皇后的堂兄、宰相韋溫兼任。把槍桿子牢牢抓到自己手裡。有了槍桿子支撐，不怕你相王造反！韋皇后這樣做，很明顯，想當皇帝嘛！她當皇帝，誰最害怕？當然是李唐宗室了。當年武則天稱帝，李唐宗室被殺得落花流水，如今如果韋皇后再來這麼一次，李唐恐怕就更無遺類了！再說，武則天稱帝，畢竟最後還是傳給了自己的兒子，傳回給了李唐王朝；可是，韋皇后沒有兒子，如果她真的稱帝，皇位最終會落到誰的手裡就更不好說了！

二、異軍突起：李隆基結交長安各路英雄，暗中發展勢力

按照當時的形勢，宗室如果不想束手就擒，就得組織自救。怎麼自救呢？當時宗室的領軍人物是相王李旦，而且這次修改後的遺詔直接損害了他的利益，由他牽頭似乎無可爭議。可是，韋皇后也是聰明人，早就防到這一招，已經派兵把相王府邸嚴嚴實實地「保護」起來。想和外界聯繫，沒門兒！這樣一來，宗室這邊就群龍無首了。怎麼辦呢？有一句話叫做「智者千慮，必有一失」。韋皇后和她的同黨千算萬算，唯獨忘了算計相王的兒子們。可能有人說，防範了相王不就等於防範了他的兒子嗎？當然不是。我們講過，相王一共生了六個兒子，活到成年的有五個。從聖曆元年武則天決定還政李唐起，這五位王子就出閣到宮外單獨居住了。他們的住宅都建在長安城的隆慶坊（後改名興慶坊），相互之間比鄰而居，但是和他們爸爸相王的府邸親仁坊，中間隔著好幾個坊，按照我們現在的說法，就是隔著好幾個街區。所以，看住了相王並不等於看住了相王的兒子。

要不要防範相王的兒子們呢？對這個問題，韋皇后集團裡並不是沒有人想到過。當時，有一個宰相叫李嶠[3]，就曾經提醒過韋皇后。李嶠也是個武則天時期就活躍在政壇上的老宰相，詩寫得相當風

2皇帝的親兵，主要負責皇宮的守衛工作。唐代禁軍有飛騎、萬騎等名目。禁軍在唐初的政變中起了重要的作用。安史之亂中，禁軍隨玄宗逃亡四川途中，在馬嵬驛殺楊國忠，逼玄宗賜死楊貴妃。

3唐大臣，詩人。少有才名，二十歲時進士及第。武后、中宗朝，屢居相位，封趙國公。玄宗即位後，貶為滁州別駕。其詩絕大部分為五言近體，以工整、貼切見長。

雅。雖說是個文人型宰相，並沒什麼值得稱道的政治權謀，可是俗話說人老成精，他看著相王的幾個兒子虎虎生威，總覺得是個隱患，於是就勸韋皇后：現在形勢緊張，趕緊把相王的幾個兒子打發到地方去吧！但是，韋皇后沒聽他的。韋皇后想，再怎麼也輪不到他們當皇帝，他們吃什麼隔壁醋！根本沒放在心上。另外，相王的幾個兒子此前都沒有什麼政治表現，所以，在韋皇后看來，那不過是幾個毛孩子，能有什麼本事！根本沒把他們放在眼裡。

韋后沒想到，這幾個毛孩子裡還有一個外號叫阿瞞的李隆基呢！李隆基本來就工於心計，再經過潞州的一番歷練，早就不是當年那個只對打獵、打毬感興趣的紈絝子弟。自從回到長安，李隆基就開始暗暗地發展勢力。經過這半年的時間，他已經又結交了一批英雄人物。

這些英雄都是何許人呢？第一部分是中下級官員。《冊府元龜》卷二十《帝王部．功業》講了一件事。當時，長安城有個尚衣奉御，就是給皇帝管衣服的官，叫王崇曄。這傢伙倜儻任俠、輕財縱酒，人緣非常好，長安城裡不甘寂寞的青年都跟他交往，是個人物頭兒。正在發展勢力的李隆基知道有這麼一個人，趕緊屈尊就教，三番五次親自登門拜訪，演出了一場唐朝版的三顧茅廬。跟王崇曄搭上關係，李隆基在長安的局面馬上打開了。就在王崇曄的沙龍裡，李隆基又遇到了幾位重量級人物，包括押萬騎果毅葛福順、陳玄禮，禁苑總監鍾紹京等。李隆基整天跟他們混在一起，無話不談。說到皇室不振、韋后專權，這些人都很憤慨。既然有了共同的政治態度，這個本來沒什麼目標的青年沙龍慢慢就成了政治小團體，臨淄王李隆基也就順理成章地成了他們的老大。在長安城的社交圈子裡混出了名氣，有一個人就主動來找他了。誰呢？劉幽求[4]。這個人當時五十多歲，足智多謀，但是眼高於頂。因為恃才傲物，所以雖然才智頗高，但是在官場上一直蹉跎，眼看著年過半百，還是一個縣尉。

他不甘心就這麼了此一生，現在看到李隆基他們這個圈子特別活躍，也就向李隆基靠攏。這個人一加盟，馬上就成了小集團的軍師，相當於《水滸傳》裡吳用的角色。綜合分析一下這幾名骨幹，李隆基這個小圈子的特點也就清楚了。從官職上講，這幫人有文有武，但都在中下級崗位上徘徊；從性格上講，他們都是當時人眼中的浮浪子弟，不安分，有野心。這兩個特點加在一起太重要了，既有野心，又沒顧慮，不正是辦大事的好幫手嗎？

第二部分是萬騎將士。俗話說秀才造反，三年不成。要想辦大事，必須得有軍隊支持。當時哪支軍隊最厲害？當然是萬騎了。萬騎是皇帝的貼身衛隊，都是騎兵，戰鬥力很強。自從武則天晚年起，每次政變都少不了他們，所以李隆基對萬騎也沒少用心思。一般來說，軍人性格豪爽，大多喜歡喝酒賭錢。李隆基有錢，又通過王崇曄認識了萬騎的小軍官葛福順和陳玄禮，於是就整天請萬騎將士喝酒，酒足飯飽再賭錢，故意讓他們贏。一來二去，這些軍人對臨淄王印象超好。李隆基不是有個保鏢叫王毛仲嗎？此時，心思靈動的王毛仲看到自己的主人有心跟萬騎交往，馬上就知道該怎麼辦，整天沒事也跟萬騎的軍官們混在一起，陪他們開心。看到王毛仲這麼會辦事，李隆基心花怒放。經過主僕二人的努力，在禁軍之中，李隆基很快就有了一幫追隨者。

第三部分是方外之士。李隆基離開潞州的時候，不就讓術士占卜過嗎？回到長安後，他繼續跟和尚道士交往，像什麼東明觀道士馮處澄、寶昌寺僧普潤，都成了他的好朋友。李隆基這麼做，是不是

4 李隆基榮登帝位的主要謀士、功臣。開元初，為左丞相。唐玄宗採納姚崇、盧懷慎等「不用功臣」的建議，先虛位為太子太保。唐開元二年（七一四年），因口出怨言，被貶，死於途中。

因為他特別迷信呢？其實也不盡然。在中國古代，和尚、道士不僅能引導輿論，而且恐怕是交遊最廣的人了，誰家門都能進，因此傳遞情報、打探信息非常方便，關鍵時刻，不光能起到心理安慰的作用，還能當諜報員使。

可以看出，李隆基和這三部分人的交往其實就是他在潞州活動的翻版。雖然交往時也不知到底能派上什麼用場，但是，中國不是有一句古話叫做「宜未雨而綢繆，勿臨渴而掘井」嗎？畢竟，機會總是光顧有準備的人。現在，韋皇后篡改遺詔，想自己當皇帝，李隆基覺得機會來了。此事事關每一名李唐宗室的利益，絕不能束手就擒！可是，怎麼辦呢？李隆基從小就在大大小小的政變環境中長大，耳濡目染慣了，他想都不用想，就知道政變已經迫在眉睫。事已至此，只能是搞一場政變，把韋皇后做掉。可是，具體怎麼操作這場政變呢？韋皇后那邊有整個國家機器，想和她對抗，李隆基這點資本顯然不夠用。他還需要一個關鍵人物的支持，那麼，這個人是誰呢？

三、姑姪聯盟：挑戰韋皇后，保護李唐宗族和李唐王朝

想來想去，李隆基決定找一個人。誰呢？太平公主。為什麼找太平公主？因為太平公主的優勢太多了。第一，太平公主有實力，而且目標小。我們說過，當時最有實力和韋皇后對抗的，其實就是相王與太平公主兩大力量。兩者之中，相王有皇叔之尊，還當過皇帝，身分敏感，是韋皇后重點防範的對象，接觸利用起來都不安全。相對而言，太平公主雖然也有實力，但她畢竟是個女人，按照傳統，並沒有當皇帝的資格。跟她接觸，目標小一點，不容易引起懷疑。第二，太平公主也是李隆基當時唯

一可以依靠的人。我們在第二回講過，李隆基童年時代唯一來往的父系親戚就是姑姑太平公主，在感情上，他依戀太平公主。另外，太平公主參加過神龍政變，政治經驗豐富，在智慧上，他也要借助太平公主。第三，與太平公主合作，有利於今後的發展。應該說，李隆基這個時候挑戰韋皇后，主要是為了自保，為了保護整個李唐宗族和李唐王朝。但是，不可否認，他也會想到自己的前途問題。他是相王的兒子，本來，如果沒有政治變故，連相王都當不上皇帝，更輪不到他這個庶出的三郎了。但是，現在不同了。如果政變成功，那他就有了當皇帝的資本。可是，想要立這個大功，就不能讓爸爸或者哥哥知道這件事，否則，事成之後，功勞到底算誰的呢？千萬不能自己忙了半天，再成了他們的打工仔！甘當人梯這種精神，可不是李隆基所具備的。跟爸爸合作，容易利益分割不清，不過，跟姑姑合作倒是沒關係，反正姑姑不能當皇帝。所以說，跟太平公主合作，有利於以後的發展。

就這樣，李隆基來找太平公主了。跟她提出，姑姪兩個人聯合政變！對於這個結盟，太平公主是什麼態度呢？根據《資治通鑑》的記載，「公主喜而從」。這件事也關係到她的利益，她當是欣然接受，而且讓兒子和手下都加盟進去，鼎力相助！李隆基和太平公主姑姪這麼一聯手，未來政變的領導核心也就形成了。

那麼，我們應該怎麼評價李隆基這次結盟行動呢？應該說，李隆基的表現一流。誰是我們的敵人，誰是我們的朋友，這是革命要解決的首要問題。跟誰結盟，能夠反映一個人的政治眼光。當時，李隆基已經有了自己的勢力。同時，他又是相王李旦的兒子，雖然在政變這個問題上他瞞著爸爸，但是，他仍然可以利用相王的影響力。在這種情況下再和太平公主結盟，就等於把自身勢力、相王勢力和太平公主勢力整合在一起了，而這三方勢力，就是當時除了韋皇后之外最強大的政治力量。這項工作的完成，本身就證明了李隆基在政治上的精明與成熟。當年皇宮裡聰明伶俐、心機深沉的小阿瞞，已經長大成人了！

韋后在明處，一步步邁向皇帝寶座；李隆基在暗處，緊鑼密鼓地為政變做準備工作。兩個集團都在與時間賽跑。誰掌握主動，誰就會走向成功，榮耀和恥辱只有一步之遙。然而就在這關鍵時刻，一件可怕的事情發生了！李隆基集團的政變舉動被人察覺了，而且這個人是韋后集團的骨幹。那麼，這個洩密事件對於李隆基正在籌畫的政變究竟產生了怎樣的影響呢？

在李隆基緊鑼密鼓地做著政變的準備工作期間，對於他來說，最重要的是機密。做這種以弱抗強、犯上作亂的勾當，機密就是生命。可是，他沒有想到，儘管自己千小心萬小心，還是有一個人察覺到了他們的動向，從而也在一定程度上加快了政變的進程。誰呢？當時的兵部侍郎崔日用。此人跟韋皇后的高參宗楚客是鐵哥們，因此也算是韋皇后的黨羽。這個人眼光精準，一生最擅長的就是見風使舵。所以，經歷了武則天和唐中宗時期那麼多次政治風浪，他總能在關鍵時刻找到一條最牢靠的船。現在，他是在韋皇后這條船上，但是眼看著韋皇后要當皇帝，心裡覺得沒把握。女流之輩當皇帝畢竟不符合政治傳統，如果有武則天那樣的才幹和機遇也罷了，可是韋皇后，他怎麼看都覺得沒把握。

當時政壇不就兩大勢力嗎？韋皇后這邊不行，那李唐宗室怎麼樣呢？他也不大摸底。我們不是講過李隆基結交了好多和尚道士嗎？這些和尚道士別看號稱跳出三界外，其實都是六根不淨，整天在各個權貴人家遊走。其中寶昌寺的和尚普潤，跟崔日用關係不錯。從普潤的言談話語之間，崔日用感覺到，李隆基是個人物，這個王爺，恐怕已經準備和韋皇后鬥一鬥了！這可是件大事，怎麼辦呢？崔日用算是韋皇后集團中人，按照受人之祿就要忠人之事的原則，他應該像李嶠那樣去向韋皇后彙報。如果那樣，李隆基可是要再面臨一次風險。可是，人都是有私心的，事情往往就壞在人的私心上。崔日用可沒有李嶠那麼老實，他想來想去，並沒有向韋皇后彙報，而是開始動腦筋了。他知道，在政治的大是大非面前，屁股可是決定腦袋的，崔日用把韋皇后和李隆基放在天平的兩邊掂量來掂量去，最後決定，賭一把，支持李隆基。可是，自己政治不清白，怎樣才能向李隆基這邊表明態度呢？有一天，崔日用找到普潤，跟他說，我知道你和臨淄王那邊有聯繫，請你轉告他們，韋皇后已經準備動手了，如果臨淄王有什麼打算的話，讓他們也快點準備，有什麼需要我幫忙的說一聲，我可以當內應。一句話，崔日用乾脆反水了！普潤當然馬上就把這個意思轉達給李隆基。古語說：「知己知彼，百戰不殆。」李隆基此刻正想知道點韋皇后那邊的底細，一聽說崔日用打算反水，馬上就讓普潤把他給請來了。見到李隆基，崔日用說，臨淄王，您的事情既然我都知道了，別人也未必瞞得了多久，夜長夢多，趕快動手吧！否則，讓韋皇后那邊發現，可就功虧一簣了！

那麼，聽了他的建議，李隆基到底會怎樣做呢？

請看下回：誅殺韋后。

【第五回】

誅殺韋后

唐中宗李顯死後，韋皇后臨朝攝政，準備效法武則天自己當皇帝，李唐王朝再次陷入吉凶難測的歷史節點。就在此時，原本沒沒無聞的李隆基祕密策畫了一場宮廷政變，決定徹底粉碎韋皇后的稱帝陰謀。要與勢力強大的韋皇后展開生死較量，李隆基將要面對的，是怎樣的風險和考驗？在政變實施的過程中，發生了哪些驚心動魄的故事呢？

一、背水一戰：利用軍隊對韋家不滿的態勢，準備出兵

唐隆元年（七一〇年）六月二十一日，唐中宗去世剛滿二十天。因為還在國喪期間，滿城縞素。突然，從宮裡衝出一隊人馬，馬上的人身著大紅大紫的嶄新官服，手裡拿的武器上還沾著斑斑血跡。這些人在長安城的大街上大說大笑地一過，整個城市立刻籠罩上一種既緊張又興奮的空氣。這些人是誰，他們怎麼敢在國喪期間如此高調？讓我們從頭說起。

上一回我們講到，唐中宗死後，韋皇后準備效法武則天再當女皇，李唐宗室又一次面臨滅頂之災。為了挽救李唐王朝，原本身分不高、沒沒無聞的李隆基挺身而出，調動自身勢力，聯合相王與太平公主勢力，準備和韋皇后拚一場。就在李隆基悄悄謀畫著政變的時候，本來屬於韋皇后派系的大臣崔日用反水，提醒李隆基，形勢緊張，政變隨時都有暴露的危險，如果再拖下去，很可能功虧一簣。

李隆基聽了崔日用的話是什麼反應呢？他暗中嚇出一身冷汗。幸虧崔日用兩面三刀，身在曹營心在漢，如果他立場堅定，把掌握的情況報告給韋皇后，自己的腦袋早就跟脖子說再見了。有道是「當局稱迷，旁觀必審」。李隆基也知道，崔日用說的對，政變已經是刻不容緩。可是，要發動政變，總要先評估一下風險指數。這場政變有沒有風險呢？風險太大了。把雙方力量放在一起對比一下就能看出來，韋皇后優勢非常明顯。首先，她有輿論優勢。她已經立了中宗的小兒子李重茂當皇帝，自己以皇太后的身分主政。她的一切政令，都是以小皇帝的名義頒布的，誰反對她，就是反對皇帝，就是十惡不赦、罪不容誅。這就叫做「挾天子以令諸侯」，占盡了輿論優勢。其次，她有軍事優勢。中宗剛死，韋皇后就立刻調集五萬府兵，讓他們和禁軍一起，對長安城實行軍事管制。為了確保軍隊的忠

誠，她還任命自己的姪子、女婿等親信擔任將領。這樣的軍隊不僅軍事過硬，而且政治合格，當然力量強大。再次，她有政治優勢。我們說過，韋皇后在中宗一朝已經安插了很多親信擔任宰相，因此，當時的宰相班子基本都是她的支持者。宰相是百官之首，一呼百應，韋皇后有了他們的支持，在政治上也是頗為穩妥。有了輿論、軍事和政治這三大優勢，想要挑戰韋皇后，無疑相當困難。

反觀李隆基這邊的情況，和韋皇后恰恰相反。韋皇后的優勢，正是李隆基的劣勢。輿論上，當時天子已立，而且是中宗的兒子，符合繼承原則。李隆基要興兵，那是師出無名。所謂「名不正則言不順，言不順則事不成」，輿論上首先就處於劣勢。軍事上，李隆基雖然沒少在禁軍中下工夫，在萬騎裡也有一些朋友，但是，這些朋友是否能夠在關鍵時刻為李隆基賣命並不確定；另外，他們都是中下級軍官，即使自己沒有問題，能否有足夠的號召力來發動下屬也值得懷疑；更重要的是，當時的防衛力量由萬騎、飛騎和府兵共同組成，就算是搞定萬騎，其他軍事力量也還是巨大的威脅。政治上，李隆基這邊的謀臣都是中下級官僚，人微言輕，和韋皇后那邊的宰相們根本不在一個重量級上。這樣看來，李隆基能夠動員起來的力量和韋皇后代表的國家機器相比，顯得相當弱勢。在這種情況下政變，確實是勝算不大、風險不小。但是儘管如此，事情也很難再拖下去了。因為時間拖得愈長，韋皇后的勢力愈穩固，愈難以動搖；同時，準備時間愈長，自己暴露的可能性也愈大。與其如此，還不如背水一戰。就在李隆基為此忐忑不安的時候，禁軍裡發生了一件事，不僅堅定了李隆基政變的決心，也成為他舉事的重要契機。那麼，軍隊裡到底發生了什麼事情？這件事與李隆基政變又會有怎樣的關聯呢？

前面講過韋皇后不是派了六個姪子、女婿去控制軍隊嗎？這幾個小伙子都沒在軍隊幹過，是空降兵，完全是因為和韋皇后的親戚關係才被驟然提拔到領導崗位上的。這樣的任命既讓他們高興，也讓他們擔憂。他們唯恐手下將士不服。怎麼才能樹立威信呢？幾個小伙子一合計，覺得要想立威，就得來點硬的，先讓軍隊怕了自己再說，於是他們想了一個損招，有事沒事就找碴兒，動不動就把手下叫來揍上一頓，特別是掌管萬騎的韋播和高嵩。因為萬騎地位特殊、責任重大，所以他們管理起來格外嚴厲，打起手下來也特別狠。可是，真正的威信一定要建立在別人發自內心的愛戴敬畏基礎之上，而發自內心的愛戴、敬畏又怎麼可能是打出來的呢？何況，萬騎本來是皇帝的貼身護衛，心裡還是頗有些驕傲感的，對待這樣的軍隊，打人的效果只是適得其反。果然，韋播和高嵩這麼一打，整個軍營都炸鍋了，一時間群情激憤。萬騎的中級將領葛福順、陳玄禮[1]等人已經跟李隆基來往半年多了，平時都拿李隆基當貼心人看待。看到這種情形，兩個人就找李隆基訴苦。李隆基當時正跟劉幽求等一幫謀臣在商量政變的事呢！聽完葛福順和陳玄禮兩個人的訴說，不由得彼此會心一笑，這真是及時雨。政變的關鍵就在軍隊，現在軍隊對韋家不滿，簡直是天助我也，不利用是對不起上天啊！所以，好言好語打發走葛福順他們，李隆基馬上跟軍師劉幽求說：事情緊急，還請先生出馬，幫我把萬騎搞定！大家可能有疑問，既然想要利用萬騎，李隆基為什麼不當面直說，還要再派劉幽求啊？其實，這就是李隆基的心機所在了。首先，萬騎雖然對韋氏勢力不滿，但是否不滿到政變的程度還不清楚，這時李隆基做為主帥貿然動員有風險。其次，尺有所短，寸有所長，領導最重要的工作就是發揮手下的長處，而不是事必躬親。劉幽求做為謀臣策士，鼓動三寸不爛之舌正是他的優勢所在，這和《水滸傳》裡，智取生辰綱之前，晁蓋先讓吳用去試探阮氏三雄是一個道理。果然，劉幽求找到葛福順，把政治大義和個人功名富貴結合起來一番動員，葛福順等人慨然允諾：沒問題，我們早就覺得韋皇后不是東西，現在韋家子弟如此作踐我們，我們更是忍無可忍，願意跟著臨淄王謀取功名，軍隊的事交給我們了！

搞定了萬騎將領，政變也就進入倒數計時了。究竟哪一天發難呢？李隆基訂在六月二十日，也就是唐中宗李顯死後第十九天。那麼，到這個時候，這場政變有沒有把握呢？還是沒有。儘管葛福順、陳玄禮已經允諾帶萬騎參戰，但是，韋皇后的相對優勢並沒有改變，還是敵強我弱。可以想像，這場政變不會那麼輕鬆。果然，政變時間剛剛確定，第一個麻煩就出現了。什麼麻煩呢？李隆基的手下人不幹了。誰呢？就是李隆基的貼身保鏢王毛仲。我們說過，王毛仲是個聰明人，主人想幹什麼，他打眼一看就知道，眼看著政變時間迫近，王毛仲害怕了，他分析一番形勢，怎麼都覺得對李隆基不利。生命誠可貴，儘管王爺對自己不薄，也不能陪著送死啊！所以，六月二十日這天一大早，王毛仲就開溜了，哪裡都找不到。王毛仲可是李隆基的貼身保鏢，連他都臨陣脫逃，可見這場政變對於李隆基方面而言，就是鋌而走險！

韋皇后操控小皇帝，掌握朝政之後改元「唐隆」，寓意是使唐朝興隆起來，以此掩飾她想要稱帝的野心，誰知「唐隆」與「隆基」有一字巧合，竟成為李隆基舉兵的心理支撐，這也是韋后所始料不及的。然而，就在李隆基準備發動政變的關鍵時刻，他的貼身侍衛卻逃跑了，這也預示了政變的成敗難測。那麼，政變過程中還會發生哪些意想不到的險情呢？

---

1 唐玄宗時期著名禁軍將領。初隨李隆基起兵誅殺韋后及安樂公主。玄宗即位後，宿衛宮中。安史之亂時，隨玄宗逃亡四川，行至馬嵬驛，在太子李亨的支持下發動政變，殺楊國忠，逼玄宗縊死楊貴妃。

二、鍾紹京事件：禁苑總監對李隆基政變的猶豫

那麼，李隆基他們在政變中到底冒險沒有呢？冒險了。整個政變一共經歷了三次冒險，對李隆基而言，也就是三大考驗。第一大考驗是能否讓鍾紹京[2]開門。我們剛才不是說政變訂在六月二十日嗎？就在這天的傍晚，趁著天色昏暗，李隆基帶領軍師劉幽求、和尚普潤以及保鏢李宜德等人，偷偷溜到了宮城北面的禁苑[3]之中。他們幹什麼去了？找鍾紹京。鍾紹京是李隆基從潞州回長安之後認識的朋友，當時正擔任禁苑總監。禁苑位置相當重要，在唐朝，禁苑就在整個宮城的正北面，而禁苑的最南端就是宮城的北門，進了北門，就是皇帝的後宮所在。李隆基他們想借此寶地，把鍾紹京家建設成一個前敵指揮部，在這裡就近指揮政變。到了鍾家門口，李隆基舉手敲門。就在這個當口，對李隆基的第一個考驗來了。什麼考驗呢？按照《資治通鑑》的記載，鍾紹京突然害怕了，不開門。任憑李隆基在外面怎麼敲，他就是不開。這怎麼辦啊？正在著急的時候，屋裡，鍾紹京的夫人許氏說話了。她說：「忘身徇國，神必助之。且同謀素定，今雖不行，庸得免乎！」什麼意思呢？替國家出力，天神都會保佑你的！再說了，你素日和他們同謀，就算現在反悔，你以為別人會饒了你嗎？幾句話說得鍾紹京茅塞頓開，連忙把門打開，畢恭畢敬地把李隆基迎了進來。

可能有人會想，好險啊！鍾紹京心理的一點小小變化，居然差點影響整個政變的成敗！是不是呢？鍾紹京這個人的向背確實意義重大，但是，鍾紹京不開門恐怕沒有《資治通鑑》記載的這麼簡單，而是另有緣由。什麼緣由呢？我推測，鍾紹京不是李隆基政變小組的核心成員。他知道李隆基要政變，但並不知道政變的指揮部就設在他家裡。為什麼這樣推測呢？

《新唐書》講到李隆基政變成功要素的時候說，成功的關鍵在於「劉幽求之謀，崔日用之智和鍾紹京之果」。劉幽求是李隆基的軍師，說劉幽求之謀當然是言之有理。崔日用臨時反水，投靠李隆基，能夠看清形勢，這是一種政治智慧，說崔日用之智也足以讓人信服。但是鍾紹京就不一樣了。如果依據《資治通鑑》的記載，他臨陣退縮，這叫什麼果敢啊，這不是果敢的反義詞懦弱嗎！《新唐書》既然表彰「鍾紹京之果」，可見鍾紹京的現場表現，絕不像《資治通鑑》記載的那麼懦弱。可是，如果鍾紹京不懦弱，他為什麼一開始表現得猶猶豫豫，直到妻子點撥之後才開門呢？這兩種看似矛盾的記載怎麼解釋呢？最合理的解釋就是，鍾紹京雖然平時跟李隆基有來往，但他並不是政變的核心成員，因此，事先並不知道李隆基的計畫，所以看到李隆基一夥人突然出現，他沒有絲毫的精神準備，這才不開門的。後來，經過妻子的勸說和自己的思考，他決定支持李隆基，並且果斷地打開門把他們請了進去，這才叫做「鍾紹京之果」。

可是，僅僅一句「鍾紹京之果」顯然還不足以服人。還有沒有別的證據呢？《舊唐書・玄宗本紀》開列了一個策畫政變的成員名單。名單包括我們提到過的劉幽求、普潤、葛福順等六個人，但是，唯獨沒有提到鍾紹京。《舊唐書》是依據當時的實錄修成的史書，也是我們研究這段歷史最可靠的史料。《舊唐書》不提鍾紹京參與策畫政變，恰恰證實了我們的猜測。在不知情的情況下，鍾紹京

---

2 玄宗唐隆政變功臣之一。事後任中書令，封越國公。開元初年被貶官地方。開元十五年入朝時，鍾紹京垂泣奏曰：「陛下豈不記疇昔之事耶？何忍棄臣荒外，永不見闕庭。且當時立功之人，今並亡歿，唯臣衰老獨在，陛下豈不垂愍耶？」玄宗感動，調回長安。年八十餘，壽終正寢。

3 唐長安一處最大的皇家園林，位於長安城北，緊接皇城北牆，是皇宮的重要屏障。禁苑內駐禁軍，拱衛京城。

不開門是常理，開門倒成了特別的果敢，換言之，李隆基此刻貿然拜訪鍾紹京，本身就是一種冒險！可能有人會有疑問，既然禁苑如此重要，李隆基為什麼不提前跟鍾紹京打好招呼呢？我覺得，李隆基這樣做是經過考慮的。鍾紹京是李隆基的朋友，但他也是五品官，官職不低，生活不錯，因為書法藝術水平高超，還經常給人寫兩筆字，能拿點潤筆費，小日子過得挺滋潤。這樣一來，他的顧慮也就比較多。如果提前告訴他，萬一他不同意，或者走漏消息，李隆基這邊的風險就大了。反過來，如果事先不告訴他，突然從天而降，鍾紹京在倉促之際倒有可能念及舊情，同意開門。再退一步講，就算他不答應，憑李隆基身邊帶的幾十個人，特別是有李宜德這樣的高手強攻，還怕拿不下鍾紹京夫婦嗎？所以不如索性來個突然襲擊。結果一試驗，鍾紹京果然開門了。這樣一來，這次冒險就算有驚無險，一舉成功。李隆基順利地進入禁苑，也就成功地度過了政變的第一個考驗。

從韋后臨朝稱制到李隆基舉兵僅僅只有十九天，而這十九天的周密策畫，也充分顯示出李隆基的膽識和謀略。在李隆基等人成功地進入禁苑後，政變也就進入了實質性階段。禁苑位於宮殿的北門外，而宮殿的北門之內就是皇帝所在的後宮。要想一舉拿下韋皇后，關鍵就在於守衛北門的禁軍。那麼接下來，李隆基將遭遇怎樣的考驗呢？

三、誅殺韋后：萬騎、飛騎、府兵，頃刻間灰飛煙滅

第二個考驗便是能否取得禁軍的支持。有人可能想，葛福順他們不是已經決定支持李隆基了嗎？沒錯，但這只是葛福順他們幾個軍官的個人決定，能否得到士兵的響應還有待檢驗。李隆基到鍾紹京

家裡沒多久，葛福順他們也來了。幾個人等到二更，夜深人靜，出門一看，只見天上正降流星雨，一顆顆碩大的流星閃著白光劃過夜空，就像雪花飄落。眼看發生了這樣的天象，和尚普潤和軍師劉幽求趕緊說：這就是改換天命的象徵，我們動手吧！緊張時刻，再堅強的人都需要安慰，這一句話，其實也就是一種戰爭動員，一時間群情振奮。這時候，李隆基趁熱打鐵，對葛福順他們說：諸位報效國家、博取功名的時刻到了！你們打算怎麼辦？葛福順馬上說：您就看我們的吧！說完直奔萬騎和飛騎的營房。韋皇后在萬騎和飛騎系統一共派了四名將軍，除了女婿武延秀住在宮裡，其他三個人都在軍營之中，天色已晚，他們早就睡著了。葛福順仗著自己是萬騎的軍官，大搖大擺走進營房，手起刀落，頃刻之間，三個人的腦袋已經落地了。把幾個將軍解決完，葛福順這才大叫起來：韋皇后毒死先帝，想要篡權！今夜我們就要給先帝報仇，立相王當皇帝！誰要是三心二意，幫助逆黨，我會株連三族，絕不輕饒！葛福順也是萬騎的老長官了，平時威望很高，再加上韋皇后派來的幾個將軍濫用刑罰，早就失了人心，現在眼看著幾個將軍的首級都在葛福順手裡，萬騎和飛騎的士兵紛紛表態，堅決跟著葛將軍！這樣，兩支禁軍就算爭取過來了。

那麼，這一步是不是冒險呢？相當冒險。試想，如果韋皇后派去的幾個將軍防範嚴密一點，葛福順沒有順利得手；或者雖然殺死了幾個將軍，但是士兵們並不擁護葛福順，那形勢不就危險了嗎？可是，歷史事實就是，這兩種危險都沒有發生，葛福順非常輕鬆地就拿下了軍隊。這樣一來，政變的第二個考驗又順利通過。

安撫好士兵之後，葛福順把三顆人頭拿給李隆基，李隆基懸著的心放下了一半，他馬上做出下一步部署：自己坐鎮玄武門指揮，葛福順和陳玄禮兵分兩路，殺進宮去。

為什麼李隆基不跟他們一起往裡殺啊？因為，到這個時候，他們又面臨政變的第三個考驗了。就是能否打得過府兵。我們說過，當時韋皇后安排在長安的軍事力量一共有三支：一支萬騎，一支飛騎，還有一支是府兵。從素質上講，也許萬騎和飛騎戰鬥力更強；從人數上講，府兵更占優勢。現在，萬騎和飛騎算是搞定了，但是，他們能否打敗人數眾多的府兵呢？李隆基仍然沒有把握，所以，他安排葛福順和陳玄禮先帶兵殺進去。如果順利，他再跟進，反過來，如果不順，他可能就另做打算了。那麼，這兩支軍隊進展到底順不順利呢？史書沒有詳細的記載。但是，從進軍速度推算，兩軍的進展還是相當順利的。李隆基不是在二更才開始行動的嗎？到三更的時候，葛福順和陳玄禮的兩支軍隊已經在宮裡勝利會師了，換言之，他們一路根本沒遇到特別有效的抵抗。韋皇后安排的那麼多府兵都哪裡去了？倒戈了。按照《資治通鑑》的記載，這些府兵「聞噪聲，皆被甲應之」，直接在陣前起義了。為什麼府兵會陣前倒戈呀？這就叫天意民心。李唐王朝自從高宗後期就陷入動蕩之中，現在，人心思定，對韋皇后那一套不感興趣了！這樣一來，政變的第三個考驗也順利通過。接下來的事情就好辦了，聽到兩軍勝利會師的歡呼聲，李隆基也帶人殺進宮來。三路人馬匯合之後，更是勢如破竹，頃刻之間，無論是倉皇逃跑的韋皇后、對鏡畫眉的安樂公主，還是故作鎮定、首鼠兩端的上官婉兒，都灰飛煙滅。

眼看著宮裡的廝殺告一段落，李隆基又派崔日用帶領一隊人馬，出宮清理韋皇后的宗族和黨羽。崔日用本來是韋皇后這邊的人，平時也沒少跟這些人喝酒吃飯，可是政治上的敵人和朋友轉化得就這麼迅速，昔日崔家的座上客，轉眼之間都成了崔日用的刀下鬼。到六月二十一日清晨，韋皇后的黨羽也被一網打盡，政變勝利結束。這個勝利經過了那麼多波折，真是來之不易。論功行賞，一夜之間，劉幽求寫了一百多道詔書，寫得手都軟了。於是，就出現了我們開頭說的那一幕，一百多新官穿著大紅大紫的官服，走上街頭，彈冠相慶！對於這次政變，學者認為，它雖然本質上是統治階級內部的鬥爭，但跟以往的一些內爭不同，它在唐朝歷史上具有重要的政治意義。這是李隆基「撥亂反正」的第一步，沒有這次政變，也就沒有後來的「開元盛世」。那麼，李隆基為什麼能夠在如此不利的情況下取得政變的勝利？

一個很重要的原因是史書中提到的用人方略。具體說來，就是《新唐書》總結的「劉幽求之謀，崔日用之智，鍾紹京之果」。李隆基雖然年輕，但是在用人方面已經頗有心得。鍾紹京用他的地理位置，劉幽求用他的發達頭腦，崔日用用他的隨機應變，甚至還有葛福順用的武力、普潤和尚用他的宗教號召力、王毛仲用他的溝通能力。這些人都是人才，能夠讓各種人才為我所用的，就是帥才，是王者之才。但是，只講用人還不足以解釋他勝利的原因。我覺得，李隆基取勝，至少還有三方面的因素：勇氣、運氣和人氣。

什麼是勇氣？對於李隆基而言，勇氣首先意味著敢於背水一戰。李隆基是貴公子出身，在此之前從未打過仗。但是，在李唐王朝大廈將傾的時刻，他敢於挺身而出，以弱鬥強，本身就是一種難得的政治勇氣，正是這種勇氣成為整個政變成功的基礎。

中國古代講天命。天命在一定程度上就是好運氣。李隆基的運氣好不好呢？太好了。政變中他經歷了三次大考驗，每次考驗都意味著一次巨大的風險。試想，如果鍾紹京堅決不開門會怎麼樣呢？如果葛福順沒能把韋皇后派去的主帥殺死會怎麼樣呢？如果萬騎殺進宮後，遇到府兵的誓死抵抗又會怎麼樣呢？可以說，任何一步出差錯，都可能功虧一簣。可是，事實就是在任何可能出差錯的地方都沒出差錯，這就是運氣。

再看人氣。中國傳統儒家經典《尚書》中有這樣一句話：「天視自我民視，天聽自我民聽。」李隆基為什麼有這麼好的運氣呢？看起來是老天幫忙，其實真正的原因還在於李隆基以及李唐宗室此前積累的人氣。試想，如果李隆基不是在半年前和鍾紹京交上了朋友，鍾紹京怎麼會臨時決定支持他呢？如果李隆基平日沒有和禁軍交往，將士們又怎麼會為他賣命呢？更重要的是，如果不是韋皇后倒行逆施引起天下人不滿，大家普遍同情李唐宗室，又怎麼會有府兵的臨陣倒戈呢？這樣看來，李隆基之所以能夠取勝，關鍵在於他的軟實力。在歷史的選擇面前，軟實力並不軟，相反，依靠軟實力取勝的李隆基剛一出手，就是一記重拳。這只重拳打垮了韋皇后，也打掉了懸在李唐宗室頭上的利劍。

誅殺韋皇后是唐代歷史上的一件大事。就是在這場關乎唐朝前途命運的鬥爭中，李隆基「識度弘遠，英武果斷」的政治家素質得到充分的展現。那麼，政治成熟而又新立大功的李隆基會有怎樣的未來呢？

請看下回：太子監國。

【第六回】

太子監國

唐隆政變的勝利，為李隆基登上皇位創造了條件。然而，從被立為太子到掌握政權，李隆基還是經歷了長期的艱苦鬥爭。而給他帶來嚴重威脅的不是別人，恰恰是他的姑姑太平公主。那麼，究竟為什麼昔日的政治盟友會成為勢不兩立的對手？這場宮廷鬥爭將面臨怎樣的暗潮洶湧？其中的是非曲直又將如何評判？

我們看金氏世界紀錄，經常會發現一些奇奇怪怪的創意。比如說夠幾百個人吃的香腸、幾千個人吃的蛋糕等等。其實，在唐朝，也有類似的創意。李隆基就創造了一個能讓五個成年人同枕的大枕頭，又縫了一張五個人合蓋的大被子。可能有人好奇了，李隆基不是政治家嗎？怎麼研究起這些東西？還有，這枕頭和被子都給誰用啊？

唐隆元年（七一〇年）六月二十日，李隆基發動誅殺韋后的政變，一舉成功。這場政變的直接目的是解除韋皇后對李唐皇統的威脅，對李唐王朝的發展至關重要。不過，政變雖然激動人心，但是並不能解決所有的問題。軍事行動剛一結束，馬上，兩個重大的政治問題就擺在所有人面前了。什麼問題呢？第一，誰來當皇帝？第二，李隆基以後的政治地位應該如何確定？

一、太子風波：李旦不願意立一個羽翼豐滿的人當太子

推翻韋氏政權之後，誰來當皇帝呢？當時，李唐皇室的核心人物是李隆基的爸爸相王李旦。因此，無論是按照孝道、按照政變集團的事先約定，還是按照人心所向、大勢所趨的原則，李旦當皇帝都是毋庸置疑的，欠缺的只是一個程序而已。政變結束後的第五天，這個程序問題也解決了。這一天，小皇帝李重茂在太極殿大會群臣。君臣各就各位之後，太平公主發話了：皇帝想把自己的位置讓給叔叔相王，大家覺得怎麼樣啊？太平公主話音一落，馬上，大功臣劉幽求接話了。他說：國家多難，皇帝能夠大公無私，這是堯舜一樣的行為啊！相王能在這樣的多事之秋替姪子承擔大業，更是慈愛之舉。皇家如此，天下萬幸！太平公主是李唐宗室中地位僅次於李旦的二號人物，自然可以做宗室

的代表；而劉幽求是政變頭號功臣，官居宰相，無疑可以做大臣的代表。這樣，兩個人，一個是宗室代表，一個是大臣代表，這麼一唱一和，就把問題解決了。緊接著，太平公主三步兩步走到御座跟前，對小皇帝李重茂說：天下已經歸心相王，孩子，這個位子不是你的了！隨即一把將他拉了下來，扶李旦坐了上去。這時候，下面的群臣山呼萬歲，一代新皇帝唐睿宗就此登基！

誰來當皇帝的問題解決了，那李隆基今後的政治地位如何確定呢？按照一般想法，天下都是李隆基打下來的，就算暫時當不上皇帝，當個太子總沒有問題吧！那麼，李隆基能否就順理成章地被立為太子呢？沒那麼簡單。唐睿宗李旦剛一即位，馬上給所有人出了一道選擇題。他說：我的大兒子宋王李成器是嫡長子，三兒子平王李隆基立了大功，兩個人各有所長，我不知道立誰當太子好！唐睿宗為什麼出這道選擇題呢？因為他有私心。李旦自己實力不強，他不願意立一個羽翼豐滿的人當太子。但是，私心歸私心，李旦這個說法合理不合理呢？當然合理。嫡長子繼承制是中國自西周以來皇位繼承的基本原則，絕對值得尊重。睿宗提出兩個候選人，至少在表面上並無不妥。這道選擇題一提出來，李隆基可鬱悶了。冒那麼大風險搞政變，可別到最後給他人做嫁衣裳！怎麼辦呢？正在這個時候，兩個人出來表態了。

第一個是他的大哥宋王李成器，也就是太子之位的另一個候選人。李成器說：「國家安則先嫡長，國家危則先有功；苟違其宜，四海失望。臣死不敢居平王之上。」嫡長子繼承制是個有彈性的制度，只適用於和平年代。如果遇到政治變故，就要先考慮功臣。現在正是這種情況，所以，我絕不能當這個太子。整個意思其實就兩個字，我讓！為了表明態度，李成器在接下來的幾天裡「涕泣固請」，態度非常堅決。他這麼一讓，本來的差額選舉變成了等額選舉，情況對李隆基就比較有利了。

在這種情況下，政變功臣劉幽求也出來表態。劉幽求是李隆基的軍師，剛剛通過政變當上宰相，兩個人是利益共同體，自然要替李隆基說話。劉幽求上表說：「臣聞除天下之禍者，當享天下之福。平王拯社稷之危，救君親之難，論功莫大，語德最賢，無可疑者。」他的意思很明白，天下都是李隆基打下來的，你這個皇帝也是拜李隆基所賜才當上的，你怎麼能不讓他當太子呢？我們知道，劉幽求不僅在政變中立了大功，而且在李旦當皇帝的過程中和太平公主一唱一和，扮演了重要角色，說話很有分量。他這麼一說，好多大臣也隨聲附和。有了這兩個人的表態，唐睿宗李旦也就沒話可說，隨即下詔，立李隆基為太子。就這樣，經過一番波折，李隆基終於如願以償，當上了皇太子。

李隆基雖然不是嫡長子，但由於他在唐隆政變中的出色表現，以及在政變之後自身勢力的成長壯大，登上太子之位似乎無可厚非。然而，就在李隆基當太子不到四個月的時候，一種「太子非長，不當立」的流言蜚語就傳播開來。而製造這種輿論的恰恰就是他的姑姑太平公主。那麼，太平公主為什麼要這樣做？她和李隆基之間的關係究竟發生了哪些微妙的變化呢？

二、迎戰太平：李隆基以柔克剛，迎擊太平公主

太平公主不是李隆基的政治盟友嗎？怎麼又拿李隆基開刀呢？英國政治家邱吉爾有一句話說得好：世界上沒有永遠的朋友，也沒有永遠的敵人，只有永遠的利益。韋皇后倒臺前，整個李唐宗室都受到威脅，太平公主和李隆基一起救亡圖存，有共同的利益，所以能成為盟友；一旦政變成功，共同的威脅解除，兩個人的關係馬上微妙起來了。我們剛才不是講太子風波嗎？不知大家注意到沒有，一

言九鼎的太平公主在這個問題上並沒有發表意見。為什麼？表面上她和睿宗一樣，覺得兩個都是自己的姪子，各有優勢，手心手背都是肉，無法選擇，不好表態。但其實，她對英武的李隆基已經起了防範之心。但是，防範歸防範，姪子當時畢竟沒有對她構成任何威脅，可以留用察看，以觀後效。而且，既然這個姪子不是嫡長子，先天不足，為了穩固自己的位置，恐怕也只有投靠她這個有權勢的姑姑了。基於這樣的想法，當然，也基於共同對敵時殘存的情分，太平公主在立太子問題上並沒有作梗。

但是，一旦李隆基被立為太子，馬上，雙方的矛盾就凸顯出來了。由於睿宗李旦自己並沒有參加政變，是政變後被推舉到皇帝位置上的，故而實力不強。皇帝弱勢，那誰強勢呢？太子和太平公主都強勢。《資治通鑑》有一條記載特別經典：「每宰相奏事，上輒問：『嘗與太平議否？』又問：『與三郎議否？』」政變之後，三郎李隆基和太平公主的勢力都有了長足的增長，也都參與朝政。李旦貴為天子，也只能是每事諮詢，少問了誰都不行。這可就麻煩了。太平公主本來就是個權力欲旺盛的女人，立此大功之後，更不甘心與人分享權力。可是，李隆基也不是吃素的呀！他既是功臣，又是太子，總體實力不在太平公主之下，也不可能每次都附和她的意見。這樣一來，一個太平，一個太子，原本親密的盟友漸行漸遠，彼此明爭暗鬥起來。怎麼解決這個姑姪爭權的問題呢？在太平公主看來，對她最有利的作法就是謀畫換一個太子了。換一個沒有立過功的太子，不就沒有資格和她叫板了嗎？那麼當時哪個人沒有立過功，但是又有當太子的資格呢？當然是睿宗的嫡長子李成器了。這樣一來，太平公主一下子大義凜然起來，擺出一副維護嫡長子繼承制的姿態，而非嫡長子出身這個缺陷也就變成太平公主拿來進攻李隆基的一個利器。

太平公主是怎麼進攻的呢？第一個角度就是拿李隆基的身分說事，製造輿論，攻擊李隆基不是嫡長子，不符合繼承原則。在這個問題上，史書記載了三件事。第一件是製造流言。據《資治通鑑》記載，景雲元年（七一〇年）十月，也就是政變四個月之後，太平公主就開始派親信煽風點火、傳播流言了。他們到處說，現任的太子不是嫡長子，根本不該立為太子。流言的特點就是來無影、去無蹤，散布面廣，影響力大。太平公主這麼幹，看起來並沒有針對任何具體的人進行宣傳，但是，大家都議論紛紛，也就可以達到擾亂視聽的效果了。第二件是策動大臣。同樣還是根據《資治通鑑》記載，景雲二年一月，太平公主估摸準了宰相下班時間，直接坐車等在他們的必經之路光範門那兒，見到宰相們走過來，太平公主款款地迎了上去，說：當今太子不是嫡長子，立得不合規矩，還請宰相們在陛下面前說一下，換個人吧！第三件是收買李成器。根據《冊府元龜》記載，太平公主曾經私下找到李成器，對他說：「廢太子，以爾代之。」這個作法直接針對具有競爭力的嫡長子，挑動他的私心雜念，應該說，更有殺傷力。經過太平公主這麼幾番各有針對性的輿論轟炸，一時間，長安城上上下下議論紛紛，都在議論太子的身分問題。唐睿宗沒辦法，只好下制書平息流言。

第二個角度的進攻是針對李隆基的心術，說他有野心，想要提前奪位。《資治通鑑》也記載了兩件事。第一件，太平公主在睿宗面前說：「朝廷皆傾心東宮。」朝廷裡大臣都比較傾向於太子。言下之意就是說太子收買人心。她這麼一說，唐睿宗當然不高興了。中國古代講究天無二日、國無二主，大臣只能對皇帝一個人忠誠。現在，太子居然在大臣之中收買人心，讓大臣傾向於自己，這不就是想奪權嗎？第二件，太平公主請術士報告唐睿宗，說五天之內會有大兵進宮。意思是說有人要搞政變。誰搞政變呢？術士沒說，但是誰都知道，當然是太子了。太子有搞政變的傳統，現在耐不住寂寞，想要提前搶班奪權！如果說前一個角度是挑動輿論的話，那麼第二個角度就是撩撥唐睿宗敏感的神經了，你這個兒子功高難治，還是換一個吧！要知道，唐睿宗當皇帝本來就底氣不足，這樣一撩撥，當然神經緊張了，趕緊找大臣商議對策，所以這一招效果很明顯。兩個角度的進攻交替進行，太子的位置變得不安穩起來。

在當時的唐代政壇上，太平公主不僅有特殊的功勳和地位，而且以「沉斷有謀」、善弄權術著稱。在改立太子的問題上，她表現出不達目的絕不罷休的決心。那麼，面對太平公主咄咄逼人的態勢，李隆基會如何出手應對呢？

李隆基是個雄才大略的人，太平公主主動出擊了，他絕不會坐以待斃。敵人既然從兩個方面進攻，他的反判措施也就從兩個方面下手。怎麼做呢？

首先，放低姿態，討好兄弟，爭取兄弟的支持。當時，真正能對他的太子身分構成威脅的，其實就是大哥李成器了。太平公主不是說他不是嫡長子，不應該當太子嗎？其實就是拿李成器說事呢！對李隆基而言，只要大哥安於現狀，他的威脅就能減小。為了爭取大哥的支持，李隆基大張旗鼓地做了兩件事。第一，屢次上表，提出讓位給大哥。這當然是在政治上做姿態，並不是出於李隆基的本心。但是承認大哥的優勢地位，這對李成器也是一個安慰。俗話說，人爭一口氣，佛爭一爐香。世上人爭來爭去，有時候不就是爭個說法嗎？主動給大哥一個說法，大哥心裡也就平衡多了。第二，研製長枕大被，敦睦兄弟感情。當時，太平公主不是整天挑撥李隆基和兄弟的關係嗎？李隆基就讓人縫了一個長長的枕頭，一張大大的被子，都是五人份的。幹什麼呢？他的態度很清楚，我們兄弟關係好，親密無間，形影不離，白天待在一起還不夠，晚上我們也要徹夜長談！這就叫以情動人。本來，相王的幾個兒子從小就一起關禁閉、吃苦頭，算是患難兄弟，特別是李成器和李隆基，雖然不是一母同胞，但是，他們的母親在同一天被殺，彼此同病相憐，更有一份真感情在。這時候，李隆基再強化這種感情，讓兄弟們都覺得，我們才是一家人，我們要肝膽相照，別讓外人牽著鼻子走！這不就減少了內部矛盾了嗎？這樣看來，李隆基採用的是道家的柔術，以柔克剛。這一招在唐朝歷史上誰用得最好？公認就是李隆基的父親——唐睿宗李旦。所以，別看李隆基父子之間也有矛盾，在這個問題上，他可是深得父親真傳。那麼，他這個以柔克剛之術有沒有收到效果呢？當然收到效果了。剛才我們不是說太平公主曾經去挑唆李成器，許諾把李隆基廢掉，讓他當太子嗎？可是天知、地知、你知、我知的祕密，外人是怎麼知道的？就是李成器主動報告給李隆基的，好讓他有所防範。這不就是李隆基攻心術成功的最好證明嗎？表面上看，李隆基的這些措施只關乎親情，沒有明確的政治指向性，但是，有了大哥的支持，太平公主拿李隆基庶出三郎這個身分說事的力度就小多了。

李隆基的第二個反措施是依靠大臣，對太平公主做正面回擊。當時，有四位大臣為李隆基出力頗多。第一個是老臣宋璟。我們不是說太平公主在光範門攔住宰相，跟他們說太子應該換一換嗎？宋璟可是個正直的大臣，一聽此言，馬上就發作了。他說：「東宮有大功於天下，真宗廟社稷之主，公主奈何忽有此議！」太子合法性不容置疑，指望我們宰相配合妳的行動改換太子，沒門！表態非常堅決。

第二個是老臣韋安石。太平公主不是跟唐睿宗說，大臣們都傾向於太子嗎？李旦很緊張，趕緊找來宰相韋安石[1]。問他，是不是有這麼回事啊？韋安石一聽馬上說：「陛下安得亡國之言！此必太平之謀耳。太子有功於社稷，仁明孝友，天下所知，願陛下無惑讒言。」當時太平公主就在簾子後面偷聽呢！聽韋安石這麼一說，真是差點沒氣死。第三個是老臣張說。太平公主不是派術士跟睿宗說，五天之內必有大兵入宮嗎？這對睿宗更是心腹大患，他又把幾個宰相找來，跟他們商量怎麼防備。這時候，張說發話了，說防備什麼呀？沒有的事！「此必讒人欲離間東宮。願陛下使太子監國，則流言自息矣。」不僅揭穿了太平公主的陰謀，甚至以攻為守，直接給太子爭權力了。第四個是老臣姚崇。看到太子立足不穩，有一天姚崇就和宋璟一起找唐睿宗了，勸他說：「宋王陛下之元子，豳王高宗之長孫，太平公主交構其間，將使東宮不安。請出宋王及豳王皆為刺史，罷岐、薛二王左、右羽林，使為左、右率以事太子。太平公主請與武攸暨皆於東都安置。」

這段話不長，可是內容豐富，至少包含了三層意思。第一層是針對身分比李隆基高的兩個哥哥。當時李隆基的兄弟輩中，除了睿宗的嫡長子李成器身分比較高之外，還有一個人身分也比較高，那就是被武則天廢掉的二兒子章懷太子李賢的兒子、唐高宗的長孫李守禮，當時封為豳王。由於武則天的緣故，李唐王朝的繼承順序在唐高宗以後就亂了。如果正本清源，從唐高宗那兒往下追的話，這個豳王李守禮的身分也不一般。這時候，姚崇提出來，讓這兩個身分敏感的哥哥到地方算了，在長安容易受人利用。第二層意思是針對李隆基的兩個弟弟岐王和薛王。這兩個弟弟雖然沒有繼承權，但是，他們現在是禁軍羽林軍的長官，手握重兵，也容易受人利用。所以，不如免去他們的禁軍指揮官職務，

1 京兆萬年（今陝西西安）人。唐中宗神龍、唐睿宗景雲年間任宰相，為政清嚴，時人稱曰「真宰相」。為人剛正不阿，不附張易之、太平公主等。

讓他們當太子左右衛率[2]，就是太子衛隊的統帥。這樣，不僅不會威脅太子，反而能加強太子的力量。第三層意思是針對太平公主的。姚崇的話說得很明白，現在之所以出了這麼多事，關鍵就在於太平公主整天調唆。乾脆，讓太平公主到外地去吧！別在首都攪事了。整個來說，這番建議考慮到了威脅太子地位的全部因素，是個通觀全局的一攬子解決方案。

分析一下這幾個大臣的言論，有兩個問題值得注意。第一，這幾個大臣都是老臣、重臣。說他們是老臣，是因為這幾個人都在武則天時期就活躍在政治舞臺上，資歷很深，經驗豐富。說他們是重臣，是因為他們當時都是宰相級別，位高權重。這使得他們的話都特別有分量。第二，這幾個大臣之中，除了張說曾經當過李隆基的老師之外，其餘的人跟李隆基都沒有私交。他們都不是政變功臣，在李隆基當太子的問題上也沒發揮過作用。既然並非太子一黨，那他們為什麼如此維護李隆基的利益呢？這是因為，在中國古代，太子被稱為國本。一旦國本動搖，就會對政治產生全面的影響。因此，改易太子，絕不是皇帝爸爸喜歡誰的問題，而是屬於國事的範疇，大臣有權參與。所以，這幾位老大臣維護太子，絕不是出於個人交情，而是出於維護國家政治穩定、維護朝廷秩序的一片公心。清代著名政治家林則徐說過：「海納百川，有容乃大；壁立千仞，無欲則剛。」一句無欲則剛，真是道破了世情真諦。正因為這些大臣沒有私心，所以他們的態度才格外剛強。

太平公主為了滿足自己對權力和地位的渴望，興風作浪。對此，李隆基施展柔術，攻心為上；老臣們則是立場鮮明，態度強硬。那麼，李隆基和老臣們剛柔相濟的鬥爭到底有無結果呢？

三、太子監國：李隆基的重大勝利

景雲二年（七一一年）的二月，也就是唐隆政變八個月以後，唐睿宗李旦連頒兩個詔令：第一，太平公主出居蒲州，也就是今天的山西永濟；李隆基的兩個哥哥宋王李成器和豳王李守禮到外地擔任刺史；李隆基的兩個弟弟岐王和薛王免去羽林將軍之職，擔任太子左右衛率。很明顯，這是貫徹了姚崇和宋璟的建議。第二，李隆基以太子的身分監國，全面行使政治權力。毫無疑問，這是在貫徹張說的意見。這兩個詔令一頒布，對李隆基而言當然是重大勝利。

那麼，李隆基為什麼會取得這樣的勝利呢？我想，至少有三個直接原因。其一，大哥李成器出於兄弟情分的無私推讓。其二，宰相出於維護政治穩定的大力幫助。其三，父親李旦的最終支持。這三方面勢力能夠支持他，根源又在哪裡呢？簡而言之，在於他們都有一顆公心。我們知道，在權力問題上，李旦跟兒子有矛盾；李成器更是李隆基的有力競爭者；而大臣們跟李隆基也並沒有什麼私交。這時候，他們能夠屏棄私利支持他，說到底，無非是為了維護政治穩定，為了李唐王朝能夠更好地發展。那麼，我為什麼要強調這一點呢？我是想告訴大家，別以為政治就是一連串的陰謀；真正的政治必定是要講正義的，真正的政治家也必定是要有公心的，大唐盛世能夠誕生的基礎不就在這裡嗎？

---

2 官名。太子東宮的獨立衛隊。秦置衛率，以後歷代相沿，名稱稍有變化。隋為左右衛率，掌宮中禁衛。唐武德五年（六二二年），改為左右衛率府，各設率一人、副率二人，掌兵仗儀衛，拱衛太子東宮。

到此為止，太平公主已經被趕出了京城，李隆基的政治地位更穩固了。那麼，他今後的道路是否就會凱歌行進呢？

請看下回：榮登大寶。

【第七回】

榮登大寶

李隆基成為太子之後，與太平公主之間展開了一場驚心動魄的權力鬥爭。而唐睿宗李旦出於維護國家穩定的考慮，決定讓李隆基監國，而將太平公主和李隆基的兩個哥哥趕出京城。那麼，面對這樣截然相反的安排，李隆基和太平公主會有怎樣的表現？太平公主是否會甘心被冷落？李隆基的登基之路又是否會因此而豁然開朗呢？

一、痛定思痛：睿宗意在讓位太子，太平反思自己的失誤

太平公主得知自己被哥哥睿宗李旦發配到地方以後，深感意外。仔細一打聽，原來這不是睿宗原創性的想法，而是姚崇和宋璟出的主意！這下可捅了馬蜂窩，太平公主沒去找姚崇、宋璟，而是跑到太子李隆基那裡，對著他大吵大鬧，質問他為什麼派自己的心腹去調唆皇帝，為什麼就容不下自己的姑姑和哥哥？

那麼，姚崇和宋璟到底是不是受了李隆基的調唆呢？其實不是。他們倆只不過是出於穩定政局的考慮才提出這個意見的。但是，這個意見畢竟對李隆基有利，所以說他教唆，他也是百口莫辯。而且，太平公主的指控太有殺傷力了，不要說姑姑得罪不起，哥哥他也不能得罪呀！要知道，當時李隆基正忙於敦睦兄弟感情，以爭取大哥的支持，現在太平公主卻說他容不下哥哥，萬一哥哥也這樣想怎麼辦？那自己之前的工作豈不是白做了嗎？怎麼辦呢？這時候，李隆基身上「阿瞞」的性格特徵就表現出來了，寧我負人，勿人負我！事到如今，只能丟卒保帥了。李隆基趕緊上奏，說姚崇和宋璟兩個人離間姑兄，請求判處他們死刑！那麼，唐睿宗收到李隆基的奏疏之後，又會作出怎樣的決斷？李隆基與太平公主的鬥法還將發生怎樣的故事呢？

其實，唐睿宗對這件事的來龍去脈本來就心知肚明。而且，從理智上判斷，他也知道姚崇、宋璟他們的主意不錯，這才聽從了他們的意見。但是，妹妹為自己當皇帝立了大功，自己對妹妹也多有仰仗，不好得罪。到底怎麼處理呢？兩邊平衡吧！一方面，把姚崇和宋璟貶到地方當刺史，宋王和豳王

也留在長安；但是，另一方面，對太平公主維持原判，必須到蒲州去。

這個決定已經讓太平公主夠不痛快了，沒想到，更大的打擊還在後面呢！兩個月之後，唐睿宗忽然召集三品以上的大臣，說：「朕素懷澹泊，不以萬乘為貴，曩為皇嗣，又為皇太弟，皆辭不處。今欲傳位太子，何如？」他說，我一向恬淡，不喜歡當皇帝。過去母親則天皇帝讓我當皇嗣，哥哥中宗也想讓我當皇太弟，我都沒有接受。現在我當了皇帝了，也不覺得怎麼樣。所以想傳位給太子，你們意下如何？眼看著政治鬥爭紛紜複雜，自己又實力不強，沒辦法擺平局面，唐睿宗一心煩，撂挑子不幹了。趁著妹妹不在長安，乾脆傳位給兒子算了！省得整天看著妹妹和兒子鬥來鬥去！

睿宗這個意思一出來，太平公主和李隆基可都慌了。太平公主是不願意失去依靠，當然百般阻撓，而太子李隆基則是摸不透父皇的真實想法，也百般推辭。這樣一來，這次傳位動議只好不了了之。但是，人有了心思就很難再放棄，沒過多久，唐睿宗還是下令：「凡政事皆取太子處分。其軍旅死刑及五品已上除授，皆先與太子議之，然後以聞。」把李隆基的權力大大地提高了。聽到這個消息，太平公主簡直是欲哭無淚。她跟李隆基鬥法，一直都咄咄逼人、處於上風，怎麼一下子會輸得這麼慘呢？要是照這個樣子下去，太子當皇帝指日可待。以李隆基的性格，必定會大權獨攬。那自己參加政變的意義又在哪裡呢？

要知道，太平公主也是一個有本事的人，痛定思痛，她開始分析自己慘敗的原因了。反思此前的一系列活動，太平公主覺得，自己有兩大失誤。第一，她雖然聲勢逼人，但是一直孤軍奮戰；而李隆基這邊雖然看起來較為弱勢，但是背後卻有一個強大的宰相後援團。以一個人的力量對付一個團體，她自然不占上風。第二，她對李隆基的進攻雖然火力凶猛，但其實都是一些人身攻擊，沒有任何實質性的內容。所以，雖然經過這麼長時間，太平公主自身的實力卻並沒有任何增長。而政治鬥爭，是要靠實力說話的。

二、太平反擊：延攬人才，太子監國完全被架空

在哪裡跌倒，就在哪裡爬起來。認識到自己的失誤，太平公主馬上著手改變戰略。就在此時，李隆基為了緩和關係，也主動請求召太平公主回長安。太平公主自然當仁不讓。這次回到長安後，太平公主的戰略就變了。首先，她絕口不提更換太子的事。以前自己鬧得太凶，結果引起了睿宗的反感，得不償失。這一回，她不再糾纏更換太子的事，而是把主要精力放在網羅人才、培植親信。她都網羅了哪些人呢？

第一個是竇懷貞。就是娶了韋皇后的老奶媽，還自稱「皇后阿奢」的那個人。這個傢伙其實是高幹子弟，是個公子哥，但是小時候從不以公子哥自居。別的高幹子弟都是輕裘肥馬，只有他艱苦樸素，所以名重一時。我們常說三歲看大，七歲看老，但是也並不盡然。竇懷貞長大之後名聲就不太好了。他太愛權力了，為了權力不惜犧牲一切。唐中宗時宦官勢力比較大。因此，竇懷貞只要看見宦官就巴結。可是，宦官又不是舉著牌子走路，有的標誌也不明顯。竇懷貞就怕哪天沒看出人家是宦官，失了禮數。怎麼辦呢？為了避免犯錯，竇懷貞只要看見沒鬍子的就點頭哈腰。這樣一來，好多毛髮不發達的人都跟著沾光了。這在當時簡直傳為笑談。這樣的人我們覺得不怎麼地道，可是太平公主認為他是個人才。人就怕沒有愛好，只要有愛好，就能投其所好了。他為了權力可以放棄尊嚴，正好用權

力吸引他！本來，竇懷貞是韋皇后的黨羽，韋皇后被殺，他也受牽連，貶為濠州（今安徽鳳陽）司馬。可是現在，就在太平公主的親切關懷下，竇懷貞又從地方回到了中央，沒過多久，居然當了宰相。既然太平公主能既往不咎，讓他當官；他也就投桃報李，每天一退朝就到太平公主那裡報到。這樣一來，太平公主在朝廷裡有了代言人，朝廷裡的大事小情都瞭若指掌了。

第二個例子是陸象先[1]。說起陸象先的名字，可能很多人並不熟悉，但是，如果我們說「天下本無事，庸人自擾之」這句話，大家就都耳熟能詳了。這句話哪兒來的呢？就是陸象先說的。陸象先擔任河東按察使的時候，有一次，一個小吏犯了錯，陸象先批評他一頓，就讓他走了。結果，一個比這個小吏職位稍高一點的「大吏」有意見了。他對陸象先說：按照規定，這個小吏的錯誤應該打板子，您怎麼就這麼輕饒他呢？陸象先最看不起這類唯恐天下不亂的人了。就回答他說：人和人都是一樣的，難道你以為他聽不懂我的話，非要挨板子才行嗎？如果你說不打就不行，那下次我先打你。本來天下沒有什麼大不了的事，都是你們這種庸人自己找事！這件事就記載在《新唐書．陸象先傳》裡，從此，「庸人自擾」就成了一個成語。從此事我們可以看出，陸象先是一個非常灑脫、眼界非常高遠的人。按照當時的說法，就是「恬靜寡欲，議論高簡」，人望非常高。陸象先這麼清高，當然不會主動巴結太平公主，太平公主又是怎麼發現他的呢？說起來還和太平公主的男寵有關。太平公主有個男寵叫崔湜，是個才子型的官員。太平公主正在用人之際，就想把他提拔成宰相。崔湜說：我沒別的要

1 本名景初，蘇州吳縣（今江蘇省蘇州市）人。景雲二年（七一一年），在太平公主的推薦下與崔湜同時當上宰相。清淨寡欲，在官「以寬仁為政」。成語「庸人自擾」，即出典自《新唐書．陸象先傳》。

求，就是希望能和陸象先成為同事。這個人名聲大，能和他成為同事，我自己臉面有光。太平公主應允，就把兩個人一起推薦了。不過，太平公主雖然推薦了陸象先，但是，陸象先可不像竇懷貞那樣對她百依百順。相反，還經常指出她的一些問題。別看太平公主是個「鐵娘子」，但是對陸象先的批評她卻並不介意。人要想成事，就不能只聽好話。再說了，陸象先號召力大，把他納入自己的人才隊伍，這不就等於豎起了一塊活招牌嗎？一下子，太平公主這邊人才的整體水準就提高了。

縱觀以上兩個例子，我們可以發現，太平公主網羅的其實是兩類人。第一類就像竇懷貞這樣，是非不分，人品不好，但是能夠死心塌地替她辦事；第二類就像陸象先這樣，超凡脫俗，清心寡欲，雖然不能指望他無原則地聽命於自己，但是可以給自己改善形象、帶來聲望。

李隆基與太平公主鬥智鬥勇，都有不凡表現。特別是太平公主，在延攬人才方面更是靈活主動。但是，大唐王朝的最高權力掌握在唐睿宗李旦手中，睿宗將會如何安排太平公主延攬的這些人呢？李隆基在這場人才大戰中又將何去何從呢？

俗話說，好鋼要用在刀刃上，太平公主網羅的這兩類人才都很難得，當然是讓他們當宰相最能發揮作用了。可能有人懷疑，難道太平公主想讓誰當宰相就能讓誰當宰相嗎？還真差不多。因為當時李隆基雖然已經是太子監國，但是，三品以上的人事任命權還在睿宗手裡。對付唐睿宗，太平公主最有辦法了，實在不行還可以打感情牌嘛！任命崔湜當宰相的時候，睿宗開始並不同意，但是，太平公主「涕泣以請」，沒辦法，睿宗最後還是滿足了她的要求。很快，經過一番軟磨硬泡，太平公主把竇懷貞、崔湜、陸象先等等四、五個得意的人才都安插到了宰相的位置上。有了宰相作後盾，太平公主在朝廷裡的局面也就打開了。

太平公主安插了一批親信當宰相，那李隆基怎麼樣呢？李隆基那邊恰恰相反，他的支持者都從宰相崗位上調離了。姚崇、宋璟兩個人因為建議讓太平公主離開首都，結果太平公主一發威，李隆基被迫丟卒保帥，主動請求把這兩個人貶到地方當刺史。老臣韋安石因為幾次出手保護太子，被太平公主明升暗降，表面上榮升為二品的左僕射，實際上剝奪了實權，發配東都洛陽。另一個宰相張說，被任命為尚書左丞，也發配到洛陽了。就這樣，太平公主回到長安不久，整個宰相集團中原來屬於李隆基派系的只剩下劉幽求一個人。可是，劉幽求本來不過是個縣尉，因為政變有功，才火箭式竄升到宰相。他的資歷以及影響力不要說不及姚崇、宋璟一個零頭，就是跟太平公主手下那些老官僚也沒法比。這樣一來，別看李隆基還任太子監國，其實整個被架空了。

經過太平公主的一番努力，她和李隆基的力量對比發生了明顯的變化，政治敏感度高的人馬上就看出來了。當時，有一個書生名叫王琚，曾經因為反對武三思而流亡江湖，韋皇后倒臺後又回到長安，被任命為縣主簿，是個九品小官。當時李隆基不是以太子的身分監國嗎？凡是六品以下的官都是由他來任命的。因此，王琚此次拜官，也是出自太子殿下的恩命，特地前來拜謝。可是，雖然打得是謝恩的旗號，王琚的表現可不像一個謝恩的人。到了殿廷之中，王琚故意高視闊步，擺出一副目中無人的樣子。這不合禮數，因此，宦官提醒他：太子殿下就在簾子後頭呢！你放規矩點兒。沒想到，王琚冷冷一笑，說：誰是太子殿下，當今天下只有一個太平公主罷了！很明顯，王琚用的是一種戰國時期縱橫家的口吻。縱橫家固然是嘴尖舌利，說話難免誇張；但是，他們也是目光如炬，一下子就能看透問題的實質。在太平公主和李隆基的力量對比上，王琚一點兒都沒有看錯：此刻的李隆基，雖然看起來是太子監國，大權在握，但是綜合實力和監國之前相比，反倒更加虛弱了。

經過幾個回合的較量，太平公主實力大增，似乎已經勝券在握。可是，就在她準備反戈一擊，徹底擊垮李隆基的時候，一個特殊天象的出現，卻改變了這一切。那麼，究竟是什麼奇怪的天象，竟然能夠擊破太平公主的黃粱美夢？事情的變數又到底出在什麼人的身上呢？

三、榮登大寶：睿宗順應天象，傳位太子

連王琚都能看出來的事情，太平公主做為當事人就更清楚了。眼看太子的羽翼被剪除得差不多，太平公主又躍躍欲試，想報當初被發配蒲州的一箭之仇。找什麼機會，再衝擊一下太子呢？此時，一個特殊的天象成了導火線。延和元年（七一二年）七月，一顆彗星出現在西邊的天空。在中國古代，彗星意味著除舊布新。太平公主一看大喜過望，這顆星星也太善解人意了吧！馬上，第二天，在太平公主的授意下，一個術士就去見唐睿宗了。跟他說：「彗所以陳舊布新，又帝座及心前星皆有變，皇太子當為天子。」什麼意思呢？所謂帝座，就是天文學上的武仙座星，是所謂天皇大帝的外座，象徵皇帝。而前星是指天文學上所謂心宿的前星，象徵太子。象徵皇帝的星星和象徵太子的星星都有變化，這意味著太子應當做天子，不能再待在東宮裡了！

這個說法可是太惡毒了。按照太平公主的想法，誰不愛權力呀！此時唐睿宗當皇帝才兩年，他是

無論如何不會讓李隆基當皇帝的。但是，根據星象，李隆基這個太子顯然有了當皇帝的動向，已經不安其位。那麼，如果睿宗不想讓他當皇帝，恐怕只有廢掉他了。因此，術士這番話的真正涵義在於：廢黜李隆基！這可是非常厲害的一招。因為唐睿宗一直覺得李隆基功高震主，對他頗為猜忌。而此時的李隆基，又沒有了宰相的保護。只要睿宗一動搖，李隆基馬上面臨滅頂之災！

那麼，事情是否真的像太平公主想像的那樣發展呢？沒有。變數出在唐睿宗李旦這兒。李旦聽術士這麼一說，馬上說：「傳德避災，吾志決矣！」明確表態，我要順應天象，傳位太子！這可是太平公主無論如何也沒想到的局面，這不是搬起石頭砸自己的腳嗎？趕緊跑過來拚命勸說。可是，這次唐睿宗鐵了心了。他說：「中宗之時，群奸用事，天變屢臻。朕時請中宗擇賢子立之，以應災異，中宗不悅，朕憂恐，數日不食。豈可在彼則能勸之，在己則不能邪！」當年哥哥中宗在位的時候，小人當道，上天屢屢預警。當時我就勸他趕快順應天意，立一個好兒子當太子。沒想到哥哥認為我動機不純，還很不高興。現在同樣的事情輪到我身上，難道當年我勸別人時就明白，一到自己的身上就糊塗了嗎？我堅決不重蹈哥哥的覆轍！我決定傳位太子！

唐睿宗李旦決定傳位，絕對可以稱得上是大唐歷史上石破天驚的一筆。那麼，唐睿宗的這個讓太平公主大跌眼鏡的決定，又會讓李隆基有怎樣的表現？李隆基會順利地登上皇帝寶座嗎？

其實，唐睿宗的決定不僅讓太平公主大跌眼鏡，對李隆基來說也是非常突然的。李隆基聽說父親的決定，一頭霧水，馬上騎馬跑到宮裡。到了睿宗面前，他以頭搶地，說：「臣以微功，不次為嗣，懼不克堪，未審陛下遽以大位傳之，何也？」我不過就是立了那麼一點功勞，連當太子都害怕不堪重任，您怎麼會突然要把皇位傳給我？無論如何不敢接受。聽完兒子一番話，唐睿宗說：「社稷所以再安，吾之所以得天下，皆汝力也。今帝座有災，故以授汝，轉禍為福，汝何疑邪！汝為孝子，何必待柩前然後即位邪！」國家之所以能有今天，我之所以能當皇帝，不都是拜你所賜嗎？如今帝座有災，天象告警，我才把皇位傳給你，希望能夠轉禍為福。你有什麼可懷疑的呢？話說到這份兒上，李隆基也沒什麼可推辭的了，百感交集，流涕而出。

就這樣，因為唐睿宗這麼一個出人意料的傳位決定，整個局勢都扭轉過來了。本來，太平公主羽翼豐滿，勝算很大；而太子李隆基則是損兵折將，自身難保。但是，忽然之間，一切又都顛倒過來了。太平公主再次白忙了一場，而李隆基則穩穩地接住了天上掉下來的餡餅，從太子晉升為皇帝。就在延和元年八月庚子，李隆基接受了父親唐睿宗的禪讓，正式登基稱帝，改元先天。這一年，他剛剛二十七歲。

李隆基為什麼能在非常不利的情況下榮登大寶呢？毫無疑問，這是唐睿宗傳位這個戲劇性決定的結果。那麼，唐睿宗為什麼會做出這樣的決定呢？我覺得，有兩個原因值得注意。第一，唐睿宗是一個相對比較恬淡的人。這種恬淡來源於他的生活經歷、來源於他實力不足的現實，也來源於他的道家思想。唐睿宗崇道在歷史上非常著名。《資治通鑑》記載了這樣一件事。景雲二年（七一一年）十二月，也就是唐睿宗決定傳位之前，他曾經召見著名的天臺山道士司馬承禎，向他討教道術。司馬承禎說：所謂道，就是損之又損，以至於無為啊！唐睿宗說：一個人自然可以這樣修練，那要是治理一個國家呢？司馬承禎說：國家和個人沒有區別，只要屏除私心雜念，順其自然，國家也就治理好了！睿宗聽了頻頻點頭。從景雲二年以來，唐睿宗屢次提出傳位，當然每次都有現實政治鬥爭的背景，但不可否認的是，道家損之又損、清靜無為的思想對他深有影響。

第二，唐睿宗對大唐王朝有責任心。皇權至上，從私利的角度講，任何皇帝都希望自己的統治能夠永遠維持下去，唐睿宗也不例外。在權力問題上，睿宗和李隆基也有矛盾，甚至，太平公主架空太子，在一定程度上也是睿宗縱容的結果。但是，睿宗私心的底線是太子的位置不能動搖。一旦太子不穩，大唐王朝就會重新陷於動盪之中。自從武則天以來，唐朝已經動盪幾十年了，做為一個皇帝，唐睿宗不希望繼續動盪下去。這是一種政治家的責任感。在當時太平公主勢盛的情況下，怎樣才能確保太子的位置不動搖呢？要想從根本上解決問題，只有給他一個不容挑戰的名分，這個名分就是皇帝。正是出於保護太子，也保護大唐的心理，唐睿宗痛下決心，做出了傳位的決定。如果這個分析成立，那麼，素以謀略著稱的太平公主也可以覺得安慰了。因為她並不是輸在計謀和運作上，而是輸在她低估睿宗為大唐王朝做出犧牲的決心和勇氣。

就這樣，因為睿宗的自我犧牲，李隆基榮登大寶。那麼，這個二十七歲的新皇帝還會遇到哪些挑戰呢？

請看下回：顛峰對決。

【第八回】

顛峰對決

延和元年（七一二年），唐睿宗李旦下詔，正式傳位給二十七歲的太子李隆基。但是唐睿宗的退位退得並不徹底，在最重要的軍國大事上，還是由唐睿宗說了算。這樣，在李隆基當皇帝之初，出現了太上皇與新皇帝共同主持朝政的局面，而太平公主也藉此機會重整旗鼓，在朝廷裡安插大量的親信，形成一股強大的政治力量。那麼，此時的李隆基將如何處理與太上皇、太平公主之間的關係呢？他真正成為最高統治者的日子，究竟何時會到來呢？

一、初謀政變：無實權的李隆基，預謀剷除太平公主勢力

上一回我們講到，在李隆基和太平公主鬥法的過程中，唐睿宗李旦為了維護政治的穩定，做出自我犧牲，主動傳位，讓李隆基當了皇帝。為此，我們還特別表彰一下唐睿宗的一顆公心。但是，我們也要知道，人性是非常複雜的。做出傳位的決定之後，唐睿宗又覺得失落了。畢竟他這個皇帝才當了兩年，就這樣把權力交出去，無論如何有些不甘心。怎麼辦呢？李旦私心一動，乾脆，退位不退休，保留一部分權力吧！保留什麼權力呢？李旦提出來了，太上皇和皇帝得分工，三品以上官員的任免和重大的政治軍事問題都歸太上皇管，其餘的事情才由皇帝決定。

自己收回不少權力，李旦還替妹妹覺得委屈。本來是兒子和妹妹鬥，他把帝位傳給兒子，對不起妹妹啊！另外，如果妹妹有勢力，兒子李隆基也會受到制約，自己仍然可以居中找平衡，退休生活也就更加精采。就在這種微妙的心理支配之下，唐睿宗開始加大對妹妹的扶持力度。自己不是掌握著三品大員的任免權嗎？以後妹妹有什麼人事要求，就盡量滿足吧！李旦有這種想法，太平公主自然是當仁不讓，加緊往重要崗位上安插人手。沒過多久，政府裡宰相的位置大部分都被太平公主的黨羽占據。李隆基雖然貴為皇帝，其實權力有限，誰也指揮不動。

出現了這種情況，李隆基是什麼感想呢？本來，李隆基受夾板氣也不是一天兩天，整個太子階段就是這樣度過的。那時候，他的策略一向都是隱忍。但是，這時候，他覺得受不了了。因為他當皇帝了。中國古代講名至實歸，有了名，人就會追求名背後的實；而且，名頭大了，人的膽子也會變大。所以，李隆基的忍耐度一下子就達到極限。

不光李隆基的忍耐度達到了極限，他手下人的忍耐度也達到了極限。當初提著腦袋參加政變，為的就是功名富貴，本來以為李隆基當了皇帝，他們也能跟著雞犬升天，沒想到皇帝自己都受制於人，他們這些跟班的就更得不到什麼實惠了。沒有達到預期的目標，這讓功臣們很失落。尤其是最具政治頭腦的軍師劉幽求，不僅是李隆基的高參，而且在唐睿宗當皇帝的過程中也立了大功，對兩代皇帝都有功，所以，自視甚高，每每以首席功臣自居。現在李隆基當了皇帝，他這個首席功臣理應直接晉升為首席宰相吧？可是沒想到人事安排一出來，他是當了宰相，可是位置並不靠前。前面的位置全讓太平公主的人占了。這讓劉幽求非常失望。怎麼辦呢？劉幽求不是政變起家嗎？在他看來，政變是最簡單可行的辦法了。不如再搞一場政變，把太平公主搞掉算了，否則，皇帝的人馬永無出頭之日！

有了想法，就要考慮具體的謀畫。怎麼政變呢？這個劉幽求輕車熟路。政變需要軍隊的支持，而此時北衙禁軍羽林軍的將軍就是玄宗李隆基在潞州結交的豪傑張暐。張暐當羽林將軍，這是李隆基當皇帝之後的人事任命。讓自己的故人控制禁軍，也可以看出李隆基維護統治的一番苦心。現在既然要謀畫政變，劉幽求便找到張暐，跟他如此這般說了一通。張暐新近受到皇帝的提拔，立功心切，當即慨然允諾。

兩個人商量好之後，張暐就來找李隆基。跟他說：「竇懷貞、崔湜、岑羲皆因公主得進，日夜為謀不軌。若不早圖，一旦事起，太上皇何以得安！請速誅之。臣已與幽求定計，惟俟陛下之命。」那麼，李隆基聽了他的政變主張，會怎麼反應呢？我們剛說過，李隆基此刻畢竟已經是皇帝，身分一變，底氣也足了不少，不由得就有點冒進。想也沒想，就立刻認可了他們的想法。但是，讓他們回去從長計議，好好商量方案。李隆基這次出手會改變大唐王朝的政治面貌嗎？

李隆基君臣謀畫的這場政變成功了嗎？沒有。不僅沒成功，而且沒等發動，就流產了。怎麼回事呢？張暐洩密了。張暐此前沒有政變的經驗，對於保密工作的重要性認識不夠。沒過兩天，他就把這件事洩露給侍御史鄧光賓。眼看事情敗露，李隆基大驚失色，因為他的準備工作還沒有做好呢！無奈之下，他趕緊先發制人，上奏說劉幽求和張暐離間骨肉，把這兩個人都流放到嶺南。劉幽求和張暐的位子一空出來，太平公主馬上派人來「填空」了。就在劉幽求走後，太平公主在政府裡的勢力達到「七位宰相，五出其門」的程度。在軍隊這邊，張暐一走，兩個羽林將軍也都投靠太平公主。軍政大權在握，太平公主的勢力簡直如日中天。

那麼，我們怎麼評價這次流產的政變呢？表面看來，這場政變還是此前李隆基和太平公主矛盾的延續，演對手戲的也還是這兩個人。但事實上，這場政變的性質已經變了，變成太上皇李旦與皇帝李隆基之間的矛盾。因為李隆基想要通過政變對付的固然是太平公主的黨羽，但他們同時也都是太上皇李旦任命的宰相。換言之，李隆基真正想要推翻的，不是具體的哪個宰相，而是太上皇李旦把持的最高權力！這樣一來，這場未遂政變的意義可就重大了。首先，它揭示了當時最深刻的矛盾，那就是皇帝和太上皇對最高權力的爭奪。在中國古代，皇權具有獨尊性，也只有皇權獨尊，才能有穩定的政治秩序。而當時，皇權被太上皇和皇帝兩支力量分割，由此造成了一種二元權力結構。這種二元結構實際上是一種不穩定的政治結構。它具有先天的缺陷，必然不能長久。所以，李隆基的政變，其實就是一場爭奪最高權力的顛峰對決。

第二，它意味著大唐王朝政治矛盾的雙方已經置換。本來，李隆基當太子的時候，矛盾的雙方是李隆基和太平公主，睿宗李旦起到仲裁調節的作用；但是，一旦李隆基當上皇帝，矛盾的雙方就變成皇帝李隆基和太上皇李旦，變成他們之間爭奪權力的鬥爭了。而太平公主，只是太上皇與皇帝博弈的一個籌碼而已！第三，這次政變真正考驗著太上皇李旦和皇帝李隆基的關係。本來，在此前很長一段時間裡，李旦和兒子雖然有矛盾，但還是兒子的保護者。可是，李隆基這場流產的政變讓他明白，他和李隆基之間，只能有一個至高無上的真皇帝！現在，為了當這個真皇帝，李隆基已經出手了，那麼，他做為太上皇應該怎麼應對呢？先天元年十一月，李旦拋出一紙誥命：命皇帝離開京城，出巡邊疆！這道誥命的意義太重大了。它說明李旦真的動怒了。一旦離開京城，李隆基就有可能被廢黜，這可是他人生中最大的一次危機！那麼，李隆基是否會陷入一場滅頂之災呢？沒有。

兩個月之後，也就是先天二年（七一三年）的一月，李旦又宣布皇帝巡邊改在八月份進行。為什麼改期？因為李旦猶豫了。廢黜皇帝，那將是多大的一場政治波瀾呀！李旦是一個對唐朝有責任感的政治家，他不想讓唐朝再次陷入動盪。正因為如此，他才提前退位，讓兒子李隆基接班的。可是如果廢黜皇帝，自己原來的苦心不就白費了嗎？再說，李旦是一個重感情的人，在此前長達幾十年的政治鬥爭中，他已經失去太多親人，現在，他不想置兒子於死地。想到這些問題，李旦又猶豫了。他沒有取消巡邊的安排，但是，把巡邊的日期推遲，算是以觀後效。這個決定既不是進，也不是退，而是一個優柔寡斷的決定。可是，優柔寡斷是政治家的大敵。那麼，李旦優柔寡斷，會引起什麼樣的後果呢？後果非常殘酷，由於李旦的這次猶豫，李隆基準備進行第二次政變了！怎麼回事呢？

二、再謀政變：太平自縊而死，太上皇完全釋權，二元政治局面結束

大約在先天二年的六月左右，有三位謀士先後給李隆基出謀畫策了。第一個是王琚，就是那個在李隆基面前說當今天下只有太平公主，有戰國策士風範的人。自從那次事情之後，他就成了李隆基的密友。王琚對李隆基說：「事迫矣，不可不速發！」沒多久，因為傾向李隆基而被貶到東都洛陽的尚書左丞張說也表態了。他派人從東都千里迢迢給李隆基送來一把佩刀，意思很明白，趕快武力了斷！第三位勸李隆基的是誅殺韋皇后時立功的大臣崔日用。他從荊州到長安彙報工作，趁這個機會也勸說李隆基趕快政變。

大家可能會想，太上皇不是已經把巡邊的日子推遲了嗎？這算是太上皇退了一步。按照情理，皇帝也該退一步才是。怎麼不退反進，還要政變呢？其實，這些謀臣勸李隆基準備政變是對的。首先，人心易變。太上皇此時推遲巡邊日期，看起來對李隆基有利。但是，人心難測，他也完全可能再做相反的安排。其次，即使太上皇的舐犢之情可以依恃，但是，太上皇與皇帝之間二元權力核心的格局仍然不會打破，雙方的矛盾依然存在。只要這個矛盾沒解決，雙方遲早得有一拚！遲拚不如早拚。

怎麼拚呢？崔日用馬上勾勒了一個政變方案。他說：「太平謀逆有日，陛下往在東宮，猶為臣子，若欲討之，須用謀力。今既光臨大寶，但下一制書，誰敢不從？萬一奸宄得志，悔之何及！請先定北軍，後收逆黨，則不驚動上皇矣。」大體的意思是說，第一，政變必須針對太平公主及其黨羽，這才師出有名；第二，太平公主是臣，李隆基是君，具有身分上的優勢，這個優勢要用好；第三，先解決軍隊問題，再解決政治問題。這是行動順序。這三個元素，基本算是把政變的輪廓勾畫出來，不

愧是政變老手！這讓李隆基覺得非常信服。李隆基是個英武果斷的人，眼看八月份一天天臨近，他最終決定，聽從謀臣的意見，拚一場！剷除太平公主的勢力，同時逼太上皇徹底放權！

謀臣們幫李隆基下了政變的決心，可是，政變總得需要一個理由，這樣才能師出有名。這時，有個人出來給李隆基幫忙了。誰呢？魏知古[1]。我們在提到太平公主勢力的時候，說當時是「七位宰相，五出其門。」那也就意味著，還有兩個人不是她的勢力。這兩個人一個叫魏知古，另一個叫郭元振。魏知古是何許人呢？他本來是唐睿宗李旦當相王時的故吏，李旦當了皇帝，才把他提拔為宰相，因此算是太上皇的人，無論對太平公主還是對李隆基，他都處於中立地位。他的中立地位使其對兩方面的情況都知道一點。這時候，魏知古探聽到，太平公主那邊似乎也在搞陰謀。什麼陰謀呢？根據《舊唐書》等史書的記載，魏知古探聽到一個驚天祕密，太平公主打算在先天二年七月四日政變。探聽到這個情報怎麼辦呢？要知道，魏知古貌似中立，其實政治態度更傾向於李隆基，與李隆基早有私下交往了。這時候，緊要關頭，他把這件事彙報給李隆基。聽完魏知古的彙報，李隆基當機立斷，就把這件事當作政變的導火線。政變的決心已下，導火線也準備好了，下一步就是具體執行。誰來和李隆基一起政變呢？這一次，李隆基可是吸取上次洩密的教訓了，和他一起謀畫政變的全是最親密的人。《舊唐書．玄宗本紀》開列了一個參與者的名單。我們可以把他們劃分為三類。

第一類，親戚。包括李隆基的兩個弟弟岐王范和薛王業，還有李隆基的大舅子王守一。很顯然，

---

1 唐代宰相。性格耿直，敢於直言進諫。神龍初年，任吏部侍郎。開元初年，和姚崇同為宰相，掌管東都洛陽的選官之事，因與姚崇不合被罷相。

李隆基敦睦兄弟的舉動結出豐碩的成果，現在關鍵時刻，兩個弟弟都成了他的政治盟友。俗話說，打仗親兄弟，上陣父子兵。兩個弟弟加盟，對李隆基自然是莫大的支持。

第二類，奴僕。包括我們早就提到過的王毛仲、李宜德，還有宦官高力士[2]。這高力士又是何許人呢？他可是唐朝歷史上最著名的宦官，一生經歷非常傳奇。他原本姓馮，出身於嶺南的世襲酋長之家，嶺南歷史上著名的女政治家冼夫人就是他的六代祖母。馮家在嶺南赫赫揚揚已近百年，但是，到武則天時期卻遭到大難。武則天為了稱帝，大肆誅殺政治對手，雄踞嶺南的馮家也被捲入謀反案中，成年男子全被殺了。只有十歲的高力士（當時還叫馮元一）因為年幼被從輕發落，慘遭閹割，改名力士，進宮當宦官。唐朝的宦官流行認乾兒子，有一個姓高的宦官看中小力士，收養了他，從此，嶺南馮酋長家飛揚跋扈的小公子也就成了長安宮廷裡屈身侍人的高力士。雖然遭遇這麼大的變故和挫折，雖然身居賤位，可是，也許馮家家族的遺傳基因太優秀了吧！高力士在政治方面還是非常敏銳。中宗一朝，他冷眼旁觀，看出臨淄王李隆基非同凡俗，於是主動和他傾心相交，也算是慧眼識英雄。李隆基當上皇帝後，他也就被提拔為內給事，成為一個五品的中級宦官。現在，在歷史的轉折時刻，他再一次決定追隨唐玄宗。

第三類，親信。包括剛剛提到過的王琚，還有姜皎、李令問等等，這都是玄宗的好哥們兒，政治上也非常可靠。

此時的李隆基雖然貴為天子，但是最重要的權力仍然掌握在太上皇李旦的手中，而太平公主也有一大批強有力的支持者。面對這樣的政治敵手，李隆基能夠奪取權力嗎？太上皇李旦和太平公主，會讓李隆基徹底翻身嗎？

先天二年七月三日，也就是所謂的太平公主預謀政變的前一天，李隆基和王毛仲、王琚等人率領著三百騎兵大大方方地走出平時辦公的武德殿，進入禁軍駐地虔化門，以皇帝名義召見追隨太平公主的兩名羽林將軍。兩人不知有變，馬上晉見。可是，才剛來到李隆基面前，只見寒光一閃，兩位將軍的腦袋就滾落在地。解決了兩名禁軍將領，整個禁軍也就被李隆基控制了。解決了禁軍問題，李隆基馬上率領人馬來到朝堂。劍鋒所指，蕭至忠等幾位宰相也當場斃命。這樣一來，政府也被控制了。整個政變出其不意、攻其不備，完成得乾淨俐落，體現李隆基的果決風格。到此為止，太平公主安插在軍政系統的黨羽就算是被剷除了。

我們曾說過，當時政壇的主要矛盾已經從李隆基和太平公主的矛盾變為李隆基和太上皇李旦的矛盾。因此，剷除太平公主的黨羽還不夠，關鍵還要解決太上皇的問題。李隆基從北到南一路廝殺過來，當然早有人給太上皇李旦報信去了。大敵當前，容不得多想，既然皇帝從北邊打來，那太上皇只能是向南逃了。逃到哪裡呢？逃到承天門城樓上。這承天門是唐朝宮城的正南門，也算易守難攻。所以李旦選擇在那裡避難。

---

2 唐玄宗朝著名宦官，潘州（今廣東）酋長之子，少年時因家被抄而入宮為宦官。分別在唐隆元年（七一〇年）和先天元年（七一二年）協助李隆基發動唐隆政變、先天政變。一生對玄宗忠心耿耿，又有膽識才幹。死後陪葬泰陵。

那麼，太上皇是不是就一個人逃跑呢？當然不是。誰跟著他呢？郭元振[3]。他是宰相集團中第二位不依附太平公主的宰相。說起郭元振，可是唐朝歷史上的一個奇人。他是武則天時期踏上仕途的，先是一個小小的縣尉，屬於父母官。但是，這個父母官不僅不愛護百姓，反倒四處掠奪自己的子民，甚至綁起來送給自己的朋友當奴隸。這可太離奇了。有人告到武則天那裡，武則天也很好奇，召見郭元振，想問個究竟。和郭元振談了一陣子，武則天發現，郭元振是個落拓不羈的奇男子，講義氣，有膽量，讓他當縣尉，既糟蹋縣尉這個職務，也糟蹋郭元振這個人才。他真正的崗位應該在戰場上。乾脆，讓他當將軍，帶兵打仗吧！於是，就因為武則天知人善任，郭元振成了赫赫有名的大將軍，在西北和北方邊陲屢立戰功。唐睿宗李旦當上皇帝之後，把他也提拔為宰相，同時兼任兵部尚書。所以說，郭元振和魏知古一樣，也是太上皇的人。但是，郭元振雖然是太上皇提拔的，但是在政治大節上可並不糊塗。在朝廷待一陣子後，他早就看清形勢，在太上皇和皇帝之間，還是皇帝代表著政治的希望。因此，他也傾向於李隆基。

那麼，郭元振這時候追隨太上皇左右到底是什麼意思呢？我想，首先得承認，他是在保護太上皇。太上皇對郭元振不薄，混亂中保護睿宗，也算是知恩圖報。但是，另一方面，我們也說過，從政治立場上講，郭元振認可李隆基。在這種情況下，保護其實就帶有脅迫的色彩。眼看著李隆基的部隊已經把承天門樓包圍起來，郭元振對太上皇李旦說：皇帝是奉您的命令誅殺逆臣竇懷貞等人，您不用害怕！一句話，既給李隆基一個臺階；另一方面，也點醒太上皇李旦，事情已經到了這個地步，只能承認既成事實！聽了郭元振的話，李旦長嘆一聲，不再抵抗。

第二天，太上皇李旦下誥：「自今軍國政刑，一皆取皇帝處分。朕方無為養志，以遂素心。」宣布徹底退休放權。到此為止，太上皇與皇帝之間的顛峰對決，以李隆基的勝利而告終。

三天之後，逃亡的太平公主也自縊而死，整個政變大功告成。隨著這場驚心動魄的先天政變的結束，唐朝的二元政治局面終於結束。李隆基擺脫有名無實的尷尬地位，成為名副其實的真皇帝，這就是日後大名鼎鼎的唐玄宗。這一年，距離武則天退位已經過去八年，距離李隆基誅殺韋后已經整整過去三年，距離他當皇帝也有一年半之久了。

那麼，我們回首從武則天以來的動盪歷程，回首李隆基曲折的權力之路，會得出什麼結論呢？

我想，應該說，李隆基的皇帝之路，和三位女性的政治成敗緊密相連。李隆基能夠當上皇帝，是三個政治女性的功勞。第一位是武則天。沒有武則天的橫空出世，唐高宗的皇位無論如何也不會輪到最小的兒子李旦繼承。因為武則天的女皇夢，李旦意外地當了三年皇帝，又當了十幾年的皇嗣，這種經歷成為他日後的政治資本，而這種資本也正是李隆基成功的基礎。第二位是韋皇后。本來，武則天退位後，皇統已經轉入唐中宗李顯一系。李顯死後，如果韋皇后沒有政治野心，一心扶持李顯的兒子，那就不會有唐隆政變，也就不會有皇統從中宗一系向睿宗一系的嬗替。第三位是太平公主。沒有太平公主，李隆基單憑自己的力量不可能取得誅殺韋皇后政變的勝利，也就不可能當上太子。所以

3 唐代著名將領。年輕時負氣仗義，愛打抱不平。因傳奇性格受到武則天的賞識提拔。唐睿宗時任兵部尚書，後為朔方軍大總管，因參與平息皇室內亂有功，封代國公。時玄宗於驪山講武，因軍容不整被流放新州（今廣東新興），後病逝於赴饒州司馬任途中。

說，是三位政治女性和她們的政治企圖成就了唐玄宗。

但是，李隆基當皇帝又是以這三個女人的失敗為代價的。只有武則天失敗，皇統才能從武周重新回到李唐的軌道上；只有韋皇后失敗，大唐皇統才能從中宗一系轉到睿宗一系；也只有太平公主失敗，李隆基才能最終擺脫父親的控制，成為貨真價實的天子。

那麼，這些政壇女性，以及這個紛紜複雜的時代，又給了李隆基什麼樣的影響呢？

第一，它讓李隆基產生強烈的撥亂反正的衝動。李隆基是在血雨腥風中長大的。從小母親被殺，長大後，自己又殺死了伯母、堂妹，逼死姑姑、表兄弟。這些人倫慘劇讓他觸目驚心。自從武則天時代以來，持續的政治鬥爭不僅製造了無數的人倫慘劇，也讓整個國家陷於動盪之中。這是唐玄宗從小親身經歷的事情。他深知，國家不能再折騰，必須要讓政治走上正軌。

第二，它促使李隆基深入思考政壇變亂的原因。為什麼武則天後期以來國家如此動盪呢？表面看起來是因為女人，但其實關鍵因素在於皇權不振。有道是，山有猛虎，獸不敢窺。正因為皇權軟弱，所以，女后、宗室、外戚乃至功臣才能夠驕橫跋扈。而女后、宗室、外戚、功臣們的參與又使得皇權更加軟弱，這是一個惡性循環。現在他當皇帝了，到底要怎麼處理這些關係呢？這是李隆基必須要深入思考和解決的問題。

第三，這些政壇女性塑造了李隆基對女性的態度。李隆基究竟喜歡什麼樣的女性呢？他喜歡兩類女性。第一類是富有政治智慧的人。這不難理解。李隆基從小和政治女性打交道，他深深地佩服女性的政治智慧，也樂於欣賞有政治智慧的女性。以後，一個繼承前輩政治智慧的女強人會走進唐玄宗的生活，她就是武惠妃。第二類是有才華，但是沒有政治野心的女性。殘酷的政治鬥爭讓李隆基在讚歎女性政治才華的同時，也深知女性政治才華所帶來的問題。這使得他在和這類女性打交道時難免有防範之心。如果能夠保留才華，剔除政治野心，將是多麼完美的事情啊！日後，也確實會有這樣的女性迷住唐玄宗，那就是楊貴妃。

不管以後如何，這時候的李隆基，年紀剛剛二十九歲，正是精力充沛、壯志凌雲；同時，長期的政治磨礪又使得他心思縝密、頭腦冷靜。李隆基就是帶著這些經驗、思考和雄心，開始他的統治時代。他想要撥亂反正、想要重振皇權、想要開創太平盛世。那麼，他的第一步該怎麼走呢？

請看下回：姚崇拜相。

【第九回】

姚崇拜相

在中國古代，當宰相可是一位臣子職業生涯的最高境界。要是哪個人被任命為宰相居然還要拿一把，非要讓皇帝滿足他的若干條件才同意拜相，大家肯定覺得這個人比諸葛亮還難搞。在唐玄宗統治時期，確實就出了這麼個人，他就是唐朝大名鼎鼎的宰相姚崇。那麼，姚崇到底有什麼能耐呢？唐玄宗為什麼會覺得宰相之位非他莫屬呢？

先天二年七月三日，年僅二十九歲的李隆基發動政變，逼迫太上皇李旦退位，同時一舉剷除太平公主的勢力，結束了長達一年多的二元政治局面，成為唯我獨尊的真皇帝。大權在握的李隆基躊躇滿志，打算開創一個太平盛世，恢復唐太宗「貞觀之治」的光輝。可是，中國自古講君為元首、臣作股肱，治理天下絕不是一個人能完成的事情。唐玄宗一旦親政，馬上，選擇輔弼之臣的問題就被提上議程，那麼，唐玄宗到底打算和誰一起來成就大業呢？

一、功臣高踞政壇：功臣任相的政治考驗

在先天政變之前，太平公主控制政府，號稱「七位宰相，五出其門」。政變結束後，這五位宰相當然是死的死、貶的貶。剩下的魏知古和郭元振雖然立了功，但畢竟原屬於太上皇勢力，玄宗對他們難免猜忌。所以，很快，魏知古被派到東都洛陽主持選官工作，離開長安。而郭元振本來就是武將，這時候玄宗任命他兼任朔方軍節度使，防禦突厥。雖然人還沒有離開朝廷，但是，也基本不履行宰相職責了。這樣看來，原來的宰相，玄宗一個也不準備留用。一朝天子一朝臣，他要起用自己的人馬。

用誰呢？先天政變之後，唐玄宗迅速提拔劉幽求和張說當宰相，這兩個人都是唐玄宗的鐵桿粉絲。劉幽求是玄宗誅殺韋皇后時的主要謀士，曾幫唐玄宗策畫過那次流產的政變，差一點為玄宗的事業犧牲自己的生命。現在玄宗終於掌權，馬上把劉幽求從流放地召回來，封為徐國公，同時任命他為尚書左僕射，同中書門下三品[1]。而張說是唐玄宗當太子時的舊臣，為了給李隆基爭監國的權力還得罪太平公主，被發配至東都洛陽。即便在東都，張說也不忘舊主，千里迢迢給李隆基送來佩刀，為推

動李隆基發動先天政變做出貢獻。政變之後，玄宗封他為燕國公，官拜中書令。除了這兩個人被拜相封侯之外，先天政變的另外一些重要謀士，像王琚、姜皎等，這時候也都非常活躍，雖然沒有宰相的頭銜，但也經常參與大政。

總結一下這些人的出身經歷我們會發現，他們都是功臣，和玄宗一起共患難，感情深厚。他們對玄宗都忠心耿耿，在政治上久經考驗。可是，讓他們來輔佐玄宗開創太平盛世合適嗎？兩、三個月之後，玄宗發現，他們不合適。

為什麼不合適呢？這些人有三大弱點。第一，功臣的團結面太小了。這些政變功臣是靠殺人才登上宰相寶座的，身上的血腥氣太重，容易讓人產生畏懼之感，不利於團結更多的官員。要想讓政治走上正軌，必須做到上下同心、團結一致向前看。第二，功臣容易結黨。政變是要掉腦袋的事情，在政變中最容易培養兄弟情誼了。這些功臣同生死、共患難，彼此之間關係過於親密，難免結黨營私。而臣子結黨，對君主集權可是十分的不利。第三，功臣們的政治經驗不足。除了張說入仕較早，行政經驗比較豐富以外，大多數功臣都是靠奇謀密計，驟然在政治舞臺上崛起的。他們隨機應變的能力強，但是治國理政的能力弱。他們是功臣，但不是能臣。在歷史上，功臣、能臣的作用是有差異的，打江山固然要依靠功臣的奇謀密計，但是，坐江山就要依靠那些遵守政治道德和政治規範的能臣。換言之，歷史已經掀開新的一頁，新任務產生新的人才需求，讓功臣當宰相不符合時代需求了。玄宗做為

1 官名。唐初，除三省長官為當然宰相外，皇帝指令其他官員參與朝政，為顯示其宰相身分，官階前加稱「同中書門下三品」或「同中書門下平章事」，亦為宰相。

一代明君，看到了這一點。問題是，如果不用功臣，應該用誰呢？

這時候，有一個人的形象開始浮現在玄宗的腦海中。誰呢？老臣姚崇。如果說功臣當宰相有三大弱點，那麼，姚崇和他們相比，則有四大優點。第一個優點是政治經驗豐富。姚崇從武則天時期就擔任宰相，到玄宗時代已經歷事四朝。他在中央當過宰相，在地方當過刺史，而且還長期擔任兵部尚書一職，非常了解邊疆情況。可以說，從中央到地方、從民政到軍事都了然於胸，是個老政治家，政治經驗比功臣豐富多了。

第二個優點是富有政治智慧。當年武則天統治時期，酷吏當道，姚崇審時度勢，以全家百口作保，解開了武則天的心結，從此結束酷吏政治。單憑這一功勞，已經足以讓世人刮目相看；另外，李隆基當太子時，和太平公主鬥法，姚崇提出讓太平公主離開長安、李隆基的兩個哥哥到外地安置、兩個弟弟解除禁軍兵權去擔任太子衛隊長的一攬子解決方案，更是給玄宗留下深刻印象。如果說功臣們的智慧是隨機應變型的，適合做亂世英雄的話，那麼姚崇的智慧就是把握全局型的，適合做治世能臣。

第三個優點是具有政治節操。當年，張柬之等五個大臣發動政變，迫使武則天退位，姚崇也是參與者之一。大功告成後，其他功臣都彈冠相慶，只有姚崇潸然淚下。別人警告他，說現在辭舊迎新，你這一哭可太不識時務了。姚崇慨然答道：我參與政變，那是出於政治大義。灑淚辭別舊主，則是出於君臣之情。如果因此獲罪，我心甘情願！一席話說得正氣凜然，很有政治節操。唐玄宗想要穩定皇權，當然需要忠臣，所以，姚崇這樣的政治節操難能可貴，可比隨意翻雲覆雨的功臣們令人放心多了。

第四個優點是可靠的政治立場。姚崇在李隆基當太子的時候就維護他的利益，也正是因為維護李隆基，才被貶到地方當刺史的。這樣看來，他雖然沒有參與政變，也可以算是政治可靠。而且，恰恰因為他沒有參與政變，所以，他的身上沒有那麼重的血腥氣，容易被更多的人所接受。有這麼多優點，這不正是宰相的最佳人選嗎？經過這麼一番考慮，李隆基心裡的宰相人選就鎖定在姚崇身上。但是事情沒有那麼簡單，那麼，到底出了什麼岔子呢？

人有想法，難免就會流露出來，形於顏色。李隆基想讓姚崇當宰相的想法還沒提出來，就被人察覺到了。誰呢？功臣宰相張說。張說可是個聰明人，玄宗想到的，他也能想到。眼看著唐玄宗傾心於姚崇，張說可著急了。他明白，真要比綜合政治素質，他拚不過姚崇啊！怎麼辦呢？直截了當勸皇帝說，千萬別讓姚崇當宰相？這恐怕不好。張說不是聰明嗎？眼珠一轉就是一個主意。什麼主意呢？他找政變功臣姜皎去了。姜皎不僅是先天政變的功臣，也是玄宗的好朋友。好到什麼程度呢？咱們都知道中國古代講究嚴男女之大防，男女之間壁壘森嚴，如果不是特別親密的關係，肯定見不到人家的女眷。可是姜皎整天和李隆基混在宮裡，甚至都能跟玄宗的妃子們同榻而坐、同桌而食。可見兩個人關係有多鐵。張說找到姜皎，遊說他：江山是我們拚了命打下來的，還得我們坐才是正理。現在陛下心向姚崇，此人跟我們這些功臣不是一條心，我們不能坐視不管！你和皇帝關係好，不如你去勸勸皇帝。我教你一個主意，保證既不讓陛下起疑，又讓姚崇當不成宰相！跟他如此這般地說了一通。第二天，姜皎就依計來找玄宗，假裝掏心挖肺地說：陛下，您不是一直想找一個能幹的人當河東總管嗎？我也一直幫您琢磨呢！昨天晚上，我的靈感冒出來了，一下子想起一個人來。唐玄宗趕緊問：誰呀？姜皎說：老臣姚崇啊！臣覺得他是個文武全才，擔任河東總管最合適了。李隆基多聰明，一聽就火了，厲聲說：姜皎啊姜皎，你怎麼敢在我面前耍小聰明！是不是張說指使你這麼說的？姜皎一看皇帝厲害，趕緊跪下了，說：還是陛下英明，確實是張說指使的，我以後再也不敢欺騙陛下了！

那麼，這件事說明什麼問題呢？說明讓姚崇當宰相，在功臣集團這邊是有阻力的。而且，功臣們彼此聯絡，親黨膠結，勢力還不小。怎麼辦呢？

二、驪山立威：新皇帝樹立起自己對軍隊、皇權的絕對權威

先天二年（七一三年）十月，唐玄宗宣布，要在驪山腳下閱兵，展示軍威！閱兵的具體時間就訂在十月十三日。這一天，二十萬士兵齊集驪山下，旌旗獵獵，隊伍綿延五十多里地，場面非常壯觀。軍隊沿著渭水一字排開，擊鼓前進，鳴金收兵，真是氣壯山河。要知道，自武則天當政以來，朝廷變亂頻繁，已經很久沒舉行過這樣的演習。這一次，為了展示新皇帝、新朝廷、新氣象，玄宗一身戎裝，手持一桿大槍，立在陣前，親自擊鼓，號令士兵。可是，也不知道是看到皇帝太激動，還是好久沒有操練生疏了，反正二十萬軍隊看起來並沒有那麼整齊，和玄宗預期的效果相差很遠。連皇帝親自指揮都這樣，可見平時軍紀多渙散啊！這樣的軍隊怎麼能打仗呢？唐玄宗勃然大怒，說：把閱兵總指揮給我帶來！總指揮是誰呢？就是大功臣、兵部尚書郭元振。本來要到朔方去防備突厥，還沒走呢！郭元振被帶過來，跪倒在大旗下。玄宗質問道：這就是你帶出來的兵嗎？你這是瀆職！給我斬了！一聽皇帝說出「斬」字，周圍的人可都嚇壞了。這大功臣怎麼能說斬就斬呢！劉幽求和張說是宰相，百官之首，最有面子了。趕緊跪倒在玄宗的馬前，說：郭元振為國家立了大功，殺不得啊！請陛下手下留情！玄宗一看宰相都求情了，也不好不給面子。斬首是免了，但是，免去職務，流放新州（今廣東

新興縣)。這已經是夠重的處罰了,可是還不算完呢!郭元振免去死刑,治軍不嚴總得有人抵罪,誰來抵罪呢?有一個叫唐紹的人倒楣了。他負責這次閱兵的禮儀安排,現在軍容不整,就唯他是問。唐紹不是功臣,沒人幫他求情,馬上,他的腦袋就和脖子分家了。眼看著兩個大臣就因為這麼一點小事,一個被殺,一個流放,所有人都嚇壞了。除了少數訓練有素的部隊外,大多數受閱軍隊都亂成一團,整體效果還不如開始的時候呢!

那麼,玄宗看到這種局面是什麼反應啊?他是不是更生氣了?完全不是。相反,他太滿意了。這正是他要達到的效果啊!通過驪山講武,三個問題解決了。哪三個問題呢?第一,新皇帝樹立起自己對軍隊的絕對權威,這對鞏固皇權自然非常重要。第二,郭元振的潛在威脅解除了。要知道,郭元振畢竟是太上皇的人,不是玄宗的嫡系,解除他的軍職,讓玄宗覺得更有安全感。第三,也是最重要的,玄宗這招叫做殺雞駭猴。他是想讓所有的功臣看看,過去的功勞沒什麼了不起的,一旦得罪皇帝,照樣格殺勿論!任用姚崇的阻力不就是來自於功臣嗎?現在,眼看皇帝翻臉比翻書還快,功臣也不敢再說什麼了。

三、十事要說:唐玄宗與姚崇的施政綱領

驪山講武的第二天,也就是先天二年十月十四日,唐玄宗又到驪山下的渭川打獵。可能有人會想,唐玄宗精力真充沛啊!工作娛樂兩不誤。玄宗精力充沛不假,但是,這次打獵倒不僅是專為娛樂,他還想辦一件大事。什麼事呢?他想見姚崇。想見姚崇和打獵有什麼關係呢?按照唐朝的慣例,

如果天子出巡，方圓三百里以內的地方官都要前來拜見。當時姚崇擔任同州刺史，正在這個範圍之內。要不要任用姚崇還沒有最終確定，玄宗覺得，這樣見面比較自然，不引人注意。

君臣兩人一見面，玄宗就問姚崇：姚愛卿，你會打獵嗎？姚崇說：不是會，是精通啊！陛下以為臣是什麼人？臣少年時代也是個浮浪子弟。二十歲左右的時候，我家就住在廣成澤（今河南汝州），我那時候不學好，整天就知道帶著獵鷹打獵。後來碰到一個老者跟我說：你以後是個出將入相的人物，千萬不要浪擲自己的才華啊！臣幡然醒悟，這才折節讀書。後來，臣果然出將入相了。但是，要說打獵，別看如今臣老了，打獵絕對不成問題！玄宗一聽非常高興，說：那咱們一起試試？君臣兩人跨上高頭大馬，呼鷹放犬，直奔獵物就去了。要知道，打獵可不是一味的窮追猛打，那是要講究節奏的。玄宗也是打獵高手啊！和姚崇兩個人該緩則緩、該急則急，配合得非常默契。打獵回來，玄宗也就下定決心了。姚崇不僅才智過人，而且老當益壯，精力不減當年。這正是我要找的宰相。

既然已經決定讓姚崇當宰相，玄宗可是一刻也不想耽擱。他馬上對姚崇說：姚愛卿，好久不見了，我有一大堆事情想諮詢你，你就跟著宰相一起走吧！離我近一點，咱們說話方便。姚崇嗯嗯啊啊，不置可否。走了一會兒，玄宗回頭一看，宰相倒是跟著自己，可是，沒有姚崇的影子啊！再一看，姚崇遠遠落在後面。玄宗趕緊停下馬，等著姚崇。姚崇走近了，玄宗問他：你怎麼落在後面？姚崇回答：臣官職小，哪敢和宰相一起走啊！玄宗一聽，笑了。心想，原來是要官啊！沒問題！當即任命姚崇為兵部尚書，同中書門下三品。很顯然，這是補郭元振的缺。可是，沒想到，姚崇還是嗯嗯啊啊的不表態，也不謝恩。玄宗這下奇怪了，問道：你不會是嫌官小吧？聽到這句話，姚崇一臉嚴肅地跪下，說：臣不謝恩，不是因為官小，而是因為有十個要求。陛下如果答應臣這些要求，臣才可以當宰相，否則，臣不敢從命！

說實在的，玄宗這些年看到巴結營求當官的人太多了，還是頭一次看到這麼有性格的大臣，好奇心一下子就被激發起來。趕緊說：哪十個要求，你說說看？

姚崇說，第一，自從則天太后當政以來，朝廷一直是嚴刑峻法。臣請求以後施政先行仁義。可以嗎？玄宗一聽趕緊說，這正是我期望你做的事啊！

姚崇又說，第二，現在國力有限，折騰不起，臣請求幾十年以內不追求開疆拓土。可以嗎？玄宗說，我也知道現在國庫不豐，不能打仗啊！

姚崇說，第三，以前女主臨朝，宦官上傳下達，勢力不小，這是個隱患。臣請求以後不讓宦官參與政事。可以嗎？玄宗回答，宦官參政禍國殃民，我早就想這麼做了！

姚崇又說，第四，自則天太后當政以來，武氏一族就開始參與政事，後來韋皇后、安樂公主、太平公主相繼攬權，官員選用就更混亂了。臣請求自今以後，皇親國戚不要擔任重要官職，斜封官、員外官這些來路不明的雜牌官員一律罷免。可以嗎？玄宗趕緊說，我早知道這些雜牌官員成事不足、敗事有餘，罷免他們，也是我長久以來的志向啊！

姚崇說，第五，最近好多親信之臣，即便犯了法，也都因為得寵免罪，臣請求以後大臣在法律面前一律平等。可以嗎？玄宗說，這種事情我也早就看不下去了！

看著玄宗的眼睛閃閃發亮，姚崇又說，第六，以前，宗室和外戚都競相給皇帝進貢各種珍寶，這種風氣蔓延開來，連中央和地方的各級官員也都爭著給皇帝送禮。他們手中的珍寶從哪裡來？還不是搜刮老百姓的嗎？臣請求以後除正常賦稅之外，再也不要收任何額外的獻貢。可以嗎？玄宗回答，沒有百姓富庶，何談天下太平！我願意。

姚崇說，第七，則天太后造了福先寺，中宗皇帝造了聖善寺，太上皇又造了金仙和玉真觀，都是勞民傷財的大工程。臣請求以後不要造這些沒用的宮殿和寺觀。可以嗎？玄宗說，我每次看見你說的這幾大標誌性建築，都覺得觸目驚心，怎麼敢自己再去造呢？你放心！

姚崇又說，第八，以前幾朝對大臣都不尊重，臣請求以後陛下以禮對待大臣。可以嗎？玄宗說，本來就應該如此，有什麼不可以的！

姚崇又說，第九，以前有好幾個大臣都因為進諫獲罪，這樣的話誰還敢再進諫！臣請求以後所有的大臣都可以勸諫皇帝、批評時政。可以嗎？玄宗說，我保證自己有這個容人之量。只要說得對，我一定照辦；就算說得不對，我也絕不追究。

姚崇說，第十，陛下知道外戚專權差一點就搞垮西漢和東漢政權嗎？我們李唐王朝的情況比兩漢時代還要糟糕啊！臣請求陛下把女主掌權的事情記在史書上，讓後代永遠記住，再也不要發生這樣的事情了，可以嗎？玄宗一聽他說這句話，眼淚都流下來了，說，這正是我覺得刻骨銘心的教訓啊！我怎麼會忘記呢？

姚崇一看玄宗每一件事都認可了，這才說，陛下果然能夠答應臣這十個要求，則天下幸甚！臣一定竭盡全力輔佐陛下開創太平盛世，鞠躬盡瘁，死而後已。終於接受宰相的任命。

這就是唐玄宗歷史上大名鼎鼎的「十事要說」，最初記在唐朝史官吳兢所寫的《昇平源》之中，後來又被《新唐書》引用，成為一段佳話。那麼，所謂「十事要說」，到底都包含哪些主要內容呢？

我認為，主要是三方面的內容。

第一方面是加強皇權，穩定政局。具體來說，就是不允許皇親、國戚、倖臣、宦官這些非正統的政治勢力參與朝政，保證皇帝的權力不受干擾。另外，還包括結束酷吏政治，施行仁政。這既是為了穩定統治秩序，也是要建立一種寬厚和諧的政治風氣。

第二方面是整頓吏治。具體來說，就是不允許任何人通過非正常途徑擔任官職。此外，還要尊重大臣，賞罰分明。

第三方面是關注民生，改善國家財政狀況。具體包括不求邊功，減少軍費開支；禁止濫建寺觀，避免勞民傷財；禁止正常賦稅以外的獻貢，減輕百姓負擔等。

這三方面的內容，其實就是姚崇的施政綱領。這些綱領，是從武則天晚年以來的弊政中總結出來的經驗教訓，所以條條切中要害。

唐玄宗和姚崇這麼一問一答，彼此都有熱血沸騰之感——玄宗從姚崇一連串的請求中，看到老臣對時局的把握；而姚崇從皇帝的頻頻點頭和連聲允諾中，也看到青年皇帝渴望天下大治的迫切心情。君臣之間，真是千載一遇。

這一年，唐玄宗二十九歲，正是一位皇帝最富有激情的年華；而姚崇六十三歲，正是一位政治家最成熟的時刻。那麼，接受宰相重任的姚崇，會從哪裡入手，輔佐玄宗開創大業呢？大唐王朝，在這一對君臣手裡，又會揭開怎樣的壯麗篇章呢？

請看下回：穩定皇位。

【第十回】

穩定皇位

從一個普通的王子到君臨天下的帝王，李隆基走向皇位的過程，充滿坎坷和曲折。在謀取皇位的過程中，李隆基身邊聚集了不少人才，這些人才也正是他政變過程中不可或缺的功臣。現在李隆基當上皇帝了，他會怎樣對待這些功臣？這些隨自己出生入死的功臣，會很識趣地功成身退嗎？

上一回講到，先天二年（七一三）七月，李隆基政變成功，當了真皇帝。十月，又通過打獵契機，得到一位好宰相姚崇。現在政事漸入正軌，李隆基真是躊躇滿志。為此，他特意改年號為開元。從這個年號我們也可以看出來，玄宗下定決心，要掀開歷史的新篇章了。可是，當時的政治千頭萬緒，要想開創一個嶄新的政治局面，到底應該先走哪一步？李隆基和姚崇君臣兩個，把第一步棋下在功臣這裡。要想讓政治走上正軌，必須先拿功臣開刀。

一、貶逐功臣：善變的功臣成為玄宗求穩定的絆腳石

為什麼拿功臣開刀啊？李隆基靠兩次政變奪取天下，功臣們為他立下汗馬功勞。但是，一旦政權建立，功臣就成了維護穩定的障礙。為什麼呢？很簡單，因為功臣太有才了。這種才，不是治理國家的才能，而是所謂臨大難、建奇功的才能。這樣的才華能夠在政治變更的時候發揮巨大的作用，但是，一旦政權穩定下來，不再需要奇謀密計的時候，他們的才華就沒有用武之地了。本來，功臣沒有用武之地也沒關係，如果能夠安分守己，躺在功勞簿上吃老本也並無不可。但是，要命的是，有才華的人往往不安分，一旦才華無從施展，他們就會在心理上產生空虛感，就會沒事找事。找什麼事啊？最適合他們做的事就是政變了。只有政變才能把他們的才華發揮得淋漓盡致，也只有他們才能讓政變盡善盡美。功臣與政變，簡直就是相互依存的關係。正因為如此，功臣往往政治節操不好，今天可以為你服務，明天也可以為他服務。其實，說白了，他們就是在為自己的才智服務。唐玄宗的功臣之一崔日用說過，「吾一生行事，皆臨時制變，不必專守始謀。」很能夠揭示功臣的一般狀況。

功臣善變，那麼，當時玄宗最需要的是什麼呀？是穩定。從武則天末年到開元元年，八年的時間爆發了大大小小五次政變，換了五個皇帝。玄宗本人也是通過政變才當上皇帝的。在這種情況下，他面對的第一個問題，就是怎樣避免別人再搞政變推翻自己。換句話說，在當時，穩定是壓倒一切的大事。他想要穩定，而功臣最大的特點就是善變，這不是矛盾嗎？功臣無法適應新形勢的需要，該怎麼處置他們呢？我舉三個例子。

第一個例子是王琚。此人我們講過，是個縱橫家，也是玄宗當太子的時候結交的親密朋友，在剷除太平公主的政變中立過大功。王琚為人詼諧幽默，玄宗特別喜歡。唐朝人朋友之間都以排行相稱，王琚排行第十一，所以玄宗就管他叫王十一，當了皇帝之後也是如此。王琚是唐玄宗搞政變最重要的謀士之一，只是因為資歷太淺，所以玄宗沒讓他當宰相，而是當中書侍郎。儘管如此，玄宗還是每天都把他叫進宮裡，參與政事，同時也陪吃、陪玩、陪講笑話。王琚每天一上班就到宮裡報到，直到日落西山才出來。如果趕上休息日，玄宗還專門讓宦官到他家裡去請他，簡直是一刻都離不開王琚。王琚和皇帝待在一起的時間比宰相都長，影響力也大，所以當時號稱「內宰相」。有道是一人得道，雞犬升天，王琚得寵，全家都跟著沾光了。玄宗的王皇后專門派宮裡的女官去慰問王琚的母親，賞賜的東西更是不計其數，按照當時的說法就是「賜賚接足」。皇帝這麼寵幸，搞得王琚的老母親心裡都不安了，她對王琚講：孩子啊，咱家祖祖輩輩都沒當過大官，現在你這麼招搖，是不是太過了？可以看出來，王琚是一個朋友型的功臣。可是，開元元年（七一三年）十一月，有人到玄宗面前打王琚的小報告了，說：「王琚權譎縱橫之才，可與之定禍亂，難與之守承平。」這個打小報告的人是誰呀？不清楚。但是，當時功臣氣焰熏天，敢在皇帝面前說他們壞話的人沒有幾個，所以我懷疑，這件事恐怕和姚崇不無關係。那麼，玄宗聽到這個意見是什麼反應呢？他馬上就和王琚疏遠了。沒過幾天，就讓王琚兼任御史大夫，出巡邊疆，以後更是貶出朝廷。

如果說這個例子還只是懷疑和姚崇有關，那麼，第二個例子就確鑿無疑跟姚崇有關係了。誰的例子呢？張說。張說在武則天時期就當過宰相，聲望很高，李隆基當太子時，張說是他的老師，關係非同尋常。所以，玄宗一親政，就任命張說當宰相，而且是首席宰相——紫薇令（也就是中書令），地位比姚崇還高。我們上一回講過，姚崇是帶著施政綱領來的，有張說在這裡，他施展不開啊！怎麼辦呢？

開元元年十二月的一天，也就是姚崇剛當上宰相兩個月，唐玄宗跟大臣一起處理完政事，宣布退朝。大臣們都魚貫而出，只有姚崇一瘸一拐，遠遠落在後面。唐玄宗一看非常奇怪，問：姚愛卿，你的腳怎麼啦？扭傷了？姚崇搖搖頭說：我的腳沒事，我的毛病在心裡。玄宗一聽這話說得蹊蹺，趕緊屏退身邊的人問：你有什麼心病啊？姚崇說：陛下，我前兩天看見張說偷偷坐著車，到岐王家裡去了。到岐王家幹什麼去了？沒人知道。但是，就這一句話可把玄宗嚇出一身冷汗。岐王是誰呀？那是唐玄宗的弟弟，李隆范。先天二年政變中跟唐玄宗一起並肩作戰立了大功。既是功臣也是宗室，身分太敏感了。張說一個宰相，沒事找岐王幹什麼呀？要知道，唐玄宗是以藩王的身分被立為太子，又當上皇帝的，有自身的成功經驗在先，他對大臣和藩王之間的交結特別敏感。現在宰相張說私自會見岐王，他當然要懷疑了。那麼，我們分析一下，張說去見岐王，是不是真的想搞陰謀呢？不一定。因為根據史書記載，岐王好學工書，尤其喜歡文人，所以跟文人關係非常好。張說是當時的文壇領袖，也許兩個人就是談談文學。當然，還有可能是張說看到姚崇在皇帝心目中的地位日益提高，而功臣的處境日益艱難，想找岐王發發牢騷。不管怎麼說，兩個人搞陰謀的可能性很小。但是，有一首古詩說得好：「君子防未然，不處嫌疑間。瓜田不納履，李下不正冠。」張說可能心裡沒什麼，但是，他這樣做就有嫌疑了。有了嫌疑，也就不能在朝廷裡待下去了。馬上，玄宗就把張說貶官，貶為相州刺史。張說貶官之後，紫薇令由誰擔任呀？當然是姚崇了。這樣一來，姚崇成了首席宰相。看了這個故事，我們可能覺得姚崇有點不地道，他通過告密，把別人擠下去，自己取而代之，這不是小人行為嘛！

再看第三個例子，會發現姚崇身上的權詐色彩更重了。這第三個例子是關於魏知古的。這個人為先天政變提供導火線，所以也是政變功臣。魏知古開元初年官至黃門監（也就是門下侍中），基本上算是和姚崇地位相當的宰相。但是，姚崇非常看不起他。因為魏知古是小吏出身，這在唐朝可是一個大缺陷。所以魏知古雖然工作做得不錯，但是每上升一步都充滿了艱辛。在魏知古往上爬的過程中，姚崇曾經幫過他的忙。中國是禮儀之邦，有一句古語說得好：「人之有德於我也，不可忘也；吾之有德於人也，不可不忘也。」教導人施恩要忘掉，受恩要記好。可是非常遺憾，姚、魏兩人都沒達到這個道德境界。姚崇始終對自己給魏知古幫過忙的事念念不忘，跟魏知古說話趾高氣揚。久而久之，魏知古難受啊！所以巴不得自己沒搭過姚崇這個交情，好跟姚崇平起平坐。兩個人，該忘掉的記住了，該記住的又想忘掉，這就產生矛盾。

開元二年（七一四年）五月，因為選官的問題，兩人的矛盾激化了。唐朝選官每年五月舉行一次，在首都長安和東都洛陽分別進行。當然，長安的更重要一些。魏知古是黃門監，所以本來應該主持長安的選舉工作。但是姚崇看不起魏知古，覺得他水平不夠，於是請求玄宗讓魏知古到東都去主持選舉，長安的選舉另外找人負責。這讓魏知古非常不痛快。但是，沒辦法，也只能去了。恰好，姚崇的兩個兒子當時也在東都，兩個小伙子整天聽父親說對魏知古有高天厚地之恩，所以一看魏知古來主持選官，很是高興，把自己的親朋好友一大堆都託付給魏知古，讓他罩著點。眼看著兩個小伙子如此不檢點，魏知古也是計上心來。等選舉工作完了之後，他回到長安，把姚崇兒子的情況原原本本地告訴玄宗。玄宗一聽也很生氣，心想，你姚崇不是天天說要整頓吏治嗎？自己的兒子就這副德行。我倒要看看，你對兒子袒護不袒護。

怎麼跟姚崇談這件事呢？我們前面說過，玄宗號稱「阿瞞」，是個心思深沉的人，喜怒不形於色。他並沒有立刻找姚崇質問，而是找了一個沒事的時候，非常悠閒地問姚崇：姚愛卿，你有幾個兒子啊？人品都怎麼樣啊？現在在哪個部門工作？姚崇是多聰明的人啊！一聽皇帝這麼問，馬上就明白：魏知古剛從東都回來不久，肯定跟皇帝說了什麼。怎麼答覆皇帝呢？姚崇略一思索，決定實話實說。他說：我有三個兒子，其中兩個在洛陽當官。這兩個孩子都沒有教育好，貪財好利，也不謹慎。您既然問起他們的情況，我猜他們一定是求魏知古辦事了，我還沒來得及問呢！玄宗本來以為姚崇一定會替兒子掩飾，一聽姚崇說得這麼坦白，而且把自己的來意都猜出來了，不由得轉怒為喜，問姚崇：你怎麼知道的？姚崇說：魏知古當年潦倒的時候，我曾經幫助過他。我的兒子傻，以為魏知古一定會為了報答我而替他們辦事，所以我猜他們肯定去找過魏知古。玄宗聽姚崇這麼一說，真被忽悠住了，覺得姚崇忠誠坦白，而魏知古倒是個忘恩負義的小人了。所以，態度馬上來了個一百八十度的大轉彎，對姚崇說：沒想到魏知古是這樣的人，他根本就不配當宰相！那麼，姚崇的目的達到了，是不是就高興了？如果這時候表現出高興的樣子，那就不是姚崇的為人了。聽玄宗這麼說，姚崇趕緊請求：陛下，您千萬別這麼做。臣的兒子不遵守法度，壞了選舉的規矩，您不問他們的罪已經是開恩了，要是再因為這件事貶了魏知古，天下人肯定說您偏向我，那會影響您的盛德啊！玄宗一聽，感動得無以復加。雖然當時沒說什麼，但是，沒過幾天，還是把魏知古貶官了。

通過上面的講述，我們看到在玄宗處理功臣的過程中，幕後始終活動著姚崇的身影。姚崇為什麼要對功臣窮追猛打呢？

我舉這三個例子，大家會有什麼感覺呢？我想，第一個印象肯定是，原來貶逐功臣都是姚崇的主意啊！姚崇為了自己獨攬大權就去整人，太不地道了。是不是呢？確實，姚崇對功臣們印象不佳。做為一步一個腳印地當上宰相的正統派官僚，姚崇比較討厭靠奇謀密計突然崛起的功臣。而且，做為一個鷹派的宰相，姚崇也不願意和別人分享政治權力。因此，凡是對他專權構成威脅的大臣，姚崇都有除掉的心思。不僅我們舉的這三個貶斥功臣的例子和姚崇有關，其他著名的功臣，如劉幽求、鍾紹京等人在開元初年貶官，也都與姚崇有關。為了打擊這些功臣，姚崇確實沒少耍手腕，陰謀陽謀都有。說姚崇是一個有權謀的人，並不算是冤枉他。但是，貶逐功臣是不是僅僅是姚崇出於攬權需要的個人行為呢？那倒不然。

事實上，姚崇這些行為都得到了玄宗的首肯。如果沒有玄宗的認可，單憑姚崇個人的力量，無論如何也不可能讓這麼多宰相級別的大臣紛紛讓路啊！玄宗不是昏君，他這麼做，絕不是受了姚崇的蒙蔽，而是表明，他本人清楚地知道功臣對穩定政局的不利影響。開元五年（七一七年），姚崇已經不再擔任宰相的時候，玄宗又解除他的另一個寵臣姜皎的官職。為什麼非要這麼做呢？玄宗說：「西漢諸將，以權貴不全；南陽故人，以悠閒自保。」意思是說，歷史上功臣就兩種命運，一種像西漢的功臣那樣，因為手握大權而被殺了頭，如韓信；另一種情況則是南陽故人，即東漢的功臣們，因擔任閒職而保存下來。確實，在歷史上，功臣不是被殺，就是被解除權力。貶官總比殺頭好，這也算是玄宗的夫子之道。

通過玄宗和姚崇的努力，幾年之間，一些主要的功臣都賦閒回家或被貶地方，功臣對於政治造成的威脅基本解除了。可是，唐玄宗要想坐穩皇位，僅僅解決功臣集團還是不夠的，還有一支力量也必須加強防範，那就是宗室。一心想穩定皇位的唐玄宗早就想到這一點，那麼，他會怎麼做呢？

二、諸王外放：控制兄弟們的活動，做到了防患未然

如果說功臣造成政局不穩是因為性格的話，那麼，宗室之所以能造成不穩，主要則是因為他們的身分。什麼身分？皇位候選人的身分。咱們說過，李隆基排行老三，還有兩個哥哥和兩個弟弟。這兩個哥哥中，老大宋王成器是唐睿宗的嫡長子，身分高貴，當年李隆基當太子時，大哥成器就是一個有力的競爭對手。兩個弟弟也不一般，岐王和薛王都追隨李隆基一起搞先天政變，立了大功，既是功臣，又是宗室，身分也非同尋常。此外，李隆基的堂兄、章懷太子[1]的兒子李守禮，因為是唐高宗的長孫，也是時人矚目的對象。李隆基是以庶出第三子的身分當的皇帝，這始終是他的隱痛。在政變頻繁的時代，這些兄弟即使自己沒什麼想法，也容易成為野心家的工具。所以，要想穩定政權，這些潛在的皇位候選人就要安置好。

怎麼安置呢？如果說安置功臣，李隆基主要借助姚崇的力量，那對付兄弟，玄宗就是經驗豐富、自有心得了。他一共採用四個辦法。

第一個辦法是加強感情籠絡。怎麼籠絡呢？說白了就是一個原則——辦公時間是君臣，下班時間是家人。每天上朝的時候，在朝廷上固然要行君臣之禮，但是一回到宮裡，李隆基就把規矩給免了，和普通百姓一樣，行家人禮。見了大哥、二哥，玄宗都要規規矩矩地下拜，從來不擺皇帝架子。玄宗兄弟都愛玩，也會玩。所以，李隆基每天退朝後，都要安排時間和兄弟們一起喝酒、打毬、鬥雞，或者到郊區打獵，這是武的方面。文的方面呢，玄宗兄弟都有才，整天在一起談詩論賦不算，還組織了一個皇家小樂隊，李隆基當然是打羯鼓，大哥成器吹笛子，四弟岐王隆范彈琵琶，業餘生活安排得豐富多采。

是人難免生病，人在病中，也最容易感念別人的好處。每次兄弟們生病，玄宗都要親自照料，有一次，五弟隆業生病，當時玄宗正在上朝，不能親去照看。怎麼辦呢？他就不斷地派使者去看望，一會兒的工夫，使者就打了十個來回。退朝之後，玄宗趕緊到隆業的身邊，親自給他熬藥。當時熬藥還用明火，一陣風吹過來，把玄宗的鬍子燒著了。這還了得！左右的侍從大驚失色，趕緊撲過來滅火。玄宗長嘆一聲，說：只要五弟吃了這藥能好，我的鬍子都燒光了又有什麼關係呢！人都是有感情

1 即李賢。字明允，唐高宗李治第六子，也是武則天第二子。儀容舉止端莊穩重，從小頗得其父寵愛。上元二年（六七五年），在其兄李弘死後，被封為太子。武則天掌權後被廢為庶人，被逼自殺，陪葬乾陵。唐睿宗景雲二年（七一一年），追贈皇太子地位，謚為章懷太子。

的，皇帝能這麼做，兄弟也都很知足。因此，雖然偶爾也會有岐王范接待張說這樣不太檢點的事發生，但是總的說來，玄宗的兄弟都算安分守己。不過我們也說過，人的感情是不穩定的，難以依恃。所以，除了感情籠絡外，還必須找到更穩妥的辦法。

玄宗的第二個辦法是生活監視。咱們不是講過玄宗在當太子之前和兄弟們一起住在長安城興慶坊[2]的五王宅裡嗎？現在玄宗是皇帝了，按照傳統，這個坊就屬於龍興之地，不能再住人。幾個兄弟也很知趣，趕緊上表，請求把興慶坊建成興慶宮，他們搬家。玄宗一聽非常高興，說搬家可以，但是你們千萬別搬遠了，就在興慶宮周圍給他們建了房子，每座宅子都在興慶宮的視線內。在興慶宮裡，玄宗還建起一座高樓，喚作花萼相輝樓[3]，意思是我們兄弟像同一朵花的花瓣一樣彼此輝映。玄宗每天都要登上樓去眺望兄弟。這眺望是親情，但也是監視。有一次，玄宗眺望的時候發現，大哥在讀一本書。當時正值夏天，李成器讀得揮汗如雨、津津有味。玄宗看著看著，忽然很緊張，他讀什麼書這麼有興趣啊？趕緊派人去探問。一調查才知道，大哥研究的不是兵書，也不是占卜書，而是一本龜茲樂譜。玄宗這才放下心來，連聲說：天子的兄弟就應該如此。有了花萼相輝樓這個瞭望哨，兄弟們的生活狀況盡收眼底，玄宗的心更踏實了。

但是，這樣的監視只能起震懾的作用，還不夠嚴密，如果人家躲在屋子裡搞陰謀，你在樓上不可能發現啊！怎麼才能在制度上解決這個問題呢？玄宗的第三招就是派諸王出鎮地方。這是唐玄宗還在當太子的時候姚崇就出過的主意，後來因太平公主的阻撓沒能實行。現在，姚崇當上宰相，舊事重提，說：現在您的統治剛剛確立，還不穩定，為了避免節外生枝，還是讓幾位王爺離開朝廷吧！這也是對王爺們最大的愛護。玄宗一聽有道理，馬上批准。開元二年（七一四年）六、七月份，幾個王爺都到地方去了。其中，宋王成器兼岐州刺史，申王成義兼豳州刺史，豳王守禮兼虢州刺史，岐王范（原名隆范）兼絳州刺史，薛王業（原名隆業）兼同州刺史。玄宗規定，幾位刺史到任之後不負責具體州務，一切政務都交給僚佐處理。離開朝廷，也就不存在和中央官僚結黨的可能；擔任刺史而不負責處理具體事務，也就避免王爺形成地方勢力。這樣兩個措施一結合，宗室對玄宗皇位的威脅也就解除了。

第四個辦法是訂立制度，限制諸王與外人結交。我們不是講過岐王隆范和張說私自會面的事嗎？張說還因此貶了官。開元八年，岐王范又犯同樣的錯誤。這一次，他和自己的妹夫、駙馬裴虛己等人一起遊宴，席間，裴虛己居然拿出一本讖緯書，讓大家傳觀。要知道，所謂讖緯就是政治預言，這哪是一個王爺應該看的！這件事反映到唐玄宗那裡，他是怎麼處理的呢？玄宗把裴虛己和其他幾個參加宴會的人都貶官，但是，並沒有追究岐王范的責任。相反，還安慰他說：「我兄弟友愛天至，必無異意。只是趨競之輩，強相託附耳。我終不以纖芥之故責及兄弟也。」話雖這麼說，但是，在此之後，唐玄宗還是發布敕令：「自今已後，諸王、公主、駙馬、外戚家，除非至親以外，不得出入門庭，妄說言語。」有了這樣的制度，諸王都老老實實地待在家裡，對皇權的威脅自然就破除了。

2 興慶宮，位於唐代長安城東門春明門內，在長安外郭城的興慶坊（原隆慶坊），原係唐玄宗登基前的藩邸。號稱「南內」，為唐代長安「三內」（太極宮為西內，大明宮為東內）之一。一九五八年在其遺址上建成興慶宮文化公園。

3 唐代長安著名皇家建築，位於長安興慶宮（今西安興慶公園）之內。「花萼相輝樓」寓意兄弟之間的情誼如同花萼相輝，象徵唐玄宗兄弟之間手足深情。是玄宗時外交接待、舉辦國宴的場所。

唐玄宗為了穩定自己的位置，不但疏遠了功臣集團，還控制了自己兄弟們的活動，基本做到了防患未然、滴水不漏。在此過程中，姚崇和玄宗配合默契，也是出力多多。那麼，我們該怎麼評價這一對君臣的行為呢？

首先，不可否認，無論是玄宗還是姚崇，都有其權詐的一面，這是專制皇權之下，政治家性格的必然組成部分。但是，另一方面，我們還要看到，在處理功臣和宗室的問題上，他們也都維持基本的人情。舉兩個例子。劉幽求和鍾紹京貶官之後，頗為不滿，說了好多對皇帝不敬的話。中國古代講究「君叫臣死，臣不得不死」。大臣怎麼敢抱怨皇帝呢？馬上，這兩個大臣就被抓起來了，放在中書省[4]審判。紫薇省的長官就是姚崇，這兩個人貶官也是姚崇的主意，現在姚崇掌握著他們的生殺大權，是不是就要置之於死地呢？沒有。姚崇對玄宗說：「幽求等皆功臣，乍就閒職，微有沮喪，人情或然。功業既大，榮寵亦深，一朝下獄，恐驚遠聽。」意思是說，劉幽求他們都是功臣，一下子讓他們擔任閒職，思想上轉不過彎來，難免有點失望，這是人之常情。他們都是國家重臣，如果因為這點事就被下獄的話，恐怕大家都會寒心的，也容易引起政治混亂，所以還是要三思而行。玄宗一聽有道理，就沒有法辦這兩個人，而是把他們貶到地方去。這是姚崇講人情的地方。

再看玄宗，他固然防範兄弟，但是，終其一生，玄宗並沒有為難兄弟。所以，他的幾個兄弟都是花天酒地、壽終正寢。更有趣的是，玄宗為了表達對兄弟的深情，在幾個兄弟死後，都追贈他們為太子。其中，二哥申王成義（後改名撝）贈惠莊太子，岐王范贈惠文太子，薛王業贈惠宣太子，大哥寧王成器（後改名憲）更是追贈為「讓皇帝」。這在中國歷史上也是獨此一家。試想唐太宗玄武門之變，兄弟都死於利箭，唐中宗的四個兒子，也無一善終。唯有唐玄宗兄弟相保、共用富貴，這不也就是唐玄宗深情的地方嗎？

玄宗和姚崇這樣做是不是假慈悲呢？我覺得不是。事實上，政治終究是人的政治，完全不講人情的政治一定是難以長久的，好的政策必須建立在了解人性、尊重人情的基礎上。事實上，就是玄宗君臣在處理問題時表現出來的這種寬仁之氣與有理、有利、有節的作風，才讓人們看到雍容和諧的盛世曙光。

現在，通過玄宗君臣的努力，皇權的威脅解除了，武則天晚年以來政局長期動盪的局面也終於扭轉過來，社會發展有了一個扎實的基礎。那麼，玄宗君臣下一步又將怎麼走呢？

請看下回：姚崇新政。

---

4 自隋朝起正式設立的三省六部制中的一省，負責草擬和頒發皇帝的詔令，是全國的政務中樞。唐玄宗時一度稱紫微省。

第二部

開元盛世

【第十一回】

姚崇新政

從提出施政綱領，到協助唐玄宗加強皇權、穩定政局，姚崇一步步取得唐玄宗的信任。然而要想開創一個盛世，擺在君臣面前的還有重重困難，那麼困難究竟來自何方？唐玄宗和姚崇君臣又是如何共度難關的呢？

上一回講到，在玄宗和姚崇君臣的共同努力下，功臣和宗室對皇權的威脅解除了。另外，通過打擊功臣，姚崇也當上大權獨攬的首席宰相。現在，他要怎麼推行自己的政治綱領呢？

一、撥亂反正：破除陋習，建立良好制度，政治逐漸走上正軌

姚崇要推行自己的政治綱領，首先需要在政治上進行撥亂反正。當時都有哪些亂象需要糾正呢？我舉四個例子。

第一個例子是有關斜封官的。斜封官就是不經過吏部、直接由皇帝批條子任命的官員。開元二年（七一四年），唐玄宗的二哥申王李成義（李撝）拜託玄宗一件事。李成義王府裡的錄事已經做了很長時間，忠心耿耿，成義想把他從九品錄事提拔為八品的參軍。我們說過，玄宗有兩個哥哥、兩個弟弟。其中，大哥李成器、四弟李隆范、五弟李隆業都已多次提到，但是老二李成義我們從來沒具體講過。因為他太平凡了。老大李成器是嫡長子，身分高貴，而老四和老五都是先天政變的功臣。只有老二，既沒有功勞，身分也一般。事實上，說他身分一般都是抬舉他了。他的出身在幾個兄弟裡是最低的。他的母親根本不是妃子，而是一個宮廷女奴，偶然被李旦臨幸，生下他。因為母親出身過於卑微，剛出生時，奶奶武則天都不想要他。但是，畢竟是自己的孫子，扔了又有點不忍心，所以就抱給一個名叫萬回的高僧看相。這個高僧也有一片慈悲，不想害這個小生命，於是說：這是西域大柳樹精，養著他對其他兄弟有好處。武則天這才把他留下來。因為出身不高，所以成義從小沒人待見，也沒什麼追求，整天就知道花天酒地。

從來沒幫過李隆基什麼忙，但是，也沒給他找過麻煩。現在二哥難得開口，玄宗覺得也不是什麼大問題，就答應了。既然皇帝答應了，那就等著宰相簽署命令。可是我們前面講過，姚崇當宰相前，給玄宗提的要求之一就是杜絕斜封官。沒想到，當時玄宗答應得挺好，現在又變卦了。姚崇豈能接受皇帝這麼言行不一呢！就問玄宗，您還記得答應過我整頓吏治，不再搞什麼斜封官嗎？臣覺得錄用官僚的事，就應該歸吏部掌管，皇帝不要隨便插手。如果皇帝不愛惜官職，整天拿來安排這些親朋故舊，那朝廷也就沒有什麼綱紀可言。這不又走回到前幾年吏治敗壞的老路上了嗎？說得玄宗很慚愧，只好回絕二哥。連親生的二哥都沒討下這個面子，從這以後，皇親國戚、親朋故舊全死了心，再也不敢往玄宗這兒走後門了。

第二個例子是關於整頓外戚的。外戚是皇權的伴生物，仗著宮裡的裙帶關係在外為非作歹，歷朝歷代都不少見。特別是玄宗之前，政壇女強人層出不窮，外戚也就更加囂張。習慣成自然，到玄宗當政，外戚還是不知收斂。開元四年（七一六年）初，玄宗的連襟，即玄宗王皇后的妹夫尚衣奉御長孫昕因為一點點小事，跟御史大夫李傑鬧彆扭。本來，同事之間意見不一致是常有的事，各退一步也就算了。可是，平時驕橫慣了的長孫昕不願吃虧，下決心定要教訓教訓李傑。他約了自己的妹夫楊仙玉，躲在李傑下班必經的小巷子裡，等李傑過來，兩人劈頭蓋臉一頓打，把李傑打得鼻青臉腫，衣服更是撕得亂七八糟。別看李傑是個手無縛雞之力的書生，但是性格剛強，不信邪。第二天一大早，李傑帶著累累的傷痕、穿著破破爛爛的朝服就給玄宗上表了，說：昨天，陛下的連襟以及連襟的妹夫，把我打了。人之髮膚，受之父母。我吃點皮肉之苦，這是侮辱我個人、侮辱我們家，這我還能忍。但是，長孫昕他們把我的官服都扯壞了，這就不是侮辱我個人，而是侮辱國家了，陛下看著辦吧！玄宗整天講要抑制外戚，一看親戚這麼不給他面子，勃然大怒，當即命令在朝堂上杖殺長孫昕和楊仙玉，給百官謝罪！杖殺外戚還不算，唐玄宗還親自給李傑賠禮道歉，說：我的親戚，我沒管束好，讓你受委屈了，就算在朝堂之上把他們打死，其實也不足以安慰你。請你以後繼續保持這種嫉惡如仇的優良作風，和黑惡勢力鬥爭到底。一看玄宗態度這麼嚴厲，親戚們一時間噤若寒蟬，再也不敢為非作歹了。

第三個例子是關於中央官和地方官互相流動的。唐朝長久以來都一直存在重視中央官、輕視地方官的現象，特別是中宗和睿宗時期，因為中央政治鬥爭頻繁，這個問題就更嚴重了。任職地方的要不是政治鬥爭的失敗者，就是無能鼠輩。所以，地方官普遍素質不高。玄宗即位以前，曾經在潞州待過，他知道地方官對於一方百姓來說，不僅意味著民之父母，也代表著中央的形象。那麼，怎麼才能改變地方官素質低下的狀況呢？

開元二年（七一四年），玄宗頒下制書[1]：「選京官有才識者除都督、刺史，都督、刺史有政返者除京官，使出入常均，永為恆式。」也就是說，在京官內選擇博學通識、實際工作能力強的人，任職地方，授予都督、刺史之職；同樣，在地方官中選擇眼界開闊、政績突出的，升任京官。建立地方官和京官互相調動的固定制度。

這個制書一頒行，好多能力不錯的京官就任職地方了。當時有一個尚書右丞叫做倪若水[2]，進士出身，為政有德，就因為這道制書被外派到汴州（今開封）擔任刺史。本來，尚書右丞是四品官，而汴州刺史是三品官，算是升職了。但是，人們重京官、輕外官的觀念很難改變啊！所以倪若水還是悶悶不樂。正好，就在他當汴州刺史的時候，有一個叫班景倩的地方官也因為這道詔令，從揚州調到中央擔任大理少卿。路過汴州，倪若水給他餞行，羨慕得眼睛都紅了。喝完送別酒後，眼看著班景倩的馬絕塵而去，倪若水站在灰塵中，一動不動，眼睛都直了。對手下人說：「班生此去，何異登仙！」手下人勸他說，人走遠了，這裡灰塵大，咱們回吧！倪若水還是捨不得走，說：這哪裡是灰塵，分明是仙塵嘛！讓我再沾沾仙氣吧！有人可能會說，倪若水既然這麼不願意當地方官，勉強去了，能當好嗎？現在有一句話說得有道理，優秀是有習慣性的，別看倪若水不願意當地方官，但是他的才能還是有的，而且，為了早一點回到中央，他工作格外賣力，任職期間政績突出，後來果然又回到中央任職。就是因為這種中央和地方之間的官員流動制度，不僅提高地方官員的素質，也增加中央官員的閱歷和經驗，這不是雙贏嗎？

第四個例子是關於諫諍制度的。人非聖賢，孰能無過。凡是好皇帝，都知道「兼聽則明，偏聽則暗」的道理，唐太宗以人為鏡，善於納諫，不是被傳為千古佳話嗎？但是，從高宗時代開始，因為政局動盪等原因，諫諍制度就逐漸被破壞。特別是中宗、睿宗兩朝，更是聽不進不同意見。所以，姚崇在他的「十事要說」裡才特別問一句：「臣請凡在臣子，皆得觸龍鱗，犯忌諱，可乎？」玄宗當時也滿口答應。那麼，唐玄宗的承諾到底能不能兌現呢？

事實證明，他還真是履行了自己的承諾。我們說過，玄宗的母親竇德妃是被武則天殺害的。現在

---

1 以皇帝名義頒布的文書形式之一。在周代，帝王的命令叫命。秦始皇統一六國後，改命為制，制即成為用以頒布皇帝重要的法制命令的專用文書。唐代的制書，分制書和慰勞制書兩種。除用於頒布國家重大制度的命令外，還用於官僚的褒獎嘉勉。

2 字子泉，恆州藁城人（今河北石家莊藁城），進士出身。開元初，在朝廷為官，擔任中書舍人、尚書右丞，後外調汴州（今河南開封）任刺史，在其任上，修孔廟，倡教育，且直言敢諫，玄宗召其入朝，提升為戶部侍郎。開元七年，複授官尚書右丞，是年，卒於位。

兒子當了皇帝，母親卻屍骨無存，這是多麼令人辛酸的一件事。怎麼表達孝心呢？唐玄宗沒別的辦法，就想在埋葬母親的洛陽靖陵前立一塊碑。本來，這也不是什麼大事，對國家影響也不大。可是，當時的汝州刺史韋湊上表進諫說：「自古園陵無建碑之禮，又時正旱儉，不可興功。」如果樹碑的話，既不符合禮法，又給財政增加負擔。唐玄宗一聽，有道理，馬上就停建了。其實，我們也知道，韋湊這次進諫，不是什麼關乎國計民生的大事，就算玄宗以孝道的名義加以拒絕，也不為過。但是，玄宗為什麼還立刻接受呢？這和古人千金買馬骨是一個道理，玄宗真正想表達的是一個態度：連這樣的意見我都能接受，那還有什麼意見是我不能接受的呢？

那麼，我們應該怎樣評價玄宗君臣這些撥亂反正的政治舉措呢？很明顯，這些措施直接針對的是中宗、睿宗時期的一些弊政。通過破除政治陋習，建立良好的政治制度，一些不利於發展的政治問題基本解決了，政治也逐漸走上正軌。

一波未平，一波又起，政治問題剛剛解決，經濟問題又出現了。一場可怕的蝗蟲災害嚴重威脅著剛剛穩固的唐玄宗政權。由於科技不發達，朝野上下竟然圍繞著滅不滅蝗展開一場大爭論。那麼力主滅蝗的姚崇是如何衝破重重阻礙展開滅蝗工作呢？

二、捕殺蝗蟲：姚崇運用智慧，突破所有反對聲浪，解決天災

不知道是不是老天要考驗一下唐玄宗的能力。自從他親政以來，天災不斷。開元元年和開元二年

都是大旱，這已經夠糟糕。可是，更糟糕的事情還在後頭呢！有農業經驗的人都知道，大旱之後，常有大蝗。果然，開元三年、四年，蝗災就開始在山東爆發了。無數蝗蟲像烏雲一樣鋪天蓋地，滾滾而來。所過之處，別說是莊稼，就是樹皮，也被吃得乾乾淨淨。眼看著蝗蟲一過，寸草不留，老百姓都嚇傻了，紛紛跑到田間地頭頂禮膜拜。可是蝗蟲哪管你拜不拜呢？不僅該吃還得吃，而且愈來愈多，漸漸地就從山東往河北、河南擴散了。我們知道，山東、河北、河南地區都是唐朝最重要的產糧區，如果這些地方鬧災，全國的糧食儲備就成問題了。俗話說民以食為天，如果沒有糧食，老百姓就要人心不穩，國家還怎麼可能穩定呢？面對如此嚴重的災難，姚崇馬上提出：各個州縣立刻組織人力物力，捕殺蝗蟲！捕到之後，集中在田邊燒掉深埋，斬草除根！姚崇這個做法對不對呢？現代人肯定都沒有意見，但是，切莫把我們的想法套在古人頭上。我們今天看成是理所當然的東西，古人還真未必這麼想。姚崇這個想法一提出來，馬上是一片反對之聲。

誰反對呢？第一個就是唐玄宗。玄宗是怎麼反對的呢？他倒是沒有直接反對，只是問姚崇：這蝗蟲鋪天蓋地，怎麼殺得過來呢？姚崇回答說：就算殺不完，總比坐視不管強吧！過去因為蝗蟲成災，亡國的事情都有啊！如今國家的糧食儲備本來就不多，如果再出現歉收、絕收的事，老百姓就會亂啊！玄宗聽了，並沒有反駁姚崇，但是，還是一副期期艾艾、遲疑不決的樣子。姚崇就問：陛下，您還有什麼顧慮就直說吧！玄宗說：蝗蟲是天災，是不是上天派來警示我的呀？我是天子，滅蝗不會得罪上天吧！姚崇一聽笑了，說：這樣吧！以後凡是關於滅蝗的事情，就請您不要以皇帝的名義出敕令，而是讓我以大臣的名義出牒書吧！就算上天怪罪下來，也是怪我，跟您沒關係不就行了嘛！要知道，玄宗是一個非常務實的政治家，清楚蝗災可能帶來的災難，既然顧慮解除，也就同意了。

可是，單解決皇帝的思想問題還不行，馬上，姚崇的同事——門下侍中盧懷慎[3]也出來反對了。盧懷慎在唐朝歷史上也是大名鼎鼎的賢相，人望特別好。這個人出身於山東高門范陽盧氏，是地地道道的貴族之後，但是，他當官特別清廉，生活也十分樸素。樸素到什麼程度呢？舉兩個例子。第一個是關於住的。盧懷慎家房子特別破舊，連最基本的遮風擋雨都做不到。每遇下雨的時候，就得在門口掛一張破布簾擋雨。真是比蝸居還蝸居，哪像堂堂的宰相府啊！再舉一個吃的例子。有一次盧懷慎生病，兩個同僚去看他。他留人家吃飯。一會兒，飯菜端上來了，就是兩盆煮豆子，一點葷腥都沒有。這還是盧懷慎費盡心思打點出來招待客人的東西。可想而知，平時就更節儉了。那有人就要懷疑了，唐朝的工資那麼低嗎？一個宰相連自己都養不活？倒不是因為工資低，而是盧懷慎把工資的大部分都接濟親戚朋友了。這樣的人能不讓人佩服嗎？所以，道德影響力特別大。盧懷慎這個人雖然人望高，但是，平時從來不反對姚崇。因為他屬於尚德不尚才一類的，辦事能力不強。盧懷慎自知才能不及姚崇，所以輕易不敢拿主意。有一次，因為姚崇的兒子死了，回家處理喪事，請了十多天假。所有的公文就都堆到盧懷慎面前來了。盧懷慎看來看去，哪個也不敢批，沒辦法，只好來找皇帝。跟玄宗說：陛下，我辦不成事，您把我撤職吧！玄宗一聽就笑了，說：我任用姚崇是辦事的，任用你是因為你清廉端正，可以給天下官員樹立榜樣，本來就沒指望你辦事。你放心回去吧！等姚崇回來處理。姚崇回來以後，不到一個時辰，全都批完了，盧懷慎佩服得五體投地。正因為如此，一般姚崇說什麼，盧懷慎就隨聲附和。所以當時號稱「伴食宰相」，就是陪著姚崇吃飯的。但是現在，聽說姚崇要捕殺蝗蟲，盧懷慎左思右想，還是覺得不妥。於是，他斗膽提出反對意見。盧懷慎為什麼要反對呢？他反對的理由和皇帝不一樣，他是從慈悲的角度來立論的。他說，這蝗蟲也是生靈，殺生就要傷和氣，傷和氣可是要招禍的。很明顯，這是受佛教影響的一個說法。因為佛教流行，所以這個說法在當時非常有代表性。那麼，面對盧懷慎的質疑，姚崇怎麼回答呢？他說：蝗蟲是生靈，難道人不是生靈嗎？你不忍心看著蝗蟲死，難道你就忍心看著人餓死嗎？你要是怕殺蝗蟲招來災禍，那我姚崇一人做事一人當，絕不連累你盧懷慎！姚崇這麼說，其實是激將法。他這麼一說，盧懷慎倒不好再反對了，要是再反對，豈不成了滿腦子私心雜念，不敢擔當了嘛！盧懷慎雖然能力差了點，但是在道德上一貫自律甚嚴，他可不願意被人小看。所以，也只好依從了。

好不容易上面的意見統一，命令捕殺蝗蟲的牒書也發出去了，誰知地方官又出來反對。反對呼聲最大的就是剛才提到的汴州刺史倪若水。他可是個不錯的地方官，在當時以敢於進諫著稱。舉個例子，唐玄宗不是答應過姚崇要勤儉節約，不接受正常賦稅以外的獻貢嗎？可是，人的本性都是喜歡享受的，開元三年（七一五年），玄宗又忍不住誘惑，派宦官到江南徵集珍貴鳥類，想要放在禁苑裡玩。宦官下江南，必然要經過汴州，到了之後也是要酒、要肉、要人當大爺一般地伺候。倪若水是汴州刺史，看宦官這麼放肆，馬上就上諫，說：如今正是農忙的時候，陛下卻讓各地捕鳥來充實後花園。這些鳥從江南、嶺南運往長安，不知浪費多少人力物力！每到一個地方，使者也要吃肉，鳥也要吃肉，讓老百姓看了多不好，大家會說陛下您賤人貴鳥啊！您什麼時候能把鳳凰當成凡鳥、把麒麟當成凡獸，天下才真是有福氣。咱們剛才不是說，唐玄宗一上臺就刻意求諫嗎？所以倪若水上諫，馬上

3 滑州靈昌（今河南滑縣西南）人，與姚崇同為玄宗朝宰相。盧懷慎自認為才能不如姚崇，因此，把處理事務的決定權，都推讓給姚崇；自己不戀權、不專斷。當時有人譏笑他為「伴食宰相」。但他善於選賢舉能，為開元盛世做出重要貢獻。

就成了為民請命的典型，受到玄宗的大力表彰。

現在，這個傢伙因為姚崇下令要捕殺蝗蟲，又擺出一副為民請命的姿態，公開拒絕執行姚崇的命令！倪若水為什麼反對呢？他說：蝗蟲是天災，不是人力所能解決的。所謂天災就是上天的警告，應該讓皇帝修德才是。如果皇帝不從自己的角度解決問題，而是一味捕殺蝗蟲，那就是緣木求魚！當年十六國時期，後漢皇帝劉聰也捕過蝗蟲，最後愈捕愈多，連國家都亡了。這是前車之鑑啊！所以我絕不執行這樣的牒書。倪若水的話有理沒理呢？我們今天肯定覺得沒理，但是，放在唐朝那個語境裡，它就合理了。這是中國古代知識分子勸諫皇帝的經典方式，運用的是所謂「天人感應」理論。中國古代認為，所有天災都是對人的警告。所以一旦有天災，最好的方法就是讓皇帝反躬自省。所以倪若水這麼說，在當時也算是有理有據。

那姚崇怎麼駁斥倪若水呢？他下了一道牒書給倪若水，說：你怎麼敢拿劉聰來跟陛下比呢？劉聰是偽主，所以德不勝妖，自然制伏不了蝗蟲；可如今是聖朝，妖不勝德。憑皇帝的聖明，一定能消滅蝗蟲。你難道對皇帝的正統性有懷疑嗎？再說，你不是說蝗蟲和道德有關係嗎？那如果刺史道德高尚，蝗蟲也就不會進入你這個州了。現在汴州也有蝗蟲，是不是意味著你這個刺史品德不好？倪若水一聽姚崇拿皇權和道德兩頂大帽子壓他，再也不敢亂說，趕緊積極組織滅蝗。僅汴州一個州，捕殺的蝗蟲就有十四萬石。唐代的一石約等於現在的一百斤，十四萬石大約就是一千四百萬斤，也算是相當盡力了。為了動員刺史，姚崇還把各州捕殺蝗蟲的情況做為對刺史賞罰的標準，誰勤誰懶，隨時通報。這樣一來，各州刺史都不敢偷懶。所以，雖然開元三年到四年連續兩年鬧蝗災，但是，糧食產量並沒有顯著下降，老百姓也沒有流離失所，經濟形勢算是穩定下來了。在姚崇滅蝗的重重阻礙中，既有掌握著一票否決權的唐玄宗，又有姚崇的搭檔盧懷慎，還有抬出儒家「天人感應論」的地方要員倪若水，可以說從上到下，阻力重重。那麼姚崇為什麼能衝破重重阻礙呢？這究竟展現了他怎樣的做事風格呢？

我們怎麼評價姚崇滅蝗這件事呢？我覺得，這是政治大智慧和小權謀的有機結合。什麼是大智慧呢？在反對意見占絕對多數的情況下，堅持自己的正確見解就是一種大智慧。真理並不永遠掌握在多數人手裡。事實上，當時大多數人受佛教和傳統迷信思想的影響，對於人的能力相當沒自信。面對天災，他們根本不敢作為。但是姚崇不一樣，他有一種務實的精神，更有一種人定勝天的豪氣。這種務實的態度和奮鬥進取的精神正是盛世到來的基本前提，也是一種大的政治智慧。

什麼是小權謀呢？姚崇的小權謀體現在靈活的工作方式上，考慮到每個人的處境，有針對性地採取措施。對玄宗、對盧懷慎、對倪若水，他各有說詞，也各有側重。對玄宗，是體貼；對盧懷慎，是激將；對倪若水，則是威脅了。見什麼人說什麼話，這不是權謀嗎？可是，這些小權謀是建立在大智慧的基礎上的，是原則性和靈活性的有機結合，這就是典型的姚崇風格。

一個政治家不管有多大的才幹，如果沒有機遇，也無從施展。姚崇雖然號稱三朝元老，但他人生最大的機遇還是遇到了唐玄宗。在唐玄宗的信任和支持下，姚崇充分施展自己的政治才華，為即將到來的大唐盛世奠定堅實的基礎，姚崇也因此獲得一個臣子所能享有的最高禮遇。那麼，唐玄宗究竟給姚崇哪些超常的禮遇呢？唐玄宗和姚崇之間究竟是怎樣的一種君臣關係呢？

到開元四年（七一六年），隨著滅蝗鬥爭的勝利，唐朝的政治經濟全面步入正軌，整個社會呈現出欣欣向榮的態勢，而這樣的局面和姚崇的輔弼之功是分不開的。此時，玄宗對姚崇言聽計從，而姚崇對玄宗也是竭盡全力，君臣之間親密無間，配合默契。長安不是首都嗎？房子也很貴。姚崇雖然當了這麼多年的宰相，但是還沒有買房子，就住在罔極寺裡。可能是寺院裡花木蔥蘢，蚊子比較多，有一次，姚崇得了瘧疾，只好請假休息。玄宗見不到姚崇，急得不得了，不停地派使者去探視，一天就派了幾十名。當時，「伴食宰相」盧懷慎已經去世，姚崇的搭檔已經換成源乾曜[4]了。姚崇既然休息，就只能是源乾曜主政。源乾曜每次到玄宗那裡去奏事，只要說得合了玄宗的心思，玄宗總是說：這一定是姚崇的主意吧？一旦說的不合玄宗的心意，玄宗馬上就會說：怎麼不先和姚崇商量商量再來！可能有人會覺得，玄宗也太武斷了吧？還真不是武斷。因為玄宗猜的基本都對。這說明什麼？說明君臣之間有默契了。

後來，源乾曜覺得總跑到寺裡向姚崇問計也太不方便了，乾脆上奏皇帝，讓姚崇搬到四方館一邊養病一邊辦公算了，讓他的家人也到這裡來伺候他。四方館是什麼地方呢？是唐朝接待少數民族使者的地方，所以可以住宿。玄宗一聽，馬上答應了。催著姚崇搬家。姚崇說不好吧！四方館裡頭有那麼多檔案，住進去不方便啊！玄宗說：「設四方館，為官吏也；使卿居之，為社稷也。恨不可使卿居禁中耳，此何足辭！」什麼意思呢？玄宗是說，設四方館，本來就是為官員辦公用的；讓你在那兒住，也是為了國家公務啊，有什麼不行的呢！如果沒有制度限制，我恨不得讓你住到宮裡來，四方館算得了什麼。皇帝這樣信任、倚重他，這是對大臣最大的認可了。姚崇也感激涕零，恨不得為玄宗「鞠躬盡瘁，死而後已」。

那麼，姚崇的願望會實現嗎？他和玄宗君臣這種蜜月關係會一直這樣繼續下去嗎？

請看下回：姚崇罷相。

4 玄宗時宰相之一。為政寬鬆，無為而治。積極響應玄宗的京官外調地方任職的政策，主動將自己兩個兒子外調地方為官。晚年為人懦弱，不敢與人爭權。

【第十二回】姚崇罷相

陶醉在巨大榮譽中的姚崇正準備繼續為大唐帝國鞠躬盡瘁的時候，唐玄宗卻突然向他發難，這使得站在成就頂峰的姚崇瞬間墜入災難的深淵，失去往日瀟灑果斷的常態。從君臣魚水到君臣交惡，這裡面究竟發生了怎樣的故事呢？

中國民間有一個說法，叫做打狗看主人。文雅一點的說法是投鼠忌器。這是說一個人如果有了權力或聲望，看在他的面子上，別人對他的親朋好友、下屬乃至寵物都得客氣一點。就像《紅樓夢》裡所說的，老太太屋裡出來的，不要說是丫頭，就是小貓小狗也輕易傷害不得。這也是人之常情。要是哪一天，別人對你的親眷下屬不再客氣了，你就得考慮一下，自己是不是已經不再被人當回事了。為什麼要說這個道理呢？是因為這種下屬被人看輕的事就被姚崇趕上，而且嚴重影響他的宰相前途。

一、自毀長城：鐵腕宰相縱容兒子、下屬招權納賄

上一回說過，因為滅蝗鬥爭的勝利及政治上一系列撥亂反正的成果，姚崇和玄宗君臣之間達到空前和諧的境地。玄宗一刻都離不開姚崇，連姚崇生病都不讓他待在家裡，還要把他搬到四方館辦公。皇帝這樣信任他，姚崇也是感激涕零，打算鞠躬盡瘁、死而後已。可是，沒過多久，發生了一件事情，一下子讓姚崇覺得不對勁了。什麼事呢？姚崇手下的一個小吏犯事了。姚崇不是中書令[1]嗎？當時中書省有一個主書叫趙誨，很得姚崇信任。大家都知道，在中國古代官場上，別看官和吏級別相差懸殊，但是，官對吏的依賴性很強。因為官是做行政決策的，吏則是做具體文案工作的。官府裡缺了這樣的專業技術人才，還真是沒法運轉。這個叫趙誨的小吏不僅文案工作熟練，而且擅長揣摩領導意圖，辦事百伶百俐，姚崇用起來非常順手。但是人無完人。小吏趙誨也有一個毛病，就是貪財。唐王朝是世界帝國，西域來的胡商人多勢眾。胡商看到這個小吏能跟姚崇說得上話，就送給他一些珠寶，想讓他替他們謀點好處。可沒想到，事情做得不夠機密，被唐玄宗知道了。本來，小吏貪財是古代的

通病，不是什麼大不了的事，可是這一次，玄宗居然親自審問，把這個小吏送進監獄，判處死刑。依據我們剛才說的打狗看主人的原則，這個處置顯得很不同尋常。那麼，玄宗貴為皇帝，日理萬機，為什麼會注意到姚崇身邊的這個小吏呢？還有，他在處理這個小吏的時候，為什麼如此不給姚崇面子呢？很明顯，玄宗已經對姚崇不滿了，在抓姚崇的小辮子了。那麼，玄宗為什麼對姚崇不滿呢？因為，姚崇身邊，犯經濟錯誤的可不止這一個趙誨，姚崇的兩個寶貝兒子也不清白。

姚崇這兩個兒子我們前面講過，當年魏知古到東都洛陽主持選官，這兩個傢伙就招權納賄，誰給他們賄賂，他們就把誰塞給魏知古，讓魏知古提拔。魏知古因此還跟唐玄宗打過報告。沒想到姚崇憑藉自己的政治智慧，不僅保住兩個兒子，還把魏知古整下臺。有了這麼能幹的老爸庇護，這兩個壞小子交接賓客、招權納賄的事情也愈做愈大，而姚崇對他們這些越軌的行為不聞不問，甚至是暗中縱容。宰相的兒子肆無忌憚地搞腐敗，當然會引起人們的不滿。但是，姚崇是鐵腕宰相，誰也不敢得罪他，所以，他這兩個兒子不僅沒有受到懲罰，反倒步步高升，都成了四品大員。可是，有權力的人做壞事就是這樣，你可以讓人不敢管你，但是你沒法讓別人不議論你。一來二去，這兩個兒子的名聲壞透了。玄宗可是個勵精圖治的皇帝，這些事情傳到他的耳朵裡，當然對姚崇有意見。只是礙於面子，不好跟姚崇講。現在，姚崇手下的小吏又犯經濟錯誤，不免讓玄宗產生疑慮，怎麼姚崇身邊的人都這

---

1 古代官名。為中書省的長官。起源於漢武帝時，開始多由宦官擔任，負責宣布詔命等。司馬遷曾兼任此職，是中國歷史上第一位中書令。魏晉南北朝時期權位日重。唐代中書令為宰相之一。

樣呢？於是決定從嚴從重，敲山震虎，敲打一下姚崇。

玄宗這麼做，姚崇有沒有明白他的意思呢？我們多次說過，姚崇可是個水晶心肝玻璃人，以他的政治智慧，不會看不清楚。怎麼應對皇帝呢？按照一般的想法，最合適的做法就是及時收斂。小吏，讓他去死吧！丟卒保帥；兒子則是加強教育，避過風頭。這樣才能保住自己。然而姚崇不僅沒有這樣做，他還替自己手下這個小吏申訴，說他罪不至死、情有可原。想要救他。姚崇為什麼要這麼做呢？我想，不外乎是兩個原因。第一個是姚崇有小集團意識，要保護自己人。通過前幾回的講述，我們已經看出來了，姚崇不是一個嫉惡如仇的道德君子，而是一個喜歡搞一言堂的鐵腕人物。要鐵腕就得自己說了算，要想說了算，除了皇帝認可外，還要有人死心塌地追隨你。而要想讓人死心塌地，就一定要給人好處、給人庇護，讓人覺得跟著你沒錯。所以，古往今來好多以能幹著稱的鐵腕政治家都不免黨同伐異，姚崇也不例外。因此，明知道趙誨犯了錯誤，姚崇還是要保他。從私人角度上講，他不肯丟卒保帥，這是講義氣；但是，從公家角度上講，他這就叫因私害公了。這是第一個原因。第二個原因，也是很重要的一個原因，是姚崇對自己和皇帝的關係估計過高。他不是幫玄宗解決許多政治難題嗎？皇帝不是一刻都離不開他嗎？在姚崇看來，貪污受賄也不是什麼大不了的事，這點面子應該給他吧！有了這樣的想法，雖然姚崇明白皇帝的意圖，但還是想跟玄宗叫上一板。

姚崇叫板，玄宗怎麼接招呢？開元四年（七一六年）十一月份，玄宗大赦京城罪犯。只要不是十惡不赦，一律免罪。按道理講，趙誨的罪也可以免了。如果真是這個結局的話，也就意味著玄宗妥協，這也是姚崇期望看到的局面。那麼，玄宗會不會這麼做呢？要知道，玄宗可不是被別人牽著鼻子走的人。如果寬恕趙誨，豈不是說皇帝的權威不是權威，姚崇的權威才是權威！這不是自毀長城嗎？

所以，大赦是大赦，但是，玄宗在敕書裡特意標明，中書主書趙誨不在此列。此人雖然依據寬恕的精神免除死刑，但是，杖責一百，流放嶺南！一句話，玄宗向姚崇表態了，你這個面子，我堅決不給！事情發展到這一步，姚崇總算明白，皇帝並不是離不開他，相反，皇帝是怕他不離開。如果他再不知進退，恐怕皇帝就要不客氣了。怎麼辦呢？主動辭職吧！就在這次大赦令之後，姚崇屢次提出避位的請求。開元四年閏十二月，玄宗批准他的請求，免去他中書令的職務。這個時間，距離姚崇拜相，剛剛三年零三個月。

姚崇在拜相的三年多的時間裡，出色地履行了宰相的職責，開元盛世的初步形成，姚崇功不可沒。唐玄宗做為伯樂，也讓姚崇享受到做為人臣曠古少有的榮耀。然而，這種君禮臣忠的局面為什麼不能持久呢？姚崇罷相僅僅是因為他手下小吏招權納賄嗎？

二、罷相原因：由罷相看出玄宗的行政原則，更使皇權集中

大家可能會有點吃驚。姚崇號稱一代賢相，原來才當了三年多宰相啊！他做了那麼多工作，為什麼這麼輕易就被罷免了呢？表面看來，是因為姚崇縱容兒子和下屬腐敗，而且涉嫌樹私恩，搞小集團。但是，這個事情沒那麼簡單，所謂反腐敗恐怕只是個藉口罷了。事實上，姚崇罷相，還有更深層次的原因。

第一，宰相如果專任就不能久任，這是玄宗的行政原則。所謂專任，其實就是大權獨攬。姚崇在

玄宗一朝擔任中書令，雖然名義上還有門下侍中[2]和他制衡，但是，在姚崇主政時期，擔任門下侍中的，無論是盧懷慎，還是源乾曜，基本都是伴食宰相。完全不能起到制衡姚崇的作用。同僚唯唯諾諾，不能制約姚崇，那皇帝會不會制約姚崇呢？也不會。我們在第一回講過，姚崇剛剛當上宰相的時候，因為郎官的任命去請求玄宗批示。念了一遍郎官的名字，玄宗沒反應；再念一遍，玄宗還是沒反應。姚崇不明就裡，非常緊張地退出去。結果沒過一會兒，宦官高力士傳話來了。皇帝不是輕慢你，是要讓你明白，一般的事情你完全可以做主，不必事事請示皇帝。皇帝有這樣的氣度，當然姚崇就可以放手開展工作了。玄宗為什麼自己不制約姚崇，也不讓同級的宰相制約姚崇呢？因為玄宗信任姚崇的政治才幹，願意創造條件讓姚崇不受掣肘，充分施展才華。可是，如果一個權相統治時間過於長久的話，就會形成過分的權威，就會威脅到皇權。而自從武則天晚年以來，政壇之所以動盪，關鍵就在於皇權不振。這是唐玄宗從血淋淋的政治鬥爭中得到的經驗教訓。要想避免這個問題，只能是採取專任而不久任的原則。宰相專任，就能放手開展工作；任期短，權力就不會失控。這就既發揮宰相的才幹，又不會威脅皇權。這時，姚崇已經幹了三年多，羽翼豐滿，該讓他下臺了。

姚崇罷相的第二個原因在於，他的歷史使命完成了。姚崇的歷史使命是什麼？用一個詞概括，就是撥亂反正。要知道，唐玄宗是在一連串的政變之後開始統治的。面對開元初年百廢待興的局面，姚崇一方面提出「十事要說」做為政治綱領；另一方面則是善於應變，出現一個問題解決一個問題。為了解決問題，他是陽謀陰謀並用，沒有一定之規。按照《新唐書》的說法，這叫做「善應變以成天下之務」，善於變通，摸著石頭過河，在歷史轉折時期固然可以迅速打開局面；但是，一旦局勢穩定下來，國家需要建立穩定的制度時，善變就不再是優點了，反而成了依法行政的障礙。這樣一來，以善於權變著稱的姚崇也就完成了歷史使命。

姚崇罷相的第三個原因在於玄宗想要樹立新的道德形象。如果不是有高瞻遠矚的「十事要說」在上面罩著，姚崇的所作所為怎麼看都像個小人。他打擊政敵、黨同伐異、招權納賄，無論依據哪個時代的標準，也說不上是道德高尚。正因如此，玄宗才讓盧懷慎做他的搭檔，起到道德表率的作用。可是，開元四年，盧懷慎去世了，這就使得高層道德問題顯得更加突出。而一個國家要想興旺發達，不僅要有完備而有活力的制度，還要有健康向上的道德風尚。官僚，特別是宰相，不僅是行政首腦，也應該是道德表率。可是，以姚崇的性格與為人，顯然無法成為這樣的表率。這樣一來，換宰相也就是自然而然的選擇。

姚崇是唐玄宗真正起用的第一個宰相，在中國歷史上也是大名鼎鼎。但因為有這樣三個深層原因，所以，姚崇罷相也就成為必然。

看來，唐玄宗準備換相絕不是心血來潮，而是深思熟慮的結果。當政府運轉走入正軌的時候，姚崇的歷史使命也就已經完成。那麼，當我們望著姚崇黯然離去的背影時，又該如何給他一個歷史的評價呢？

---

2 古代官名。為門下省長官。唐代與中書令同為宰相，同秉大政。門下省負責審查詔令、簽署章奏，有封駁權，即認為敕令或其他包含有皇帝旨意的文件不妥時，可以加封後退回，以示異議。

三、救時宰相：人無完人，能臣，未必符合儒家理想的賢臣

對於姚崇三年多的宰相生涯，我們應該怎樣評價呢？有一個典故非常傳神。當時有一個中書舍人叫做齊澣，對於跟職業有關的各種掌故無所不知，號稱「解事舍人」，相當於我們今天所說的活字典。姚崇對他非常欣賞，兩人私交不錯。我們不是講過姚崇曾經因為喪子請了幾天假嗎？盧懷慎獨立處理不了政事，所以等他銷假回來上班後，公文已經堆積如山。姚崇有本事，沒多一會兒都處理完畢了。姚崇是個很自負的人，從辦公室出來，他自己也很得意，就問齊澣說，你博古通今，說說看，我當宰相，可以和哪位古人相提並論啊？意思很明顯，讓齊澣誇他。問題提得突然，齊澣還沒想好呢！姚崇按捺不住，自己說了：我是不是和管仲、晏子差不多呀？管仲和晏子大家知道，都是春秋時期齊國著名的宰相。管仲輔佐齊桓公開創霸業，晏嬰在齊國後期出使四方，不辱使命。這都是中國古代賢相的典範，所以，司馬遷在《史記》中還給這兩個人合立了一個傳，叫《管晏列傳》。姚崇自比這兩位，顯然自視甚高。沒想到齊澣說：您恐怕比不上他們吧！姚崇問：我怎麼就比不上呢？齊澣說：管子和晏子的政治措施，雖然不能施行到後世，但還可以保持到他們自己死的時候；如今您的政令，隨時更改，似乎比不上他們。姚崇不甘心，又追問：如此說來，我究竟是個怎樣的宰相呢？齊澣想了想說：您大概可以算得上是個「救時宰相」吧！聽到這種評價，姚崇並不覺得是貶低他，反而高興得把手中的筆都扔在地下，說：救時之相，也難得啊！

從這個典故，我們能看出什麼問題呢？我想，第一個，姚崇是個務實的能臣。齊澣說姚崇是「救時宰相」，救時的基礎就是務實。只有務實，才能發現現實存在的問題，也才能解決現實的問題。姚

崇上任後，無論是罷免冗官、貶逐功臣，還是安撫宗室、捕殺蝗蟲，都表現出不唯上、不唯天，只唯實的態度。正是因為有了姚崇的努力，玄宗朝的政治才會很快重新走上正軌，這就叫救時。要知道，救時可不是一件容易做的事情。從武則天末年算起，唐朝有將近十年的時間都在動盪中度過。要是往上推到武則天掌權，唐朝已經有半個世紀都處於動盪中。在這種情況下救時，可是需要大眼光、大氣魄，還有大手段的。正因如此，姚崇聽到齊澣說他是救時宰相時，才會喜形於色。

第二，我們也看出來了，姚崇不是傳統儒家意義上的賢臣。中國儒家講究中庸平和，一個儒家君子，絕不好意思去追問別人，我能跟古代哪個賢相相提並論，這太不謙虛了。這還是言語方面。再看看姚崇對皇帝、對同僚和對家人的態度，就更不像儒家賢臣。正統的儒臣應該具備怎樣的道德呢？比較經典的說法就是文死諫、武死戰。這死諫和死戰才是忠誠的標誌。姚崇會不會上諫呢？不是不會，但很少直諫。相反，只要無傷大雅，姚崇一定會順著皇帝說話的。開元二年二月初一，太史上奏說要發生日食，結果並沒有發生。這其實就是科學不發達所致，沒算準。但是姚崇不這麼說，他帶著文武百官上表祝賀，說：太陽應該虧而沒有虧，這完全是陛下您的聖德所致啊！是您的光輝補足了太陽的光輝啊！請趕緊把這件事記在史冊中吧！還是開元二年，有一個大臣翻出《豫州鼎銘》獻給玄宗了。這份銘文有什麼特別之處呢？它是武則天寫的，結尾一句是「上玄降鑑，方建隆基」。隆基不是唐玄宗的名字嗎？這個大臣說了，這就是玄宗受命於天的徵兆。這種事情，我們一看就明白，就是文字巧合，姚崇也明白。可是，他還是裝出一副鄭重其事的樣子，說：這是大事，趕緊交給史館，寫進史書裡，表現出一副十足的諂媚相。姚崇這個樣子，北宋的大政治家、大史學家、大儒家司馬光十分看不慣，說姚崇是「上誣於天，下侮其君」。很明顯，姚崇對待皇帝的態度不像個儒家賢臣。

對皇帝如此，那對待同僚呢？根據傳統儒家經典《論語》的標準，應該是「君子周而不比」。同僚之間應該互相信任，但是不能拉幫結派。可是姚崇呢？只要是可能對他專權構成威脅的同僚，他是必欲除之而後快，看看張說和魏知古就知道了；而對待他自己的死黨，則是包庇縱容、是非不分，小吏趙誨就是例子。這哪裡還是孔子讚賞的「君子周而不比」，分明是孔子反對的「小人比而不周」嘛！這也不符合儒家的標準。

對皇帝、對同僚，這都屬於公共領域，那在家庭領域，姚崇的做派是不是符合儒家準則呢？中國古代講究家國一體、移孝作忠。一個符合儒家理想的好父親，應該是嚴格要求子女，教育他們為國效力才是，可是姚崇卻縱容自己的兒子交通賓客、招權納賄，這不還是和儒家的理想背道而馳嗎？所以，姚崇是個能臣，但是，不是符合儒家理想的賢臣。

那我們應該怎麼解決這賢臣和能臣之間的矛盾呢？古語云：「大行不顧細謹，大禮不辭小讓。」人無完人，只要能夠做到大節無虧，就算好了。

《新唐書》在講到姚崇的政績時候說：「崇尤長吏道，處決無淹思。三為宰相，常兼兵部，故屯戍斥候、士馬儲械，無不諳記……崇常先有司，罷冗職，修制度，擇百官各當其材，請無廣釋道，無數移吏。繇是天子責成於下，而權歸於上矣。」正因為姚崇文武兼備、明嫻吏道、長於決斷，唐玄宗才能在很短的時間內擺脫政治困境，走上正軌，開創社會良性發展的局面。這是姚崇的大功績，也是姚崇名垂青史的根本原因。安史之亂爆發後，唐玄宗被迫逃往四川，在艱難之中，唐玄宗傷感地說：如果姚崇還在，一定不會是這個樣子的！這個時候，離姚崇罷相已經將近四十年，離姚崇去世也三十多年了。人活著，掌握著權力，被人誇讚不難，死去三十多年還能被人懷想，就是難能可貴了。宰相當到這個分上，夫復何求！

姚崇給開元政治開了個好頭，接下去會是誰挑起大唐王朝這副重擔呢？

請看下回：宋璟守正。

【第十三回】

宋璟守正

上一回講到，因為姚崇辭職，宰相的位置出現空缺，於是，一個新人就被提拔上來，他就是宋璟。如果說姚崇性格靈活善變的話，那麼宋璟的最大特點就是剛直不阿，他是出了名的「鐵筷子」，倔脾氣上來，敢公然和皇帝正面交鋒。那麼玄宗為什麼會起用他當宰相呢？宋璟身上的哪些素質打動了唐玄宗呢？

唐玄宗開元四年（七一六年）閏十二月，正是隆冬時節。唐玄宗派大宦官楊思勖到驛站接從廣州來的一名官員。楊思勖就是在唐中宗太子重俊叛亂中飛身殺下玄武門城樓，一刀砍掉叛亂軍官首級的英雄。派這樣的人物迎接，可見場面的隆重。從驛站到皇城是很長的一段路，那個被迎接的官員就騎在馬上，一言不發。楊思勖悶得慌，好多次想要和他說說話，一看官員那副目視前方、深不可測的表情，又把嘴邊的話給嚥下去。就這樣，兩人各走各的路，硬是一句話沒說。楊思勖在唐玄宗一朝官至三品，也是當紅宦官，和高力士齊名，誰在他面前不是客客氣氣的。沒想到碰上這麼個架子大的，居然不和他說話，可把楊思勖委屈壞了。見了玄宗之後，楊思勖一把鼻涕一把淚地哭訴，說這個官員瞧不起他、不理他。沒想到玄宗聽了他的哭訴，非但沒有生氣，反而露出笑容。這個唐玄宗特地從廣州接來的官員究竟是誰？他為什麼那麼不隨和？他就是宋璟，是唐玄宗請來當宰相的。他不隨和，正是任命他當宰相的關鍵原因所在。這是怎麼回事呢？

一、宋璟拜相：一位堅持原則、不通人情的宰相

開元四年閏十二月，姚崇辭去宰相的職務。他辭職了，誰接班呢？姚崇推薦一個人，就是宋璟。別看玄宗不想讓姚崇繼續當宰相了，但是，對他的眼光可是一百個放心。姚崇推薦的人，當然在玄宗重點考慮之列。何況，推薦宋璟的不止姚崇，著名的伴食宰相盧懷慎也推薦過。盧懷慎臨死前，給玄宗上了一個遺表，他說：人之將死，其言也善。我雖然沒什麼能力，但是這些年冷眼旁觀，還是發現幾個人才。我發現的第一號人才就是宋璟，此人公忠體國、眼界高遠，一定能為陛下辦大事。姚崇和

盧懷慎兩個貴人青眼相加，這就叫做惺惺相惜，既看出宋璟的眾望所歸，也看出姚崇和盧懷慎難得的胸襟氣度。兩大宰相鼎立推薦，是不是宋璟拜相的唯一原因呢？那可不是。我們說過，玄宗可是有主見的皇帝。當初力排眾議任用姚崇，是出於他自己的考慮，現在任用宋璟，肯定也不光是因為別人的推薦。那麼，玄宗為什麼要任用宋璟呢？除了賢臣推薦外，還有兩個重要原因。

第一，宋璟是武則天當政以來朝廷裡的一面道德旗幟。在政壇上，宋璟一直是以反對派的形象出現的。武則天晚年，宋璟是反對二張兄弟的英雄；唐中宗一朝，他是反對武三思的英雄；唐睿宗一朝，宋璟又是反太平公主的英雄。因為反對這些當權人物，宋璟三次從中央被貶到地方。三落三起，一般人早被生活磨圓了稜角，可是，宋璟嫉惡如仇的風骨始終不變。這種鐵骨錚錚、九死不悔的形象，正符合玄宗對新宰相的道德期許。

第二，宋璟的政治眼界高，行政能力強。當年睿宗統治時期，為了穩定太子李隆基的地位，有人提出讓太平公主離開長安，讓李隆基的哥哥們都到外地任職、弟弟們當太子軍隊的統帥，這個建議是誰提出來的呢？是姚崇和宋璟聯合提出來的。能夠在這歷史的大關節上和姚崇想到一塊，提出這麼個一攬子解決方案，可見宋璟眼界之高遠。志存高遠的宋璟行政能力如何呢？也有一則佳話。宋璟不是擔任廣州都督嗎？當年的廣州溼熱多雨，經濟發展也比較落後，所以老百姓都住竹子結構、茅草蓋頂的房子。這樣的房子就地取材，通風透光，但是，全是易燃物質，怕火。一著火整條街就完了，人民的生命財產損失巨大。宋璟一到廣州上任馬上開展大規模的舊城改造工作。他是北方人，熟悉燒瓦的工藝，就請工匠把這個技術教給廣州人。從此，廣州人開始有了瓦頂的房子，不那麼容易著火了。

這是一項德政，老百姓都非常感激，當然皇帝也滿意。既有大局意識，又熟悉地方情況，還有具體辦事能力，這非常符合宰相的標準嘛！因為有貴人力薦、道德高尚和政治能力強這三個優點，玄宗就把宋璟從廣州給請回長安。為了隆重起見，還特地派大宦官楊思勖去接他，沒想到宋璟居然不理楊思勖。

我們上回不是還在講打狗還要看主人的原則嗎？宋璟不理楊思勖，是不是會讓玄宗覺得他不領情呢？完全沒有。因為中國古代講究內外官互不交通，免得營私舞弊、內外勾結。所以，大臣和宦官之間本來就要避嫌疑。當然，這只是個原則，一般人絕不會這麼死心眼。沒想到宋璟還真的堅持原則。本來，這時候，玄宗對姚崇那樣處處講變通的行為已經看不慣了，現在來了這麼一個堅持原則到不通人情程度的宰相，玄宗真是打心眼裡喜歡。這個宋璟講道德、守規矩，是個正人君子，讓他當宰相，我放心！就是這樣，宋璟在皇帝的期待之中開始了宰相生涯。那麼，宋璟執政，都有哪些表現呢？宋璟能達到唐玄宗的期望嗎？他在宰相的職位上表現如何？

二、宋璟守正：一改姚崇的權變作風，凡事堅持原則

宋璟做的第一方面的事情，就是守正——堅守正道。他一改姚崇的權變作風，凡事堅持原則。怎麼叫做堅守正道呢？

第一個表現是直言極諫。上一回我們講了，面對皇帝工作生活中的問題，姚崇是只要大事不錯就行，其餘能順則順，宋璟可就不一樣了，他和唐初的魏徵一樣，就喜歡上諫，而且是直言極諫。怎麼直言極諫呢？舉幾個例子。第一個例子是關於玄宗孩子的。宋璟是進士出身，以文學知名，所以，開

元五年（七一七年），唐玄宗就請宋璟給王子起名字、給公主起邑號（就是公主的封號，比如說安樂公主，安樂就是邑號）。玄宗風流，孩子也多，讓宋璟先各取三十個備用。本來，這都沒有什麼問題。可是，玄宗在交代任務的時候特地說一句，你在這三十個之中，單給我想一個漂亮的名字和一個漂亮的邑號，要與眾不同。玄宗這話什麼意思呢？很明顯，他心目中有一個最愛的小王子和一個最愛的小公主了，想讓他們出眾一些。這小王子和小公主其實就是唐玄宗當時最喜歡的武惠妃的孩子。按說這種私下交代的事情天知、地知、你知、我知，也不是什麼特別嚴重違反原則的事，幫一點忙又算得了什麼呢？可是宋璟不幹。他對玄宗說，陛下，您既然當了皇帝，心就一定要公平。現在您讓我單獨想一個好名字和一個好邑號，可見您的心已經不公平了。您之所以對孩子不公平，當然是因為孩子們的母親有的得寵、有的不得寵。您寵愛哪個妃子、哪個孩子，這是您的感情問題，我管不著，但是，感情不能妨害規矩、不能破壞制度，否則宮廷內就會有紛爭，國家也不會安寧。現在，我已經想好三十個名字和三十個邑號，我覺得都挺好聽的，也都挺有意義的。您想要特別好的，恕我做不到。碰上這麼個講原則、認死理的宰相，玄宗能怎麼樣呢？只能是稱讚一番，回去反躬自省了。

第二個例子是關於玄宗岳父的。開元七年（七一九年），唐玄宗的岳父王仁皎死了。王仁皎是王皇后的父親，與唐玄宗兩人翁婿感情也不錯，玄宗還當王子的時候，沒少到人家家裡混飯吃。另外，王皇后的哥哥——玄宗的大舅子王守一還是剷除太平公主的政變功臣。於尊、於親、於功都不一般。所以，王皇后兄妹就懇請唐玄宗格外關照一下，比照竇太后的父親，也就是玄宗外祖父的例子對待，修一座大墳，高五丈一尺。玄宗也答應了。可是，玄宗答應，宋璟不答應。他說，按照制度規定，一品官的墳不過一丈九尺，如果陪陵，也不過三丈。現在要修五丈一尺的大墳，這不合規矩。制度一旦定下來就不能輕易變動，否則誰還尊重制度呢？玄宗說，這也有先例啊，不是比照竇太后的父親嘛！宋璟說，竇太后的父親能逾制，就是因為沒有像我這樣的大臣直言極諫啊！那次已經錯了，難道還要一直錯下去嗎？我之所以勸諫陛下，不為別的，就是希望成就我們國母王皇后的儉德，也成就您遵紀守法的形象啊！聽他這麼一說，玄宗又沒話說了，王仁皎的大墳沒修成，還要賞賜宋璟四百匹彩絹。

第三個例子更厲害，是關於玄宗本人的。開元五年五月，發生了一次日食。古代講天人感應，日食意味著皇帝還得加強道德修養，所以玄宗趕緊減膳撤樂，而且發布不少制書，讓宰相機構也跟著做一些處理冤案、賑濟貧乏、勸課農桑一類的工作。按說皇帝這樣表態也算不錯了吧？沒想到宋璟還是不滿意，又進諫了。他說，所謂天子修德，關鍵是要有誠心。現在我勸陛下好好從親君子、遠小人這個角度下工夫，別光知道下制書、做宣傳，搞那些形式主義的東西了。這不是公然不給皇帝面子嗎？有人會說，宋璟這麼上諫，不是把皇帝一家都得罪光了嗎？不僅我們今天這麼想，當時人也這麼想。後來當宰相的張嘉貞看了宋璟的奏疏後就說，我們再也做不到宋公這個樣子了。那麼，對宋璟的直言極諫，玄宗怎麼看待呢？《資治通鑑》[1]總結得非常到位，說：「上甚敬憚之，雖不合意，亦曲從之。」因為敬畏宋璟的為人，即使內心不願意，也只好屈意順從他。為什麼唐玄宗要曲從宋璟呢？很簡單，因為宋璟堅守的是制度、是正道。這是守正的第一個表現。

守正的第二個表現是不樹私恩。怎麼叫不樹私恩呢？開元五年秋天，關中平原糧食歉收，玄宗只好與政府一起遷到洛陽去，就在河南境內，崤山的山谷之中，因為道路不暢，一下子堵車了。車馬都壅到一塊，誰也走不了，耽擱了好長時間。按說這次交通壅堵與皇帝帶的人多以及崤谷的自然地理狀況都有關係，但是，玄宗心裡還是不爽，就怪河南尹與知頓史沒做好工作，要把他們倆免官。平心而論，這個處罰也不是完全沒有道理，但是不夠人性。這也是聖德不周啊！宋璟此時立馬上諫，說：陛下您還年輕，因為出巡時道路沒修好就罷免兩個大臣，我恐怕大臣們都會覺得皇帝講排場、愛享樂，以後您再出巡，他們肯定到處搞形象工程，那樣老百姓可就受苦了。玄宗一聽有道理啊！馬上說：你說得對，把那兩個官員放了吧！官復原職。沒想到，聽了皇帝的處置，宋璟又反對了。他說：陛下本來準備治他們的罪了，就因為臣一句話就赦免他們，這不是把過失歸於陛下，讓臣子我樹私恩嗎？不能這麼做。依我看，陛下不如先把他們免職，讓他們在朝堂上待罪，然後陛下再下敕赦免他們，讓他們官復原職，這樣，他們不就感激陛下的恩德了嗎？要知道，「功歸於上，過歸於己」可是古代提倡的當臣子的大美德，但是，因為它不符合人類趨利避害的天性，對臣子道德境界要求過高，一般人很難做到。這麼不容易做到的事情，宋璟做到了，玄宗能不高看他一眼嗎？

守正的第三個表現是嚴於律己。怎麼叫嚴於律己呢？剛才不是講到宋璟在廣州教人燒瓦蓋房子嗎？宋璟當上宰相後，廣州就想把這件事突出宣傳，要立一塊碑，上面刻上「遺愛頌」，討好宋璟。沒想到，宋璟不領這個情。他知道這件事之後，馬上表態說：「頌所以傳德載功也。臣之治不足紀，廣人以臣當國，故為溢詞，徒成諂諛者。欲釐正之，請自臣始。」意思是，我在廣州只是做了自己應該做的事，不值得歌功頌德。現在廣州這麼做，純粹是看見我當宰相，想要阿諛奉承。我們不是整天

1 簡稱《通鑑》，中國古代史學名著。北宋司馬光主編，共兩百九十四卷。記載由周威烈王二十三年（西元前四〇三年）到五代的後周世宗顯德六年（九五九年）的逐年詳細歷史。《資治通鑑》力圖以歷史的得失做為後世統治的鑑誡，在中國史書中有極重要的地位。

說要肅清不健康的政治空氣嗎？乾脆，從我做起吧！堅決拒絕廣州的請求。這叫嚴於律己。可是，大家都知道，上層官員講嚴於律己，只是嚴格要求自己還不夠，還要能約束家人和親戚。宋璟怎麼約束親戚呢？開元七年，一年一度的選官工作又開始了，大批的候選人都集中到吏部。可是，候選人多，官缺少，典型的僧多粥少，候選人也就八仙過海、各顯神通，都想把自己推銷出去。有一個叫宋元超的人就跟吏部的官員講了，我是宋璟的叔叔。意思很清楚，想讓吏部看在他宰相姪子的面子上照顧一下。吏部不敢怠慢，宰相的叔叔，那還不是想當什麼官就當什麼官。眼看事情就要辦成了，結果，宋璟知道，趕緊寫封公函給吏部，說：這宋元超確實是我的遠房叔叔，他常住洛陽，我常住長安，平時也不怎麼打交道。本來，如果他不把身分暴露出去的話，我就聽任你們秉公辦事，該留則留、該放則放。可是現在他既然已經說出來了，那沒什麼好說的，只能是矯枉過正，不管他資歷才幹是否符合條件，一定讓他落選。這不是和姚崇縱容兒子招權納賄形成鮮明對比嗎？

舉了這麼多宋璟守正的例子，大家可能會想，這宋璟等於處處與姚崇正面交火！姚崇柔順，他直言極諫；姚崇搞小集團，他不樹私恩；姚崇縱容兒子招權納賄，他嚴於律己，也嚴格要求親屬。這不是處處和姚崇唱反調嗎？難道處處與姚崇唱反調就是好宰相？話不能這麼說。宋璟也有和姚崇保持高度一致的一面呢！

這和姚崇保持高度一致也就是我們要說的宋璟第二方面的表現，叫「蕭規曹隨」。蕭規曹隨大家都清楚，是說漢初的時候，蕭何特別有本事，把制度都訂立好了，接著他當宰相的曹參就老老實實地執行他的路線、方針、政策，一點都不肯改變，從而創造出漢初社會良好發展的局面。蕭規曹隨這個原則換到唐朝來也是一樣的。姚崇為人固然是權變了一點，但是我們也說過，他的「十事要說」可是對時政深思熟慮的結果，是一點錯都沒有的。對於他「十事要說」裡提出的一系列原則，宋璟一點都不否認，反而還忠實執行。唐朝北邊有個少數民族叫突厥[2]，是個遊牧民族，兵力強盛，是當時唐朝最大的威脅。不過，突厥的敵人並不止有唐朝一個，他不是強大嗎？在草原上也是橫行霸道，經常侵略其他民族。可是，一個人也好，一個民族、一個國家也好，最怕的就是被勝利衝昏頭，盲目自大，不把別人放在眼裡。突厥就犯了這方面的錯誤。開元四年，突厥的首領默啜帶著突厥人去打一個叫拔曳固的民族。拔曳固小，突厥大，所以突厥一開始打了大勝仗。默啜揚揚得意，帶著大量的戰利品返回，根本沒做任何防備。結果，他萬萬沒想到，就在他回去的必經之路上，有一個小小的柳樹林，樹林裡埋伏著一名拔曳固的戰士，名字叫頡質略，這頡質略眼看著默啜來了，突然從柳樹林裡殺了出來，揮刀就把默啜的腦袋砍下來。默啜一世英雄，多少大風大浪都經過了，結果在小河溝裡翻了船。

默啜一死，問題馬上就出來了。他的首級怎麼處理呢？這時候，跟著默啜的突厥人驚嚇之餘一哄而散了，誰也沒顧得上頭領的腦袋，就連先敗後勝的拔曳固族也不知道怎麼處理這個燙手山芋。要知道，突厥可是北方草原響噹噹的主人，所謂百足之蟲，死而不僵。拿著默啜的首級，頡質略心裡十分害怕。怎麼辦呢？正好，當時，唐朝派了一個名叫郝靈荃的中級將領出使突厥，趕上這麼大一個變故。頡質略想了想，反正突厥已經得罪了，乾脆投靠大國吧！就把默啜的首級交給郝靈荃。郝靈荃捧著這顆頭顱心裡那個高興啊！默啜可是唐朝的頭號敵人，沒想到他的腦袋竟落到我的手裡。現在我把

2 中國古代北方少數民族之一，在南北朝至唐朝時住在現今中國西北，其勢力一度擴展至整個蒙古高原。突厥是隋唐北方的主要威脅，後亡於回紇。

他的頭帶回去，這是不世之功啊！他高高興興地把默啜的頭帶回來，心想，憑我這功勞，怎麼也得當個將軍。

宋璟是怎麼獎賞他的呢？宋璟根本沒太搭理郝靈荃，就說，你辛苦了，等著去吧！這郝靈荃早也盼、晚也盼，等了整整一年，終於把新的官職任命給盼來了，宋璟讓他當什麼官呢？四品的郎將。按說四品官也不算小了，可是，這和郝靈荃的期望值相差太遠了。郝靈荃捧著委任狀號啕大哭，飯也吃不下去，沒幾天，連餓帶氣，就死了。聽了這個結局，大家是不是覺得宋璟太薄情呢？沒錯，宋璟對郝靈荃是薄情了一點，他為什麼這麼做呢？很簡單，因為姚崇在「十事要說」裡有很重要的一條，就是「臣請陛下三數十年不幸邊功，可乎？」不獎勵邊功就是姚崇訂立的國策。對這個國策，宋璟完全認可。在他看來，如果厚賞郝靈荃，那其他將領也就會急功近利想打仗、想立功。玄宗還年輕，又有英雄氣，難免就會受他們蠱惑，往窮兵黷武這條路上走，如果那樣，老百姓不就遭殃了嗎？所以，不如一開始就壓制一下武將，省得他們打仗上癮。這樣，就只好委屈一下郝靈荃了。我們講這個事情是什麼意思呢？很明顯，在國家的大政方針上，宋璟絕不與姚崇唱反調，反倒是堅決維護姚崇的路線。這就叫蕭規曹隨。

綜合考慮，宋璟施政有什麼特點？我覺得，如果說姚崇是一代能臣的話，那宋璟就是一代賢臣。從姚崇身上，我們能看到唐初名相房玄齡的影子；從宋璟身上，我們能看到唐初賢相魏徵的影子。魏徵也好，宋璟也好，都表現出鮮明的儒家特色。所謂儒家特色，就是重道德、講原則。通過對政治道德與原則的堅守，宋璟就把姚崇權詐的習氣改掉，提升政治家的道德品位；但是同時，他也把姚崇的政治格局繼承下來，顯示了政治家的眼光。《新唐書．姚崇宋璟傳》說：「崇善應變以成天下之務，璟善守文以持天下之正。二人道不同，同歸於治，此天所以佐唐使中興也。」姚崇擅長隨機應變，宋璟擅長堅持原則。兩個人施政方式不同，但是殊途同歸，共同讓唐玄宗的朝政走向正軌。說到這裡，我們不得不佩服唐玄宗的用人方略。別看玄宗此時還只是一個三十歲上下的年輕人，他的用人眼光實在高超，讓宋璟來繼承姚崇，實在是讓李唐王朝健康發展的最好選擇。這個選擇，不僅成就玄宗時代、成就李唐王朝，也成就這兩位宰相「前稱房、杜，後稱姚、宋」的美名。這樣的君臣遇合，在一千三百多年之後，還是讓我們覺得盪氣迴腸。

宋璟一生耿直，也因為耿直備嘗艱辛。此時，他的耿直終於找到了用武之地。唐玄宗對他言聽計從、信任有加。那麼，這種君臣遇合的狀態會一直持續下去嗎？對於唐王朝的未來，玄宗到底在進行著怎樣的構思呢？

請看下回：賢相滿朝。

【第十四回】

賢相滿朝

開元盛世之所以能迅速出現，一方面是因為宰相做得好，另一方面就得說是選相選得好了。正是因為玄宗慧眼獨具、知人善任、善於搭配，才會形成賢相滿朝、天下大治的喜人政治局面。那麼，玄宗在拜相方略上到底有哪些特色？他本人是否已經垂拱而治了呢？

上一回講到，開元四年（七一六年）年底，宋璟接姚崇的班當上宰相。他一方面改變姚崇過於靈活、過於權變的作風，另一方面又繼承姚崇的基本路線。看起來，似乎是個相當完美的宰相。可是，讓人意料不到的是，一場寓教於樂、針砭時弊的「小品」表演，竟然導致宋璟被免職！這是怎麼回事呢？

一、宋璟罷相：惡錢、旱魃、跟不上時代的宰相

因為宋璟辦錯了兩件事。哪兩件事呢？第一件叫做惡錢事件，第二件叫做旱魃事件。

先看惡錢事件。所謂惡錢，不是我們今天說的假幣，而是指私人鑄造的銅錢。它是真的，只是分量不夠，成色也不好。唐朝剛剛建立的時候，基本還是自然經濟占主體地位。老百姓一般都是男耕女織、自給自足，實在有什麼生產不了的東西，一般也是以物易物的方式解決。比如我用兩匹布換你的一罈子酒，基本上用不著花錢。所以，國家鑄很少的銅錢就能滿足需求。可是到玄宗開元年間，隨著生產的發展，商品經濟逐步繁榮起來，人們用錢的地方愈來愈多，政府鑄的銅錢不夠用了。怎麼辦呢？那就自己造吧！搞點銅，照著開元通寶的樣子仿造。可是，私人仿造哪有政府造的錢精緻呢？再說了，商人唯利是圖，如果都照政府的標準造錢，也就沒什麼賺頭。所以，造出的錢都是又小又薄，兩個私錢還抵不上一個官錢的分量。這就是所謂的惡錢。惡錢進入市場，當然會引起物價飛漲等問題，事關國計民生，這讓宋璟很頭疼。怎麼辦呢？宋璟就下令嚴禁惡錢。不僅禁止使用，而且誰手裡要是有惡錢，還得限期收繳。按說這兩個措施也都是對的，但是，你要是這麼做，就必須考慮兩個前

提。第一，政府能夠有足夠的好錢來占領市場；第二，對現有的惡錢持有者，必須要給足夠的補償，還要給足夠的兌換時間。可是，宋璟嫉惡如仇，脾氣又急，這兩個條件都沒考慮清楚，就開始嚴禁了。結果糟了，惡錢不讓使用，市場上就因為沒錢流通，一下子蕭條不少；另外，到處收繳惡錢，也不給寬限，也不提補償，那些惡錢的持有人也不滿意啊！人家手裡的又不是假錢，只是分量和成色差些，你要收繳，不是跟搶錢一樣嗎？搞得民怨沸騰。

正在這時候，又出了所謂旱魃事件。怎麼回事呢？宋璟不是嫉惡如仇嗎？他自己道德高尚，就特別看不慣那些道德不夠高尚的人。罪犯自然道德都不夠高尚，所以，宋璟很討厭罪犯。在所有的罪犯之中，他特別討厭那些已經被判刑，但是還不服氣，堅持上訴的人。這個道理很簡單。宋璟覺得你已經犯罪了，就應該老老實實地反省過錯，接受懲罰，接受改造。如果你在這種情況下居然還分斤掰兩，給自己辯護，妄圖減輕懲罰，那就是錯上加錯，就是刁民。在這種思想的支配下，他居然給御史臺頒布一道命令，說：罪犯只要認罪態度好，不上訴，就從輕處罰，放了他都可以；如果堅持上訴，就給我關起來，關死為止。這不是意氣用事嗎？完全不符合司法精神。好多人明明是受了冤枉，不得不提起申訴，這一下可好，冤沒申成，反倒要把牢底坐穿了。一時間輿論沸沸揚揚。

正好當時天旱，古代人科學水準低，以為天旱就是旱魃作怪。所謂旱魃就是一種能導致乾旱的怪物，一般是冤死鬼變的。怎麼對付旱魃呢？按照風俗，就要舉行燒旱魃的儀式。兩個演員，一個扮成旱魃的樣子，另一個就審問他，審問完了教訓他一頓，再把他燒死。據說只要旱魃燒死了，老天就能下雨。

我們現在覺得這種儀式純屬迷信，但是古代人不一樣。下不下雨關係國計民生，所以，不僅老百姓熱中於燒旱魃，就連皇帝也要參加這儀式。開元八年（七二〇年），關中平原遭遇旱災，宮裡就開始燒旱魃了。這一天，兩個演員來到玄宗面前，其中一個演員先扮成旱魃出來，另一個演員就問他：你為什麼出來呀？這個演員說：我是奉宰相的命令出來的呀！前頭那個演員勃然大怒，喝斥道：大膽，你怎敢說自己是奉宰相的命令出來的！扮成旱魃的演員回答說：宋相公不讓人申冤，關在監獄裡那些受了冤枉的人可就慘啦！他們的怨氣直達上天，我這個冤死鬼不得不出來呀！這不是當著皇帝的面演諷刺小品嘛！而且諷刺的就是當朝宰相，這兩個演員的膽子也夠大的。可是，要不怎麼說玄宗是明君呢？他並沒有怪這兩個演員。但是，對宋璟可就有意見了，你看，身為宰相，你不說平審冤案，反倒製造冤案，你幹的事兒都讓演員當成諷刺小品的材料了，朝廷的臉往哪兒擱呀！

就這樣，因為經濟工作和司法工作的失誤，開元八年初，宋璟也被免職了。此時，距離他拜相剛剛過三年零半個月。可能有人又要給宋璟鳴不平了，宋璟人多好啊！人誰無過，錯了還可以改嘛，怎麼就這麼不給人機會呢？其實，唐玄宗絕不是不給人機會的皇帝。事實上，宋璟被罷免，除了具體工作失誤外，還有一個重要的原因，就是他也跟不上時代的需要。

怎麼叫跟不上時代需要呢？如果說姚崇跟不上需要是因為太靈活的話，宋璟跟不上需要就是因為太不靈活了。舉個例子。開元五年（七一七年），因為關中大旱，糧食供應不上，所以唐玄宗決定和整個政府班子一起到洛陽去，減輕長安的經濟負擔。這也是唐王朝的一貫做法，當時叫做「就食」[1]，就是追著糧食走的意思。各項準備工作都做好了，就要開拔前，突然出了一件事，太廟[2]的柱子壞了，整個房子塌了。這太廟可是李唐皇室放祖宗靈位的地方啊！一下子垮塌下來，挺影響心情的。唐玄宗就想聽聽宰相的意見。問宋璟是怎麼回事。宋璟怎麼回答呢？他言之鑿鑿地說：這是天譴啊！您的父親睿宗皇帝剛剛去世才半年，您本來應該老老實實在宮裡守喪才是。可是，您非要去洛陽。本來這個事情我就不同意，您不聽我的，現在怎麼樣，遭天譴了吧！我勸您趕快打消去洛陽的念頭，好好反省一下自己。一聽宋璟這麼解釋，玄宗很鬱悶。心想，我到洛陽又不是去旅遊，不是因為糧食不夠吃才去的嗎？現在你讓我別去，那糧食問題怎麼解決呀！到底去還是不去呢？玄宗自己決定不下來。

左右為難之際，他忽然想起一個人來。誰呢？姚崇啊！姚崇雖然已經不當宰相了，但是，唐玄宗對他的判斷力相當欣賞，何不再問問姚崇呢？那姚崇怎麼說呢？姚崇跟宋璟可不一樣，他說：太廟壞了是吧？它早該壞呀！太廟的柱子還是前秦皇帝苻堅留下來的呢，到今天好幾百年了，壞了是正常，不壞倒是反常了呀！換句話說，這柱子壞，正好趕上您要出門，不是因為您出門才壞的呀！您大老遠往洛陽跑，還不是為了減輕老百姓的負擔，怎麼會遭天譴呢！所以我勸您該走就走，否則糧食問題怎麼解決呢？再說了，您已經宣布要走了，長安這邊也做好準備，洛陽那邊也做好準備，如果又不去，不是白費事嗎？那得造成多大的浪費呀！至於太廟嘛，派人修修不就可以了嗎？玄宗一聽有道理，比宋璟那種不切實際的建議高明多了，這才下定決心，到東都洛陽去。

1 即到有糧食吃的地方去。唐代長安地區人口激增，糧食供應緊張。一遇糧荒，皇帝和大臣就前往東都洛陽就食。自秦始皇統一中國，京城從咸陽、長安、洛陽到開封的轉移，就有「就食」的因素。

2 是中國古代皇帝的宗廟，是祭祀祖先的地方。按周制，位於宮門前左（東）側。太廟在夏朝時稱為「世室」，殷商時稱為「重屋」，周稱為「明堂」。最早太廟只是供奉皇帝先祖的地方，後來帝后、皇親和功臣的神位也可以被供奉在太廟的配享殿。基本上歷朝歷代都有太廟。

這件事說明什麼問題呢？說明宋璟太道德至上，不考慮實際情況，太不靈活了。這樣的事發生一次、兩次還行，老這樣皇帝可就受不了了。開元八年，唐朝社會已經出現很大變化，新問題層出不窮，沒有一點靈活性怎麼行呢？所以，宋璟的歷史使命也完成，該下臺了。這樣看來，宋璟下臺和姚崇下臺一樣，都是唐玄宗主動選擇，並且一手操縱的結果。

宋璟的不靈活和道德至上，最終給他帶來了免職的命運，隨著他的離去，開元初期這個君明臣賢、銳意進取的歷史階段也結束了。那麼，做為幕後推手的唐玄宗，他在拜相方略上到底有哪些特色呢？

二、玄宗用人：大權下放，體認官員世代新陳代謝的重要

姚崇和宋璟雖然不再當宰相，但是，他們的功業可是留下來了。什麼功業呢？按照《開天傳信記》的說法，就是「不六七年，天下大治」。這所謂的六、七年是個約數，其實就是指姚崇和宋璟當宰相這段時間。經過他們的一番努力，開元盛世的規模初步奠定了。如果我們把開元盛世劃分為三個時期的話，姚崇和宋璟的時代應該叫做開元初期。兩位賢相成就了這個時代，這個時代也成就了兩位賢相的美名。這兩個宰相無論是上臺還是下臺，都是唐玄宗深度思考的結果，如果說他們是千里馬，玄宗就是伯樂。那麼，這個時期，唐玄宗在拜相方略上，到底有哪些特色呢？我覺得，唐玄宗有三個方略值得我們重視。

第一個方略就是宰相專任而不久任的原則。唐玄宗以前，無論是唐太宗也好，還是武則天，乃至

唐中宗、睿宗也好，同一時間任用的宰相都非常多。多到什麼程度呢？中宗一朝號稱三無坐處（宰相、御史、員外郎）。宰相多到連坐的地方都沒有。這麼多宰相在一起各抒己見，誰也管不了誰，那到底誰做決定呢？當然是皇帝。這樣做的好處是皇帝可以駕馭宰相，可是，也有壞處，就是對皇帝的要求非常高。皇帝既要當國家元首，還得當政府首腦，事必躬親。這就需要皇帝精力過人才行。唐前期誰能做到這一點呢？只有兩個人，一個是唐太宗，一個是武則天。只有這兩個政治強人才能一邊當皇帝、一邊再兼著宰相。可是到了武則天以後，無論是中宗還是睿宗，就都不行了。唐玄宗看到這個問題了，他要改。怎麼改呢？就是放棄多相制，採用專任制。同一個時期，只有兩個宰相，一個是中書令，一個是門下侍中。而且就在這兩個宰相之中，又只有一個起主導作用。這樣就使得宰相的權力集中了。相權集中了，就可以委任責成，皇帝也就不必事事親力親為。這是專任的好處。中國古代不是一直講究皇帝要垂拱而治嗎？垂拱而治，唐太宗、武則天都做不到，但是唐玄宗就能做到。我們不是講過唐玄宗業餘愛好廣泛嗎？他一個皇帝，哪來那麼多時間呢？一個很重要的原因就是他改變行政風格，不再事必躬親。所以，擊鼓打毬那份瀟灑，唐太宗沒有，武則天也不多，但是，唐玄宗就能遊刃有餘。但是，宰相專任的必要補充是不久任。如果專任並且久任，宰相權力就可能過大，就會威脅到皇權。所以，無論姚崇還是宋璟，任期都在三年多一點。這樣既有助於隨時調整工作重點，也避免宰相長期攬權，架空皇帝。宰相又能管事，又不會威脅皇帝，這不就兩全其美了嗎？

第二個方略就是紅花綠葉、相互搭配的原則。既然玄宗實行宰相專任制，同一時期只有兩個宰相，其中還有主、有從。那就需要主從之間相互配合，一個當紅花，另一個就得甘當綠葉，絕不能互相爭權打架。這樣一來，搭配宰相要考慮兩個人的性格、能力乃至私人關係，這是相當不容易把握的事情。可是，唐玄宗把握得非常好。他給姚崇搭配的宰相是盧懷慎。這個人辦事能力不強，所以，讓他給姚崇當「伴食宰相」，絕不會和姚崇對著幹。有人說，「伴食宰相」誰不會當呢？挑一個窩囊的不就行了嗎？那可不一定。任何社會裡都有那麼一群人，自己沒能力，還看不慣別人有能力，專門給人使絆子、搞破壞。能夠當「伴食宰相」，沒能力不是關鍵，有道德才是關鍵。《尚書．秦誓》說得好：「如有一介臣，斷斷猗，無他技；其心休休焉，其如有容；人之有技，若己有之，人之彥聖，其心好之，不啻若自其口出，是能容之，以保我子孫黎民，亦職有利哉。」一個好宰相應該是什麼樣子呢？他不一定有多大本事，但是一定要心胸開闊，能容人。別人有什麼技能，他就像自己有技能那麼高興。別人說出什麼漂亮話，他也像自己說了漂亮話一樣開心。這樣的人就是好宰相。盧懷慎就是這樣的人。套用姚崇的話：忠厚之相，豈易得哉！姚崇有能，盧懷慎有德，兩個人互補，這就是宰相搭配的典範。

玄宗給姚崇搭配盧懷慎，給宋璟搭配的宰相叫蘇頲。蘇頲又是什麼人呢？蘇頲比盧懷慎能幹，他有幾大優點。首先，蘇頲是個才子。他是武則天時候的宰相蘇瓌的兒子，從小號稱神童，出口成章。有一個小故事記載在《明皇雜錄》裡。說蘇頲剛會說話的時候，有位京兆尹（相當於北京市長）是他爸爸的朋友，逗他玩兒，隨便問他：你說說看，京兆尹的「尹」字怎麼寫呀？蘇頲張口就說：「醜雖有足，甲不全身。見君無口，知伊少人。」把這個京兆尹聽傻了。小時候這樣了得，大了就更厲害了。蘇頲寫文章和張說齊名，張說封為燕國公，他封為許國公，兩人合稱「燕許大手筆」。據《新唐書》記載，唐玄宗發動唐隆政變，誅殺韋皇后的時候，連夜要起草好多文告。找誰起草的呢？劉幽求起草一部分，但是忙不過來。正好蘇頲在太極殿值班。讓他寫吧！蘇頲口授，旁邊有小吏筆錄。蘇頲在那裡文思泉湧，不斷地往下說，小吏跟不上，只好求蘇頲，說：蘇相公，您能不能說慢一點，我的手腕都要寫斷了！唐玄宗也愛好文學，對蘇頲佩服得五體投地，每次讓蘇頲起草詔書，都跟他交代說，這個詔書是要下發的，我這裡留不下，麻煩你再寫個副本留在我這兒，我好跟你學習怎麼寫文章。這不是極高的讚美嗎？宋璟是個儒臣，現在讓蘇頲這個文人跟他搭配，以文輔儒，政治空氣都顯得更加飄逸。

但是，才氣縱橫還不是蘇頲的唯一優點。蘇頲最大的優點和盧懷慎一樣，是能夠擺正跟首席宰相的主從關係。盧懷慎擺正關係的做法是什麼事都讓姚崇辦，他不說話，就陪著吃飯。蘇頲不一樣。宋璟辦什麼事，他不是不做聲，而是幫著辦。每次宋璟到皇帝面前直言極諫的時候，他就在旁邊幫腔。蘇頲能侃，腦子轉得也快，很能夠給宋璟拾遺補缺。有時候宋璟和皇帝有分歧，皇帝比較強硬，眼看宋璟這根鐵筷子都要堅持不住了，蘇頲還在那裡堅持，一定協助宋璟把皇帝說服。所以，宋璟對蘇頲是百分之兩百的滿意。他曾經跟別人講，我和蘇家父子兩代都共過事。老蘇相公是忠厚長者，固然難得；但是要說到公而忘私、能做敢言，還是小蘇相公更勝一籌啊！宋璟和蘇頲為什麼關係這麼好呢？說到底還是因為玄宗搭配得好。這麼剛柔相濟一搭配，無論是起主導作用的，還是起輔助作用的宰相，都發揮了自己的最大能量。紅花綠葉交相輝映，這不又是兩全其美嗎？

第三個方略是愛護老臣、發揮餘熱的原則。姚崇辭職之後，玄宗馬上給他一個開府儀同三司的官銜。開府儀同三司是一品官，也是最高官階的文散官，雖然是個虛銜，但是從政治、經濟待遇來說，則無可挑剔。不僅如此，玄宗此後遇到政治難題，還會諮詢姚崇，讓他當顧問。這個顧問，可不是顧得上就問，顧不上就不問。玄宗規定，姚崇每五天就到宮裡來覲見一次皇帝，對大政方針發表意見，直到去世為止。這麼對待姚崇，也這麼對待宋璟。宋璟下臺後，玄宗特地對他說，愛卿你是國家的元老，也是我的股肱耳目。現在雖然不當宰相了，但是，你有什麼想法，一定即時告訴我。宋璟不是喜歡直言極諫嗎？一聽皇帝這麼說，馬上提了一堆意見。玄宗怎麼對待他這些意見呢？玄宗親筆給他寫了回信，說：你提的建議，我都貼在座位旁邊了，這樣我每天進來出去都能看到，終身都能受用。這對老臣是個多大的激勵啊！這麼做有什麼意義呢？現在好多老年朋友都覺得，退休是件很讓人難受的事。從個人的角度說，一下子閒下來，容易讓人感覺自己沒用了，產生失落感。那從單位的角度說呢？失去一個有長期工作經驗的伙伴，其實也是損失。但是，出於新陳代謝的需要，退休又是不可避免的事情。怎麼協調這種矛盾呢？看來玄宗的辦法就非常好，既順應時勢需要罷免老臣，又不忘舊恩，創造條件讓老臣繼續貢獻智慧，發揮餘熱。這不是既有人情又有原則，兩全其美了嗎？

講了這麼三個用人原則，大家肯定讚歎，這個玄宗，別看也才三十多歲，治理國家真有一套。這是什麼？這是帥才。而毫無疑問，姚崇和宋璟絕對是兩匹千里馬。經過他們前赴後繼的努力，開元盛世的規模初步奠定了。那麼，有了千里馬，唐玄宗這個慧眼識英才的伯樂是不是就可以高枕無憂，什麼都不用做呢？

三、君明臣賢：明君任用賢臣，賢臣輔佐明君，雙方相輔相成

可能有人會覺得，玄宗這麼做也挺舒服的呀！讓姚崇、宋璟他們在下面忙活，他在上面垂拱而治，這皇帝當得還滿滋潤。皇帝垂拱而治是不是真就沒事做？那可不是。玄宗在開元末年曾經講過，

他當皇帝三十年，天天都是四更起床。四更，那可是三點到五點啊！那他早起晚睡地都做什麼？他把很大部分的精力放在構思政治藍圖與精選宰相上了。開元八年，宋璟不是也罷相了嗎？讓誰接班呢？唐玄宗夜裡睡不著，冥思苦想。想到半夜，他把中書侍郎叫來，說：有一個人，我記得風度和操守都很好，是個當宰相的材料。這個人姓張，名字我一時想不起來，但是是兩個字的，現在在北方當將軍，你能幫我想想到底是誰嗎？中書侍郎說：是不是張齊丘啊？他姓張，名字是兩個字，現在擔任朔方節度使，是在北方。玄宗想了想說：有可能。你給我起草一份制書，讓他來當宰相。這個侍郎下去寫了。可是，玄宗心裡還是覺得不踏實。就在那裡翻以前大臣的奏疏。翻到後半夜，忽然看見張嘉貞[3]的奏書了。玄宗一拍腦袋，趕緊又派人把那個中書侍郎叫回來了，說：錯了錯了！不是張齊丘，是張嘉貞。你趕快給我重新起草一份！就這樣，隨著皇帝一夜未眠，新一代宰相又誕生了。

開元年間天下大治局面的出現，是建立在玄宗君臣共同努力的基礎上的。明君任用賢臣，賢臣輔佐明君，雙方相輔相成。開元初期的整體政治特色，概括起來說，正是君臣一心、奮發有為。這個時期隨著姚崇、宋璟離開宰相崗位基本結束了。那麼，玄宗心裡，又在勾畫著怎樣的藍圖呢？

請看下回：張說復出。

3 唐朝大臣，蒲州猗氏（今山西運城臨猗縣）人。開元年間宰相，一生性情剛直，生活簡樸，在任上崇尚刑清政簡，處事善於疏導開通，時人譽之。他的兒子、孫子也都官至宰相，後人稱他們祖孫三代為「張三相」。

【第十五回】

張說復出

開元九年（七二一年）七月，一紙命相制書從長安到達并州，也就是今天的山西太原。任命天兵軍節度大使張說為兵部尚書，同中書門下三品。接到制書，張說熱淚盈眶。拜謝皇恩之後，他忽然跳了起來，拉住旁邊一個叫王毛仲的大臣，連蹦帶跳。蹦跳了幾下之後，他又忽然跪倒在地，連連親吻王毛仲的靴子尖。張說是唐玄宗先天政變的功臣，開元初年被姚崇略施小計，貶到地方的。他為什麼又被重新拜相？張說拜相，為什麼會那麼激動呢？

一、新時代，新需要：發展文治武功，玄宗欲帶領唐朝走向真正盛世

經過玄宗君臣六、七年的努力，唐朝出現天下大治的局面。按照筆記小說《開天傳信記》的說法，就是「四方豐稔，百姓殷富」。國家富裕了，百姓安定了，唐玄宗心裡又思索起國家下一步該向何處去呢？思考來思考去，唐玄宗覺得，現在，大唐已經擺脫亂象，逐漸實現治理，現在最重要的工作就是迎接盛世的到來。什麼叫盛世？盛世的基本標準就是文治昌明、武功強盛。既然如此，那就應該從文治武功兩個角度下工夫。當時唐朝文治武功的情況怎麼樣呢？一句話，狀況不好，有待提高。

先看文治。本來，從武則天後期到中宗、睿宗時期，曾經有一段時間特別重視文化。武則天經常搞賽詩會，像李嶠、宋之問這樣的大詩人都活躍在政壇，才女上官婉兒更是成為幾朝的文壇領袖。可是，到了開元初年，出於整頓亂象、穩定社會的需要，唐玄宗選相趨向於重實幹、崇道德、尚質樸。雖然也延請著名學者馬懷素、褚無量等人侍讀經典，但是總體說來，文學之士並不受到重視。唐朝不是號稱詩的國度嗎？但是在整個開元初期，長安乃至洛陽的詩壇都一片沉寂，沒產生任何一個大詩人或者任何一篇大作。這樣務實的態度在開創階段無可厚非，但是，如果要追求盛世的話，那就顯得太質樸、太沉悶了。畢竟，盛世既得是政治盛世、經濟盛世，也得是文化盛世；更何況，唐玄宗本人也是個不錯的文人，也不能長期接受這樣質樸無文的局面啊！

再看武功。我們說過，姚崇的「十事要說」之一就是「三數十年不求邊功」，繼任的宋璟更是忠實地執行他這條國策，甚至不惜讓郝靈荃含恨而死，這就叫做「不賞邊功防黷武」。這個政策在開元初年休養生息的時代是可以的，但是，長期執行就有問題了。為什麼呢？因為唐玄宗開元年間，正是

唐朝的幾個周邊民族強盛的時刻，且不用說唐朝傳統的敵人突厥，連契丹與奚族[1]這樣的東北小民族都逐漸壯大起來，不斷騷擾唐朝。這就是所謂的「樹欲靜而風不止」。玄宗剛即位那年，契丹一直打到幽州城下。當時，宋璟還在擔任幽州都督，因為武力不夠，只好閉城不出，眼睜睜地看著契丹大肆擄掠一番。這還不算，開元二年，唐朝集中六萬大軍攻打契丹，結果又被打得落花流水，百分之八、九十的戰士都命喪疆場。連這樣號稱「小番」的民族都對付不了，還談什麼盛世啊！現在，經過幾年的勵精圖治，唐玄宗打算加強武備、宣揚國威了。畢竟，他也是一個從小就熱中騎射的皇帝，怎麼能容忍整天挨打受氣呢！

唐玄宗不滿足於現狀，他想要發展文治武功，想要帶領唐朝走向真正的盛世。那麼，當時的宰相能不能協助唐玄宗實現自己的理想呢？非常遺憾，當時的宰相承擔不了這樣的責任。我們在上一回提過，宋璟罷相之後，唐玄宗任命了一個叫張嘉貞的人當宰相。張嘉貞這個人在歷史上以「吏事強明，善於敷奏」著稱。什麼意思呢？就是這個人辦事精明強幹，而且擅長向皇帝彙報工作。這個評價對於一個普通大臣來講不低了，可是對於一個宰相來說就不算高。因為無論是辦事還是說話，這都屬於事務性的工作，做得好也只能說是個將才。可是，一個宰相最重要的是要有把握方向、統觀全域的能力，就像當年姚崇提出「十事要說」那樣。現在，玄宗已經著手開拓新局面了，張嘉貞這樣的事務型宰相就顯得力不從心。雖然玄宗暫時還沒有罷免張嘉貞的打算，但是，他的心裡已經在物色更適合的

1 東北地區古族名，南北朝時稱庫莫奚，唐簡稱奚。分布在饒樂水（今內蒙古老哈河）流域，遊牧生活。長期和中原王朝保持朝貢關係，後漸與契丹人融合。

人選了。那麼，誰能來協助玄宗實現文治武功呢？這時候，有一個人的形象愈來愈清晰地浮現在玄宗的腦海裡。誰呢？就是我們開頭提到的張說。

二、張說復出：非純粹文人，非純粹武夫，他允文允武，符合時代

為什麼是張說呢？因為張說是當時能夠把文治、武功兩大優點匯聚於一身的代表人物。文治方面，張說是少年天才，曾經在武則天時期的制舉考試中擊敗萬名考生，拔得頭籌，相當於今天的高考狀元。武則天特別欣賞他的清詞麗句，還讓他在自己的面首張昌宗、張易之兄弟搞的「三教珠英」編輯部裡當過編輯。後來因為仕途坎坷的緣故，張說的文詞逐漸擺脫輕狂，變得愈來愈高潔醇厚。我們剛才不是說開元初年兩京沒產生什麼好詩人、好作品嗎？當時張說在幽州當都督，倒是寫出一首膾炙人口的好詩《幽州夜飲》：「涼風吹夜雨，蕭瑟動寒林。正有高堂宴，能忘遲暮心？軍中宜劍舞，塞上重笳音。不做邊城將，誰知恩遇深。」這首詩因為入選了《千家詩》[2]，所以今天很多人都會背。不過，張說最擅長的還不是做詩，而是寫碑文、墓誌一類的大文章，當時天下文人都來效仿他的文風，所以號稱「一代文宗」。我們上回不是還說過，蘇頲和他齊名，號稱「燕許大手筆」嗎？現在如果由他來推進文治，當然是最合適的人選了。

可是，別以為張說只是個手無縛雞之力的文人。張說在唐中宗一朝就擔任兵部侍郎，自從開元元年離開朝廷後，更是沒少擔任軍職。幾年歷練下來，武功也相當了得。當然，我們說的武功不是指像李小龍那樣會拳腳，而是說他會打仗，有膽有識。舉個例子。一般文人難免膽小，但是張說膽子特別

大。開元八年（七二〇年），張說正在擔任天兵軍節度大使。天兵軍常駐太原，緊挨著天兵軍的是朔方軍，駐紮在今天寧夏的靈武。這兩軍都駐紮在當時的胡漢交界地區，所以，境內有很多投降的少數民族部落。這一年秋天，朔方節度使因為懷疑自己轄區內已經投降的突厥部落謀反，把他們給誘殺了，這下子讓張說管轄下的其他部落也緊張起來。這是不是唐朝的計畫呢？先殺突厥，再殺我們，一個個殺光？所以，幾個部落都人心惶惶。這些部落要是騷動起來，那對唐朝的穩定可是大大的不利。怎麼安撫這些人呢？張說讓副大使看家，自己率領著二十名騎兵，直奔這些部落。到了這些部落之後，他就住在首領的牙帳裡，給他們講朝廷的政策，做思想工作。聽傳令兵回來說，張說居然就住在部落首領的牙帳裡，跟人家同吃同睡，可把副手給嚇壞了，那不等於以身飼虎嘛！副大使趕緊給張說寫信，讓他千萬不要輕信這些少數民族，要離他們遠一點，保護好自己。張說怎麼回答的呢？他說：「吾肉非黃羊，必不畏食；血非野馬，必不畏刺。士見危致命，此吾效死之秋也。」意思是說，我的肉不是黃羊肉，我不怕被吃；我的血也不是野馬血，所以也不怕被喝。如今情況危急，這正是我報效朝廷的時候。我意已決，不必再勸！張說這樣做了，那些反側難安的少數民族怎麼樣了呢？要知道，少數民族絕不像副大使想像的那麼不可信，相反，看到張說這麼信任他們，幾個部族都非常感動，真的就安定下來了。這不是有勇有謀嗎？

這還不算，開元九年（七二一年）四月，有一批胡人又造反了。這批胡人本來已經投降唐朝，被

2 中國舊時帶有啟蒙性質的格律詩選本。所選詩歌大多是唐宋時期的名家名篇，易學好懂。《千家詩》在民間流傳廣泛，影響深遠。雖然號稱千家，實際只錄有一百二十二家。

安置在河曲地區，也就是黃河拐彎處。唐朝給他們設立六個羈縻州（自治州），讓他們在這六個州生活。所以，這件事在唐史上被稱為「六胡州事件」。造反的胡人有六、七萬人，能征善戰，很快就控制六胡州。而且，隨著他們勢力的增大，生活在今天寧夏地區的黨項族[3]也和他們聯合起來了，眼看局面就要失控。要知道，河曲地區離長安可不算太遠，這不是腹心之疾嗎？玄宗趕緊派河曲周圍的幾支節度使軍隊聯合討伐，張說的天兵軍也不例外。接到命令之後，他就帶著一萬多騎兵，浩浩蕩蕩往西殺過去了。張說沒有和造反的胡人交戰，他的目標是胡人的盟軍黨項。黨項族後來在宋朝時建立西夏政權，以善戰著稱，但是當時實力還不行，很快就被打得落花流水。怎麼辦呢？他們想，索性戴罪立功吧！直接掉過頭去打叛亂的胡人，相當於起義。對這些先有過後立功的黨項人該怎麼辦呢？有人主張說，他們是反覆小人，不如都殺了算了。張說一聽就火了，說：我們是王者之師，又不是土匪，怎麼能殺已經投降的人呢！堅決不殺。這樣一來，黨項人很感動，也安定下來了。通過這兩件事，張說在人們心目中的形象一下子豐滿起來，他不是一個純粹的文人，也不是一個純粹的赳赳武夫，他是允文允武、文武雙全！現在唐玄宗想要提升文治武功，張說就是最好的人選！

可能有人會想，張說可是先天政變的功臣，當初姚崇之所以能把他擠走，很重要的一個原因就是玄宗不想用功臣當宰相。現在重新起用張說，不是和當時的原則衝突了嗎？有道是，此一時也，彼一時也。當初不讓功臣當宰相，是害怕他們政變思維不改，不利於穩定。可是現在，經過將近十年的時間，好多功臣都已經不在人世了，而且李唐王朝也早已穩定下來，誰也撼動不了，所以，對功臣一味打壓、防範的思路也該改變。張說不僅是功臣，他還是能人，總是棄之不用，不就浪費了嗎？另外，我們不要忘記，張說跟玄宗的關係可不一般。他是玄宗當太子時候的老師，當年沒少幫玄宗出謀畫策，更沒少維護玄宗的利益，玄宗是個重感情的人，怎麼忍心讓老師一直流落邊疆呢！

就這樣，因為張說文武兼資，符合玄宗當時的任相需求，也因為經過十來年的時間沉澱，功臣不再是犯忌諱的身分，唐玄宗就把目光鎖定在張說身上。開元九年（七二一年）七月，任命張說為兵部尚書、同中書門下三品。要知道，張說上一次當宰相還是在開元元年，經過差不多十年的歷練，他終於梅開二度，復出了。

三、張說的努力：自我提拔，主動營求當宰相，引起玄宗注意

讀到這裡，恐怕有些讀者會感慨，在唐玄宗手下打工太幸福了。他的兩隻眼睛就像探照燈一樣，能夠照遍各個角落，不管你在天涯還是在海角，只要你有優點，總能把你找出來。這樣一來，你只要好好修練內功、提升能力就可以了，哪像我們現在，還要想方設法推銷自己。這話就是只知其一，不知其二了。姚崇、宋璟他們也許還可以說是內功深厚，酒香不怕巷子深，但是，張說可就不一樣了。張說能當上宰相，除了皇帝賞識外，也沒少費工夫包裝、推銷自己。他這次復出，就和他長期堅持不懈的自我推銷有很大關係。那他是怎麼推銷自己的呢？

按照《明皇雜錄》的記載，張說第一次推銷自己還是在開元五年（七一七年）。當時，他從宰相

3 中國古代北方少數民族之一。南北朝時遊牧在今青海東南部河曲和四川松潘以西山谷地帶。唐朝時，遷徙至今甘肅、寧夏、陝北一帶。北宋時建立以黨項族為主體的西夏政權。

崗位上下來後，一貶再貶，成了岳州刺史。岳州就是湖南的岳陽，從唐到宋一直是朝廷貶官的去處。北宋文豪范仲淹一篇大名鼎鼎的《岳陽樓記》，第一句話不就是「慶曆四年春，滕子京謫守巴陵郡」嗎？這個巴陵郡就是岳州。張說流落到這裡，正是人生最低谷。貶官當然是人生的一大打擊，古人面對這樣的困境，表現也是各不相同。有人沮喪，有人曠達，當然，還有像范仲淹那樣的仁人志士，更是生出了「居廟堂之高則憂其民，處江湖之遠則憂其君」的大境界。那麼，張說是怎麼面對貶謫生涯的呢？我們看一看他在岳州做的詩就知道了。張說《岳州作》是這樣寫的：「夜夢雲闕間，從容簪履列。朝遊洞庭上，緬望京華絕。潦收江未清，火退山更熱。重欷視欲醉，懵滿氣如噎。器留魚鱉腥，衣點蚊虻血。髮白思益壯，心玄用彌拙。冠劍日苔蘚，琴書坐廢撤。唯有報恩字，刻意長不滅。」也就是說，我雖然身處岳州，但是，日日夜夜忘不了長安、忘不了朝廷。我無心彈琴，也無心舞劍，因為我的一腔熱血，只願報效皇上！一句話，張說時時刻刻都想回到長安，建功立業。可是，做為一介貶官，怎麼才能翻身呢？張說瞄上剛剛當上宰相的蘇頲。他和蘇頲的爸爸蘇瓌曾經長期共事，關係不錯。怎樣才能借助這個關係，讓蘇頲給自己美言幾句呢？

張說想來想去想出一個辦法。當時，蘇瓌去世好幾年了，而且忌日快到了，張說就精心構思一組詩，題名為《五君詠》。所謂五君詠，其實吟詠的就是唐朝的五位著名大臣，蘇瓌是其中之一。張說想把這首詩拿給蘇頲，去祭奠蘇瓌。不過，這首精心寫就的詩可不能隨隨便便地送，而是要送得恰逢時機、恰到好處。怎麼叫恰到好處呢？張說找來送詩使者，並交代他，你提前幾天去，在蘇頲家附近找一間旅館住下來。等忌日那天，你別早也別晚，一定要等黃昏時候送過去。然後看看蘇頲的反應。使者按照張說的吩咐，在蘇瓌忌日那天傍晚，來到蘇頲家門口。蘇頲父子可都是宰相啊！威望高，影響大，所以，當時很多人跟他們結交，要攀附他們，這時候，已經坐滿一屋子客人，滿朝文武基本上都來報到。正在這時，張說的使者把詩送進來。蘇頲拿過來一看，這首詩寫得相當有水平：「許公信國楨，克美具瞻情。百事資朝問，三章廣世程。處高心不有，臨節自為名。朱戶傳新戟，青松拱舊塋。淒涼丞相府，餘慶在玄成。」此詩寫得不僅深情款款，而且，把蘇瓌父子兩代人都誇到了。按照這首詩的說法，蘇瓌雖然長眠地下、墓木已拱，可是，後繼有人，兒子又當了宰相，這就叫做積善之家有餘慶！全詩遣詞造句好還不算，關鍵是最後一句用典用得好。「餘慶在玄成」是什麼意思呢？這裡用了西漢韋玄成的典故。韋玄成的爸爸韋賢是漢宣帝時候的宰相，韋玄成本人又是漢元帝的宰相，用這對宰相父子來比喻蘇頲父子，那是相當貼切。更重要的是，《漢書・韋賢傳》說得很清楚，韋玄成不僅在仕途上不輸其父，而且文采方面還超過爸爸。這不恰是蘇頲的寫照嗎？要知道，詩雖然是寫給死人的，但是讀詩的可都是活人，張說這麼拐著彎地誇蘇頲，蘇頲能不明白其中的意思嗎？況且，送詩又是在這樣一個高朋滿座的重要時刻，在黃昏落日這樣一個容易讓人感情脆弱的特定時間。蘇頲果然被打動，看了詩後，當堂嗚咽流涕、悲不自勝，客人們也都為之動容。那蘇頲不能白感動，轉過天來，他就在朝廷大講特講張說的忠貞正直，說：這樣的大臣怎能長期淪落蠻荒之地呢？蘇頲這樣說了，那天到過他家的大臣們也都紛紛附和。結果，唐玄宗很快把張說升為荊州長史。

可是，荊州長史絕不是張說的終極目標，這只是萬里長征走完第一步罷了。革命尚未成功，同志仍須努力。張說還要接著推銷自己。張說第二次推銷自己就不是對宰相，而是直接面對皇帝了。怎麼回事呢？根據《新唐書》的記載，開元七年（七一九年），張說擔任幽州都督。有一次入朝，張說穿著一身軍裝就來面見皇帝。玄宗一看張說雄赳赳氣昂昂的樣子，不由得大喜過望。有人可能不解，張說穿軍裝，皇帝有什麼可高興的呢？要知道，當時已經是開元七年，玄宗心中開疆拓土、建立武功的思想開始抬頭。張説雖然一直遠在邊疆，但是，對皇帝的思想動向摸得一清二楚。他這次軍裝秀其實就是一次自我包裝，目的就是想告訴皇帝，我雖然以文知名，但是，您別以為我只是個文弱書生，我也可以成為赳赳武夫。我的軍事才能和我寫文章的才能一樣高明。您不用我用誰呢？果然，在這身戎裝的視覺衝擊下，玄宗上鉤了，馬上提拔他為并州長史，兼天兵軍節度大使。這并州可是李唐王朝的龍興之地，長官都由王子兼任，所以長史看起來是副手，實際上就是最高領導，一般不會輕易授給普通大臣的。并州長史是個文職，天兵軍節度大使就是武職了。天兵軍也是當時最強的軍隊之一，是唐帝國的北方長城。所以玄宗這一次任命，就等於認可了張説文武兼資的身分。這距離他當宰相不就只有一步之遙嗎？

不過，一步之遙也是距離，張説是怎麼走完這最後一步的呢？通過上面兩個故事，大家肯定能猜出來，他一定又推銷自己了。沒錯。這次推銷的對象是誰呢？就是我們在本回開頭提到的王毛仲。他本來是唐玄宗的家奴，為人聰明伶俐，唐玄宗兩次政變他都幫了大忙，所以，是唐玄宗的心腹紅人。張説明白，要想讓皇帝賞識，打點好皇帝的親信最重要。他在皇帝面前美言幾句，很可能比別人千言萬語都管用。怎麼打點王毛仲呢？兩個途徑。第一，用彼此都是當年政變功臣這個身分去溝通感情。我們講過，張説和王毛仲都是先天政變的功臣，雖然開元初年貶逐功臣之後就分道揚鑣了，但是，曾經的患難經歷豈能輕易忘掉。第二，利用人的貪欲加強感情。張説知道，王毛仲出身寒微，容易被金錢打動。所以，從張説擔任并州長史起，他就經常給王毛仲敬獻金銀珠寶，王毛仲當然對他印象特別好。剛才不是說開元九年六胡州的胡人造反嗎？不僅張説派兵增援，王毛仲也被唐玄宗派來增援。兩個人見面分外親熱。就這樣，張說在戰場上英勇殺敵的戰功和高瞻遠矚的眼光，就通過王毛仲這條管道一一輸送給唐玄宗。王毛仲的美言讓玄宗下了最後的決心——讓張說復出，讓張說輔佐我走向盛世！正因為王毛仲在這裡所起的特殊作用，張說在接到宰相委任狀的時候，才會在他面前手舞足蹈，甚至去親吻他的靴子尖。確實，張說能夠復出，付出了多少心血，他能不激動嗎？

那我們怎麼評價張說的這些努力呢？好多人會說，這不是小人行徑嗎？太沒有大臣風骨了。中國傳統文化提倡謙謙君子、恬淡退讓，像諸葛亮高臥南陽，單等著讓人三顧茅廬，那才叫有氣度。像張說這樣費盡心機，主動營求當宰相的，我們往往會覺得過於巴結，甚至會覺得是個小人。但是我們也要知道，人之為人，不僅僅在於他有人的身體，更在於他有人的靈魂、有人的追求。有本事的人往往是不甘寂寞的，他有自我實現的欲望。可是，如果把自我實現完全寄託在別人身上，那又是不牢靠的。就連毛遂那樣的聰明人，也要靠自薦才能被趙國的平原君賞識；孔子那樣的聖人，不是也還要周遊列國，到處尋求理解嗎？這些人之所以不清高，是因為他們有才華，也有雄心。這種才華和雄心如果不能施展，那不僅是對他們個人的浪費，其實也是歷史的損失。張說正是一個這樣的人。

不可否認，張說的功名心確實比較明顯，但是，如果沒有這種功名心、沒有這種孜孜不倦的努力，他和玄宗之間的君臣遇合就不能實現，唐史也不會這麼精采了。皇帝到處尋找人才，臣子努力讓皇帝了解自己，這不同樣是千載難逢的君臣遇合嗎？那麼，經過這樣曲折的經歷才終於重登相位的張說，會為唐朝做出怎樣的貢獻呢？

請看下回：二虎相爭。

【第十六回】

兩虎相爭

上一回我們講到，集文治武功於一身的政壇明星張說，得到唐玄宗李隆基的賞識，迅速東山再起，成為李唐王朝的新任宰相。按照以往的慣例，唐玄宗通常只設置兩位宰相，一主一輔，相互配合。可是當張說進入宰相班子的時候，他的前面已經有了張嘉貞和源乾曜兩位宰相。那麼，唐玄宗為什麼要打破慣例，設立三位宰相呢？「三駕馬車」能否同舟共濟、各盡其能，輔佐唐玄宗呢？

唐玄宗開元十二年（七二四年），宰相們奉命在中書省宴請前任宰相張嘉貞。幾番推杯換盞之後，大家都有點醉意了，這時候，張嘉貞指著當朝宰相張說的鼻子破口大罵，說：張說，你這個小人！要不是你陷害，我才是這裡的主人！你還有臉在這兒請我吃飯！張嘉貞愈罵愈激動，捋胳膊、挽袖子就要打張說。宰相打架，成何體統，旁邊人趕緊把他們倆拉開了。我們講玄宗一朝的宰相更迭可不是一次、兩次，每次都是平穩過渡。宋璟當宰相，還是姚崇推薦的，這才是英雄惜英雄、好漢憐好漢。怎麼到他們倆這兒，會出現這種尷尬局面呢？

一、三駕馬車：玄宗打破以往標準，改任用三人為相的原因

開元九年（七二一年），張說通過艱苦的努力，當上宰相。按照以前慣例，新一任宰相上臺，上一任的宰相班子，也就是張嘉貞和源乾曜肯定要讓位。是不是這樣呢？不是。張嘉貞繼續當中書令，源乾曜繼續當門下侍中，而張說則被任命為兵部尚書同中書門下平章事。這就不是換宰相了，而是又增加一位宰相。本來唐玄宗上臺之後，一改以前多相制的做法，只設一主一輔兩個宰相。為什麼到張說這裡就變成了三駕馬車了呢？恐怕有三個原因不容忽視。

第一，張嘉貞和源乾曜當宰相剛剛一年多，而且沒有明顯失誤。此時卸任，不符合玄宗設定的任相週期。姚崇、宋璟都是當了三年多宰相才下去的，三年多也算是一個差不多合理的行政週期，足夠讓人有所成就。可是一年多的時間太短了，人家還沒來得及把頭三腳踢開呢！就被罷免，這不太合適。另外，這一年多的時間裡，張嘉貞和源乾曜表現也還不錯。張嘉貞是唐玄宗半夜睡不著覺欽點的

宰相。之所以欽點他，是因為有一件事給唐玄宗留下深刻的印象。那是開元六年（七一八年）的時候，有人報告說張嘉貞在地方驕奢淫逸、貪污受賄。唐玄宗馬上組織人調查。結果一查，根本沒有這回事，純粹是誣告。玄宗很生氣，要治誣告者的罪。沒想到，張嘉貞出面勸阻了。他說，陛下要知道「兼聽則明，偏聽則暗」，廣開言路，這才是國家興旺的根本。現在陛下如果治這個人的罪，以後大家都覺得大臣惹不得，誰還敢說話啊！萬馬齊喑，這不是比告狀不實更可怕嗎？玄宗一聽大為感慨，覺得張嘉貞很有全域觀念，而且有度量，是個當宰相的料。當即就跟張嘉貞說：你好好幹，我以後會重用你的。一般人聽到皇帝這麼說肯定會唯唯諾諾，表示會努力工作，爭取再立新功。而張嘉貞的回答卻與眾不同。他說：「今志力方壯，是效命之秋，更三數年，即衰老無能為也。唯陛下早垂任使，死且不憚。」也就是說，我現在年富力強，正是工作的好時候，再過幾年，我可就老了，想做也動不了。所以，您要是想重用我，麻煩您趕快重用，否則就來不及了。這一席話說得怎麼樣？有人可能覺得太性急了吧！沒見過這麼要官的。

可是唐玄宗不這麼想。他從這番話裡聽出張嘉貞卓越的口才、清楚的思路和建功立業的熱情。難得一個人要官要得這麼清楚明白，更難得一個人有這樣的熱情。有熱情，工作起來才會有闖勁兒，這是好事。所以對張嘉貞的印象超好，這才提拔張嘉貞當宰相。

提拔一年多以來，張嘉貞雖然沒什麼特別的建樹，但也還稱得上是精明強幹。更難得的是他比較清廉。他雖然貴為宰相，但是沒買過地。中國古代是農業社會，誰有錢都投資土地、當大地主，這和今天投資房地產是一個道理。可是張嘉貞堅持不買地，就靠工資吃飯。有人勸他別太傻，要為自己的將來打算。張嘉貞說了：我是宰相，只要不犯罪，再怎麼也不會餓死。你們勸我買地，無非是說替兒孫打算。可是兒孫如果有本事，就不用靠我留下的財產生活；兒孫要是不學好，我留下的財產愈多就愈是害了他們，所以還不如不留。這話說起來大家肯定都認可，可是即便到今天，有幾個人能做到？張嘉貞就做到了。既精明又廉潔，這也算是不錯的宰相。

張嘉貞不錯，源乾曜也不錯。源乾曜為人謹慎，最大的優點是以身作則。當時不是為了提高地方官員的素質，號召京官和外官互相調動嗎？但是，一般京官還是不願意到地方，阻力很大。在這種情況下，源乾曜主動提出來，我的兒子都在中央任職，現在既然國家號召京官下放鍛鍊，那就從我這個宰相做起。我有三個兒子，就讓兩個到外地好了。一看宰相的兒子都到外地了，那其他官僚也沒什麼好說的，一下子，公卿子弟到外地當官的就有一百多名。宰相能這麼率先垂範，唐玄宗也覺得非常滿意。也就是在張嘉貞和源乾曜這一任上，玄宗開始推行宰相食實封的制度。就是在宰相的工資之外，另外給他們三百戶的封戶，這也表明玄宗對他們工作的肯定。這兩位宰相既然幹得不錯，怎麼能說罷免就罷免呢？

第二，張說和張嘉貞有很多共同之處，所以，不存在互相替代的問題。拿姚崇和宋璟來說，姚崇善變，宋璟守正，所以，讓宋璟代替姚崇，其實是根據時局發展的需要，以一種工作方法代替另外一種工作方法。但是張說和張嘉貞就不是這樣了。他們倆不存在這樣的替代關係，相反，倒是有很多共性。首先，從個性上講，兩個人都屬於積極進取型。張說為了當宰相不斷營求，張嘉貞聽說皇帝要重用他不也急不可耐嗎？這是個性相似。另外，兩個人的個人素質也很相似。玄宗看中張說的是他的文治與武功，其實，在這兩方面張嘉貞也不差。先說文治。張說是制舉出身，得過第一名，張嘉貞雖然成績沒那麼好，但也是制舉出身。另外，張說以文采著稱，號稱一代文宗、燕許大手筆；張嘉貞名頭沒這麼大，但是，他擅長寫碑文。他曾經寫過一篇定州恆嶽廟的碑文，也是傳誦一時。光是潤筆費，張嘉貞就拿了幾萬錢。為什麼張嘉貞這麼不客氣呢？因為他覺得自己的文章值這個價！更有趣的是，兩個人欣賞的文人都一樣。唐朝有一個大詩人叫王翰，寫過著名的《涼州詞》：「葡萄美酒夜光杯，欲飲琵琶馬上催。醉臥沙場君莫笑，古來征戰幾人回。」這個王翰詩寫得好，但是為人太傲慢了，整天以為老子天下第一，一生經常遭別人忌恨。但是，有兩個人不忌恨他，反倒賞識他、提拔他，誰呢？一個是張嘉貞，另一個就是張說。這件事在《舊唐書．王翰傳》中記載得清清楚楚：「并州長史張嘉貞奇其才，禮接甚厚，翰感之，撰樂詞以敘情，於席上自唱自舞，神氣豪邁。張說鎮并州，禮翰益至。」先後幫助同一位詩人，可以看出來，在文學方面，張嘉貞和張說品味是何等相似。再看武功。張說是從天兵軍節度大使的身分上被提拔為宰相的，那天兵軍是誰提議創立的呢？就是張嘉貞。張嘉貞也是第一任天兵軍節度大使。換言之，張說之所以能擔任天兵軍節度大使，是因為前任大使張嘉貞當上宰相，這才騰出的崗位。這樣看來，武功方面，兩個人也是同道中人。因為兩人有這麼多的共性，所以玄宗覺得，即便任命張說，也不必罷免張嘉貞，兩個人性情相仿，正好相互促進。換句話說，在玄宗的心目中，引進張說只是為了加強工作，而不是要改變什麼工作作風，當然也就不必換宰相班子。

第三，張說當上宰相不久，就被派到北方去兼任朔方軍節度大使。所謂節度使，就是邊疆地方的軍區長官。朔方節度使的駐地在今天寧夏靈武。怎麼宰相還要兼任節度使呢？因為朔方又出事了。

上一回講過，張說之所以拜相，很重要的一個原因就是他協助朔方節度使平定河曲地區胡人的叛亂。可是，叛亂平定沒多久，這個地方又亂起來了。怎麼回事呢？當時的朔方節度使叫王晙，胡人叛亂，包括張說在內，好幾個節度使都奉命協助他討伐，王晙也都接受了。可是有一個節度使叫郭知運，平時跟他關係不好，這時候也接到協助討伐的命令。王晙不喜歡他，就給中央打報告說，別讓他來了。古代資訊傳遞慢，朝廷的批覆還沒下來，郭知運已經帶著兵來了。之後聽說王晙居然打這樣的報告，心裡當然生氣，他想：我都不計前嫌來幫你，你倒不領情。你不是不用我幫忙嗎？我偏幫，我幫倒忙。怎麼幫倒忙呢？本來胡人都已經向王晙投降了，他又帶兵去打。胡人不明就裡，還以為王晙言而無信，故意出賣他們，就又騷動起來。兩個將軍因為私人恩怨惹出這麼大的麻煩，唐玄宗當然很生氣，就罷免了王晙的職務。那誰去接替他呢？張說參與過平叛工作，了解當地情況，就讓他去接手這個爛攤子。開元十年（七二二年）四月，張說離開長安，來到朔方。此時，胡人的騷動已經演變成一場規模不小的叛亂，直到這一年的十月份徹底平定，張說才得以返回長安。他離開這半年的時間，中央總得有人主持工作，所以，客觀上也需要張嘉貞繼續留任。

正是主、客觀原因共同作用的結果，導致唐玄宗一改以往拜相的風格，同時讓張說、張嘉貞和源乾曜三個人進入宰相班子，形成了獨特的「三駕馬車」格局。在這三個人中，源乾曜是一個甘當「綠葉」的宰相，所以問題不大，關鍵是張說和張嘉貞。這兩個人個性十足，該如何相處呢？特別是身為文壇領袖的張說，是否會甘於忍受屈居人下的境遇呢？

二、兩虎相爭：張說徹底扳倒張嘉貞，成為唐玄宗的首席宰相

當時，玄宗考慮到先來後到的順序，想讓張說協助張嘉貞。所以，在官職上，張嘉貞是中書令，

是正式宰相；張說則是同平章事，具有候補性質。顯然，唐玄宗想讓張說成為張嘉貞的好幫手，兩個人互相促進，共同為國家出力，這不是如虎添翼嗎？非常遺憾的是，這只是玄宗一廂情願的餿主意。這麼安排，不是如虎添翼，反倒引發兩虎相爭。怎麼回事呢？一句話，一山難容二虎，張說和張嘉貞都辭職了。

張說為什麼做不下去了？很簡單，因為他比張嘉貞能幹！我們剛才分析兩人的相似之處，其實就已經可以看出來，張嘉貞和張說雖然有很多共同之處，但是，幾乎在所有問題上，張說都比張嘉貞要強。明明能力強還要屈居人下，這可不是張說的性格。再說，雖然當時張嘉貞是中書令，是領導，但是倒退十幾年，唐中宗的時候，張說是兵部侍郎，張嘉貞是兵部員外郎，張說還是張嘉貞的直接主管呢！現在屈居老下屬的手下，張說覺得心裡不平衡，每次跟張嘉貞說話，總是言語帶刺。

可是，這樣一來，張嘉貞也不舒服了。張嘉貞是個性格很強勢的人，有一個例子最能說明他的個性。張嘉貞最初發跡還是在武則天時代。當時，他還是一介草民，因為替一個派察地方的侍御史寫了一篇工作彙報，侍御史欣賞他的才華，就把他推薦給武則天。武則天召見他，隔著簾子跟他說話。張嘉貞一看那簾子，馬上不做了。他說：「以臣草萊而得入謁九重，是千載一遇也。咫尺之間，如隔雲霧，竟不睹日月，恐君臣之道有所未盡。」意思是說，我一介小民，居然能夠見到陛下，這對我也是千載一遇的機會。可是陛下竟然在我面前擋一道簾子。這道簾子不僅擋住您的日月光輝，恐怕也有礙您的聖君之道吧！武則天一聽，趕緊把簾子撤去，讓張嘉貞領略一把真容。你想，張嘉貞當老百姓的時候就敢頂撞皇帝，這還不算性格強悍嗎？當了宰相之後，他這個性格就更突出了。按照《舊唐書・張嘉貞傳》的說法，就是「強躁自用，頗為時論所譏」。這樣的人怎麼能夠容忍別人不聽他的，瞧不起他呢？

就這樣，兩個人針尖對麥芒，彼此互不服氣。那麼，這個問題到底怎麼解決的呢？張說先出手了。從朔方回來，張說就開始動腦筋，怎麼才能把張嘉貞扳倒呢？他知道，要想踢開張嘉貞，關鍵問題在皇帝這裡。要讓皇帝改變對張嘉貞的印象，那就得見機行事。很快，張說抓住兩個機會。

第一個是開元十年（七二二年）冬天的打板子事件。當時有一個叫裴伷先的廣州都督犯罪了。廣州都督是地方大員，玄宗就召集宰相商量該怎麼處置。源乾曜一貫不做主，那就看張嘉貞和張說的了。張嘉貞做為首席宰相，先說：請陛下在朝堂上杖責，以殺一儆百。讓皇帝當著文武百官的面打他板子。玄宗還沒有表態，張說說話了。他說：不能這樣。過去有一個說法叫做「刑不上大夫」。因為這些人是皇帝身邊的重臣，要培養他們的自尊心和榮譽感。君臣之間有禮有義，這才像個朝廷的樣子。現在廣州都督犯罪，按照法律，要殺他可以，要流放他也可以，但是怎麼能在朝廷上打板子呢？這不是太不給他面子了嗎？有道是「士可殺不可辱」，如果陛下這麼對待大臣，豈不是讓天下士大夫寒心嘛！聽說我不在的時候，張嘉貞相公已經建議陛下打了好幾個大臣，過去的事情自然無法挽回，但求以後再也不要這樣了。玄宗一聽有道理，馬上宣布，按張說的意見辦理。

張嘉貞出來之後十分窩火，忍不住對張說發牢騷，說：你何必在皇帝面前危言聳聽，駁我的面子呢？而張說則義正詞嚴地說：「宰相者，時來即為，豈能長據？若貴臣盡當可杖，但恐吾等行當及之。此言非為伷先，乃為天下士君子也。」意思是說，我們這些當宰相的，誰也不是終身制。今天當宰相，明天可能就是個一般的大臣。如果我們今天建議打大臣板子，我害怕有一天板子也會落到你我身上。所以我說那些話不是單單為了裴伷先，而是為了天下士君子著想的，請您不要怪罪。這番話一說出來，不僅張嘉貞無話可說，在玄宗心目中，兩個宰相在他心中的位置也變了。玄宗當時不正要大興文治，打造一個文質彬彬的政府嗎？張說這番高論多麼符合儒家理想啊！相反，張嘉貞那一套就顯得過於粗魯了。看來，雖然張嘉貞也是制舉出身，也會吟詩作賦，但要論文治的精神，還是張說吃得透啊！

皇帝的態度轉變，這是成功的第一步。轉過年來，也就是開元十一年（七二三年），張說又逮住一個機會。什麼機會呢？張嘉貞有一個弟弟叫張嘉佑，因為貪污，被人告發了。張嘉貞兄弟感情可是不一般，兄弟兩個從小父母雙亡、相依為命。當年張嘉貞剛剛受到玄宗賞識，提的第一個要求就是把弟弟調到身邊工作。後來，這個弟弟也確實爭氣，當了三品的金吾將軍。兄弟兩個一文一武、出將入相，整個長安城沒有不羨慕的。現在張嘉佑犯罪了，張嘉貞心裡當然著急。這時候，張說來出主意了。他對張嘉貞說，皇帝對你們兄弟這麼信任，張將軍還犯那樣的錯誤，皇帝肯定很生氣。現在正在氣頭上，我勸你還是別去撞這個槍口。依我看，你也別上朝了，就在家裡素服待罪，表明悔罪的心態。皇帝看你態度好，可能就對張將軍從輕發落。張嘉貞別看性格強悍，其實心思挺單純的，而且當時心亂如麻，覺得張說的建議還滿有道理的，就真的沒上朝，穿上素服在家裡等著。那玄宗是不是就因此對他弟弟網開一面、從輕發落了？怎麼可能呢！有道是人在人情在，你在皇帝面前，跟皇帝說兩句好話，沒准皇帝還會給你個面子，其他人在論罪的時候也會口下留情，現在你人都不在這裡，別人還有什麼顧忌呢！何況，張嘉貞這樣的強悍性格，平時肯定沒少得罪人，現在這些人一看有機可乘，都紛紛落井下石。有人就講，張嘉貞不是號稱清廉嗎？其實不光他弟弟貪污，他也接受過人家的賄賂。當年有一個洛陽地方官在當地給他修了一座豪宅，後來他怕事情敗露，把這個地方官給逼死了。

還有人講，張嘉貞結黨營私，把自己的黨羽都安插到中書省……一系列問題都揭發出來了。結果，不僅張嘉佑被貶官，張嘉貞也被定了個治家不嚴的罪名，一併問責，貶到幽州[1]當刺史去了。張嘉貞不是沒上朝嗎？這回徹底不用上朝了。張嘉貞被貶官，中書令的位子誰坐呢？當然是張說了。這時候，張嘉貞才明白過來，原來自己被張說給耍了！所以逢人就講，中書令的員額有兩個，他張說要想當，可以和我一起當，何必非要這麼費盡心思整我呢！

被人耍弄、被人算計這種感覺太不爽了，張嘉貞一直難以釋懷。一年以後，張嘉貞又從幽州調回中央擔任戶部尚書，唐玄宗不是歷來優待卸任的宰相嗎？就讓張說和源乾曜在中書省宴請張嘉貞，沒想到仇人相見，分外眼紅，就演出了開頭那一幕，張嘉貞指著鼻子罵張說，恨不得當場打他一頓。但是，話又說回來，就算打他一頓，又能怎樣呢！

通過一步步的努力，張說終於徹底扳倒張嘉貞，如願以償地成為唐玄宗的首席宰相。張說和張嘉貞兩個宰相的紛爭，成為開元年間一個獨特的政治現象。那麼，身為大唐王朝的最高統治者，唐玄宗在兩虎相爭這個問題上，應該負怎樣的責任呢？而這場宰相之間的紛爭，到底反映出什麼問題呢？我想，除了感慨一下張說的心機之外，有三個問題值得關注。

第一，張說和張嘉貞之間的矛盾鬥爭，其實是玄宗處置失當的結果。從玄宗親政以來，只任命一主一輔兩個宰相已經成為政治慣例。這一次，玄宗自己違反慣例，搞出三駕馬車，其實就是把張說和張嘉貞放在競爭的位置上，這才引發一系列問題。換句話說，是先有玄宗的處置不當，才有張說的陰謀詭計與張嘉貞的氣急敗壞。這是玄宗的失誤。

第二，張說最後能取代張嘉貞，其實也是玄宗選擇的結果。張嘉貞為什麼會被罷相？是不是僅僅因為張說擅長搞陰謀呢？我覺得問題不在這裡。問題的關鍵在於玄宗的判斷。我們上一回講過，經過十多年的勵精圖治，玄宗已經準備迎接一個真正的盛世了。而盛世的標誌就是文治武功。論武功，張說已經有兩次平定叛亂的經歷，這兩次針對河曲地區胡人的勝利，也是唐玄宗當政以來最大的軍事勝利，這就是張說過硬的政治資本。論文治，張說是當時當之無愧的文壇領袖、一代詞宗。更重要的是，從打板子事件我們也看出來了，張說比張嘉貞更懂得君臣相處之道，也更懂得文治的精神。張嘉貞不是不好，史書對他有非常一致的評價，那就是他「尚吏」、「惓惓事職」。簡單地說，就是善於處理政事，尤其是具體工作。這些優點很重要，但是，隨著玄宗盛世夢想的展開，只有這樣的優點已經愈來愈不夠了。經過反覆比較，玄宗最終痛下決心，雖然張嘉貞也是他欣賞的宰相，但是，在好與更好之間，他還是要選擇更好。這是玄宗的明智之處。

第三，玄宗以往拜相，都要充分考慮到兩個宰相之間的配合度，盡可能建立一個高度協調的宰相班子。但是，這一次，張說是新插進來的宰相，而源乾曜則是留任宰相，兩個人的組合並非深思熟慮的搭配，而是臨時變動的結果。何況，在變動過程中，還經歷了那麼多的明爭暗鬥。可以想像，這種搭配，默契度不會太高。這恐怕也給以後的高層政治留下了隱患。

1 唐方鎮名，即范陽，州治薊縣（今北京）。先天二年（七一三年）置幽州節度使，天寶元年（七四二年）改名范陽節度使。管轄範圍大致為今河北北部、北京、天津和遼寧一帶。安史之亂後長期叛離唐王朝。五代後晉石敬瑭以燕雲十六州割讓契丹，改幽州為南京。之後幽州之名便不復存在。

但是無論如何，隨著張嘉貞離職，宰相制度又恢復到從前一主一輔的老路上去了，張說費盡心機，終於成了首席宰相。現在，他終於可以放開手腳幹一番事業了，他會做些什麼呢？

請看下回：牛刀小試。

【第十七回】牛刀小試

在唐玄宗的默許下，才高氣盛的張說略施小計，成功地排擠掉了最大的政敵張嘉貞，順利地成為唐玄宗內閣的首席宰相。而自從唐玄宗在開元元年真正執掌社稷以來，大唐王朝歷經十多年的發展，儘管初步顯現出盛唐氣象，但是一些積存已久的弊病也漸漸地顯露出來。那麼，此時出任首席宰相的張說，是否能夠解決這些問題呢？唐玄宗會放手讓張說一展拳腳嗎？

生活中大家都知道人事鬥爭很沒意思。不過，複雜的鬥爭也總有其理由。事實上，張說跟張嘉貞鬥也不完全是爭權奪利，他也有自己的理想，他想要輔佐唐玄宗幹一番大事業。經過從地方到中央幾年的歷練，他發現，唐朝在軍事、政治和文化上都存在著一些大問題、大弊病，他想集中權力，在自己手上解決這些問題。那麼，他都發現什麼問題了？

一、軍事改革：裁軍二十萬人，以增加農業勞力

張說發現，當時軍事領域存在的最大問題有兩個，第一是邊防軍太多了，第二是中央的衛兵太少了。先看邊防軍。當時唐朝駐守邊疆的士兵有多少呢？六十萬。有人說這也不算多。但是，判斷兵多還是少，關鍵看夠不夠用。張說在邊疆待了幾年，他知道，以當時的邊疆形勢，根本用不了六十萬兵。這些兵說是去駐守邊疆，其實好多人都成了白白給將軍們幹活的奴隸。這不是人才浪費嗎？怎麼辦呢？開元十年（七二二年），張說平定完河曲地區的胡人叛亂，回到長安後不久，就把心中醞釀已久的建議提出來了。他對玄宗說，現在邊境形勢比較穩定，不如減少二十萬的邊防軍，讓他們回家種田算了。玄宗一聽眼睛都瞪大了，說：邊防軍總數是六十萬，減員二十萬，這不就等於裁軍三分之一嗎？這規模太大了吧！何況，以前的將軍們都在跟我說兵力不夠，整天要追加兵額，現在你怎麼要裁軍呢？張說回答說，我在邊疆這幾年，太了解邊疆的情況了。我們大唐最大的威脅來自突厥，可是自從開元四年默啜可汗死後，突厥就衰落了，自顧不暇，哪還有精力跟我們打仗。再說，兵貴精，不貴多。以前的將領之所以整天讓陛下增兵，那無非是為他們自己考慮，一方面侵吞國家配給士兵的物

資，另一方面也是想要白白使喚這些士兵。哪裡真是出於鞏固邊防的需要。本來就用不了這麼多兵，現在河曲的胡人問題也解決了，更用不了這麼多人。所以，不如趁此機會裁員，讓這些士兵回家種田。要知道，農業才是國家的根本呢！玄宗說，你講得自然有道理，但是，一下子裁這麼多人能行嗎？張說一聽，慨然答道，陛下要是不放心，我張說願意以全家一百多口人做擔保，如果因為裁軍造成邊疆不穩，我們張家全家抵罪！玄宗見宰相如此有信心，也就表態說，既然如此，那就按照你說的辦吧！一下子，二十萬人解甲歸田了。

張說這個建議意義大不大呢？太大了。要知道，二十萬人就是二十萬家庭的主要勞動力，中國古代農業立國，農業是體力活，靠的就是青壯年勞力。這些人都走了，家裡頭誰來種地啊？要是地都拋荒了，那還談什麼開元盛世啊！所以裁軍是一項大大的德政。可能有人會想，當時玄宗銳意進取，張說能當上宰相，不是跟他的軍功直接相關嗎？那他為什麼還要裁軍呢？其實，這就是張說了不起的地方了。他是一個能打仗的人，但是他絕不想搞窮兵黷武。他知道，無論如何，國內發展才是大唐帝國的重心所在。能夠認識這一點、堅守這一點，就是好宰相，這也是開元盛世的真正思想基礎。

邊防軍解決了，再看中央的衛兵。中央的衛兵為什麼太少？因為都跑光了。這是怎麼回事呢？要知道，唐朝前期實行的是府兵制，府兵制最大的特點就是兵農合一。府兵本身都是均田的農民，平時在家種地，遇到戰爭就自己準備各種裝備隨軍出征。我們熟知的《木蘭辭》[1]不是講得非常清楚嗎？

1 亦稱《木蘭詩》，是我國南北朝時期北方的一首長篇敘事民歌。記述木蘭女扮男裝，代父從軍，征戰沙場，凱旋回朝，建功受封，辭官還家的故事，充滿傳奇色彩。與《孔雀東南飛》並稱「樂府雙璧」。

一旦木蘭決定替父從軍，馬上就得開始做各項準備了：「東市買駿馬，西市買鞍韉，南市買轡頭，北市買長鞭。」為什麼買這些呢？因為按照規定，府兵的裝備是要自己準備的。

除了出征和鎮守邊疆之外，府兵還要輪流到朝廷擔任衛士。這種制度最大的好處就是國家不用養兵，財政負擔小。但是，最大的壞處就是，府兵本身的負擔太大了。唐朝初年的時候，戰爭比較少，府兵還能負擔得起，而且，唐初立了功賞賜也多，好多人，像我們熟悉的英雄薛仁貴，還會自備行頭，當志願兵。但是，到了唐高宗、武則天以後，隨著「國際形勢」的變化，戰爭愈來愈多，府兵們逐漸意識到，到了戰場很可能有去無回啊！就算在戰爭中僥倖活下來，自己已經沒多少時間種地了。地種不好，家裡自然愈來愈窮，窮到一定程度，只好把地賣掉，賣了地，拿什麼去買軍事裝備呢？整個成了惡性循環，誰都不願意當府兵了。但是，政府手裡有兵籍，就像《木蘭辭》裡說的：「兵書十二卷，卷卷有爺名。」到時候就會召喚你，怎麼辦呢？只好逃跑。戶口本上還是長安縣某鄉的農民，實際上已經全家跑光。這種情況發展到唐玄宗執政時，已經非常嚴重了，根本就抽調不到足夠的人到長安城來宿衛。

怎麼辦呢？其實，這件事張說已經琢磨很久了。他對唐玄宗講，府兵制維持不下去了，不如索性花錢僱人當兵。凡是身體條件合格的，不管是什麼出身、經歷，只要他願意到長安來當兵，我們就花錢僱他。如果能這樣做的話，那當兵就不是一份義務，而是成了一份職業。既然當兵也能養家餬口，那肯定有人願意從事這個職業，就不愁沒兵了。玄宗一聽有道理，馬上在長安周邊幾個州發出招兵通知，結果怎麼樣？青壯年踴躍報名，不到半個月，就招募到十二萬精兵。這十二萬精兵是嚴格選拔出來的，所以論品質，可比原來的府兵高出不少。而且，他們既不用種田，也不用再到邊疆打仗，就專門承擔守衛長安的工作，專業素質當然跟著提高。唐朝的燃眉之急不就解決了嘛！

大家可能覺得，這張說太有才了！我們這麼想，可是，古代人未必這麼想。比如《資治通鑑》的作者司馬光就說，這場改革，大大地不好。為什麼不好呢？他說：「兵農之分，從此始矣！」兵農分開，怎麼不好了？說白了就是財政負擔重了，國家得養兵了。那麼到底應該怎麼看待這個問題呢？我覺得，司馬光固然是偉大的史學家，可是，他的觀點也並不都對。就拿府兵改募兵這件事來說，張說這個改革沒什麼不好。相反，它是順應時代發展的產物。

首先，社會愈發展，專業分工就愈細，這是一個基本趨勢。比方說，我們常常覺得古代人都是全才，像孔子，不僅懂哲學、倫理學，還懂音樂、數學，甚至還懂武術。我們現在哪有這樣的人呀，是不是我們不如古人呢？當然不是，應該說隨著社會發展，專業分工愈來愈明晰，我們當了哲學家，就很難再當音樂家了。軍隊也是一樣，愈向前發展，就愈不可能兵農合一。兵農分開了，軍隊成為專職，素質就能提高；同樣，農民不用分心，只管好好種田，生產能力也提高，這不是兩全其美的事嗎？

其次，原來兵農合一，國家的負擔是輕，可是老百姓的負擔重，而一個國家要想繁榮，除了國家儲備要上得去，更重要的是老百姓手裡得有錢。當時，唐朝經過一百年的發展，再加上玄宗的勵精圖治、勤儉節約，政府已經不缺錢了，本來也該承擔起更多的責任，讓老百姓鬆一口氣。張說在這種情況下改革府兵制，實行募兵制，就叫做實事求是，順應歷史潮流。

張說擔任天兵軍節度使期間，積累了豐富的治軍經驗，所以無論是處理邊防軍過於臃腫的問題，還是改革都城兵防的問題，他都能夠手到擒來、遊刃有餘。但讓他想不到的是，身為一人之下、萬人之上的首席宰相，有一個八品小官竟然不聽他的指揮。那麼，究竟是誰會如此大膽？張說又會怎樣對付這個「愣頭青」呢？

二、行政改革：改革宰相機構，將「政事堂」改為「中書門下」

軍事問題很重要，但是，畢竟還不是宰相的日常工作。宰相的日常工作是什麼呢？就是做決策、搞行政。可是，這時候，張說發現這裡也有問題，而且非常嚴重。什麼問題呢？

第一個問題，宰相太辛苦了，忙不過來。為什麼忙不過來？因為當時宰相都是兼職的。唐朝前期，中央實行三省六部制[2]。一開始的時候，三省的長官都是宰相，後來尚書省的長官慢慢退出，法定宰相就是中書令與門下侍中了。可是，中書令和門下侍中並不是專職宰相，他們只是上午在一個叫「政事堂」的地方集中開會，研究大政方針，下午還要回到各自的部門主持工作。本來，如果社會平穩發展，需要決策的事情不多，也就罷了，可是，玄宗統治的時候正是國家大發展，社會變革特別激烈的時期，各種新事物層出不窮。宰相專職尚且忙不過來，再讓他身兼數職，不是要把他累死嘛！這是第一個問題。

第二個問題是，宰相就算夜以繼日、累死累活研究出對策，還往往執行不了。怎麼回事呢？因為在三省制的體制下，宰相只有決策權，沒有行政權。行政權在尚書省的六部那裡，宰相做為中書省和門下省的長官，指揮起來不順手。舉個例子。過去府兵制的時代，兵部管兵籍、管地圖、管武將的升降，每年按部就班地工作。現在，府兵都逃跑了，宰相跟皇帝一商量，改為募兵，那麼，讓誰去管招募呢？找兵部，兵部說不行，我的職責裡不包括這件事啊！再說了，我自己的日常工作都忙不過來，哪有精力管額外的事啊！他這麼一說，宰相只有乾著急。這是第二個問題。

第三個問題，宰相不光指揮衙門不靈，指揮起人來也不靈。誰這麼有派頭呀，連宰相都不怕？當時，宰相最指揮不了的人叫宇文融。是一個著名的寵臣。宇文融為什麼得寵呢？因為他協助唐玄宗進行清查逃戶的工作，把財政難題給解決了。

這又是怎麼回事呢？要知道，唐朝初年實行均田制，給每個農民分田，同時進行戶籍登記，任何人不得隨意流動。政府則按照戶籍收稅、征兵役、徭役。可是，隨著時間的流逝，土地買賣愈來愈頻繁，再加上兵役、徭役等負擔，好多人就把土地賣了，或者乾脆拋荒，自己跑到其他地方，或者開荒，或者買別人的地種，反正脫離政府的控制，也不給政府繳納賦稅，這些人當時叫做逃戶。逃戶若是比較少的話，其實倒也無所謂，還能活躍經濟，可是人太多國家就受不了了。當時唐朝可是根據戶籍登記按人丁收稅，納稅人都跑了，國家財政吃不消。怎麼辦呢？

這時候，有一個監察御史叫宇文融，給玄宗提了一個著名的建議。他說，現在不能再放任下去，得徹底清查逃戶。清查逃戶，國家收入不就增加了嗎？玄宗當時要營造盛世氣氛，哪件事不需要錢

---

2 隋唐時期朝廷的核心管理制度。三省指中書省（隋稱內史省）、門下省、尚書省。其中，中書省和門下省為最高決策機構，尚書省為最高執行機構。六部指尚書省下屬的吏部、戶部、禮部、兵部、刑部、工部。三省六部制是中國歷史上較為完備的行政機構設置。

呢！一聽這個建議，非常感興趣，就讓宇文融負責這件事。可是，清查逃戶是個很複雜的問題，涉及各個州縣的協查，還有中央有關部門的協調，沒有權威不行。怎麼辦呢？玄宗就發明一個創造，任命宇文融為覆田勸農使，其實就是皇帝的特使，不受任何衙門制約，直接對皇帝負責。在協查逃戶問題上，宇文融就是最大領導，各州、各部都把自己的情況先報告給宇文融，再上奏中書省。要知道，覆田勸農使可不是光桿司令，他手下還有一批從各個部門抽調來的勸農判官，這些人可就組成一個游離於原有官僚體制外的使職系統了。使職的出現，是唐朝政治體制的一項大變革，對於整個唐代歷史產生了深遠的影響。但是，當時大家對這件事的認識還沒有那麼深刻，一時間只是覺得宇文融太瀟灑了，簡直就是跳出三界外，不在五行中，除了皇帝，沒有人管得了。宇文融是個精明強幹的人，沒有辜負皇帝的信任，當了覆田勸農使之後，恩威並施，三年的時間，給國家盤查出八十萬逃戶。這八十萬戶和其所擁有的土地一下子又成了徵收賦稅的對象，是多大一筆收入啊！唐玄宗對宇文融欣賞得不得了，很快把他從八品的監察御史提升到五品的御史中丞。皇帝和宇文融都開心，張說可鬱悶了。他是個政治強人，眼看著這顆政治新星冉冉升起，不受自己控制，他受不了。而且，可以想像，以後隨著新問題的不斷湧現，這樣的特使會愈來愈多。原有的宰相機構管不了他們，怎麼辦呢？

宰相制度存在的問題，其實在唐玄宗初年乃至整個唐朝初期就已經出現，只是始終沒有人能夠有效地解決這些問題罷了。那麼，張說能解決這個前人無法解決的難題嗎？

怎麼解決這三大問題呢？張說思來想去，提了一個大建議：改革宰相機構。把從前宰相集體議政的「政事堂」改為「中書門下」。有人說，這不就改一個名字嗎？可不是那麼簡單。政事堂是什麼呢？其實就是一個議政的場所，不是衙門。宰相上午在政事堂開會，即使形成一項決策，也得下午再回到各自的宰相機構，加蓋中書省和門下省的大印，這才能夠發布施行。但是，改成中書門下之後可就不一樣了。中書門下不是辦公場所，而是實實在在的行政機構。宰相到這裡來上班，形成決議，就直接蓋「中書門下」的印，就可以生效了。不再像原來那樣蓋一個中書的印，再蓋一個門下的印。換言之，中書門下已經成為真正的決策機構。因為中書門下的職能變了，宰相也就由兼職改專職。中書令和門下侍中不是宰相嗎？他們從此也不用再回本省上班，就是專職的宰相；至於本省的公務，就由兩省副長官侍郎辦理，跟他們沒關係了。這還不算完。中書門下還下設吏房、樞機房、兵房、戶房、刑禮房等五房，算是直屬機構。可能很多人看出來了，這不是與尚書省的六部很像嗎？沒錯，這五房與尚書省的吏、戶、禮、兵、刑、工六部確確實實存在著對應關係，有了這五房，中書門下就可以直接插手原本屬於尚書省的行政事務。好多決議一旦形成，就直接交給五房辦理，乾脆繞過尚書省六部。這樣一來，中書門下是什麼呢？它既是最高決策機構，同時還成了最高行政機構。從此，尚書省慢慢被架空了。張說這個行政體制改革大有好處，權力一集中，不僅可以提高應對新情況、新問題的能力，而且也提高宰相的地位。現在，宰相變得無所不管，宇文融也好，其他的使臣也好，你繞得過尚書、中書、門下三省，你還繞得過宰相嗎？真是於公於私、兩全其美。

我們可以看出，張說目光遠大、措施得宜，確實是首席宰相的合適人選。正是以張說擔任宰相為標誌，唐代的宰相制度產生了深刻的變化。而此時，張說又做了一件錦上添花的事，讓唐玄宗龍顏大悅，並從此對張說更加寵信。那麼，這到底是一件什麼事情？唐玄宗為什麼會對這件事情格外重視呢？

三、大興文治：創辦麗正書院，負責修撰圖書、整理圖書、研究禮儀

軍事、政治問題都理順了，張說開始關心起老本行——文化。他覺得，當時的文化制度也有問題。什麼問題呢？全國文人很多，也很活躍，但是，都是單打獨鬥，形成不了整體的力量，不能集思廣益，為國家服務。簡而言之，張說覺得，國家需要一個專門的文化機構。

張說這麼想，正好玄宗也這麼想。他讓張說當宰相，就是看中他做為文人領袖的身分。所以，張說一上臺，玄宗就辦了麗正書院，讓張說當修書使。麗正書院主要負責修撰圖書、整理圖書、研究禮儀，根據皇帝需要幫其做一些決策，而且還給皇帝講課。總之，綜合現在圖書館、國史館、大學乃至社科院的諸多功能，是個名副其實的思想庫、智囊團。張說以首席宰相的身分兼任麗正書院的領導，可見唐玄宗對這件事情的重視。張說對皇帝的意思心領神會，而且這是他的老本行，所以特別熱心，他積極張羅，把一大批文人都集中到麗正書院來了，像我們熟悉的大詩人賀知章、張說當年修三教珠英時候的老同事徐堅，還有張說在貶官岳州時結交的好友趙冬曦，全都在麗正書院供職，一時間真是人文薈萃。這時候，張說上奏玄宗，這些人在麗正院修書，總得給個什麼統一的名分吧！

什麼名分呢？君臣一協商，就叫麗正院學士吧！相當於今天的院士。唐玄宗看到這麼多人才濟濟一堂，也非常高興，就命令有關部門一定要保證供應，把這些人照顧好，這不僅是國家的文膽，也是國家的門面啊！

國家發展文教事業，本來是一件好事，可沒想到，有一個叫陸堅的中書舍人卻不以為然。他說，這些學士其實良莠不齊，也不是各個水準都高，憑什麼皇帝這麼重視啊！再說，不就是一幫文人，能

幹什麼呀？給這麼高工資純屬浪費，不如把他們都解散算了。要說陸堅也是個實在人，你心裡不平衡，自己嘀咕兩句也就算了，頂多找朋友發發牢騷。可他不。他直接找張說談心來了，見了張說就說，麗正書院學士白吃飯，不幹活，不如遣散回家。要知道，張說可是麗正書院的領導，你這樣說他能高興嗎？不可能。張說教訓他說：「自古帝王於國家無事之時，莫不崇宮室，廣聲色。今天子獨延禮文儒，發揮典籍，所益者大，所損者微。陸子之言，何不達也！」意思是說，自古以來，皇帝要是把國家治理得差不多了，都會變得奢侈腐化，或者是大興土木，或者就是縱情聲色。只有我們皇帝不這樣，他在國家安定之後幹什麼呢？他是禮遇儒生，搜羅典籍，這是多了不起的事情啊！你說養學士費錢，你不知道，這社會風氣的進步，文治的昌明可是用錢買不來的。這就叫做提高軟實力！所以，如今聖上做的事情，花費少，收穫大，你怎麼能反對。你太愚昧了。這話傳到玄宗耳朵裡，玄宗高興，還是張說了解我啊！要想當聖天子，還真得讓這樣的聰明人輔佐。從此也更加看重張說了。

兩年以後，開元十三年（七二五年），因為封禪禮成，玄宗在洛陽的集仙殿請宰相、禮官與麗正書院的學士吃飯。酒足飯飽，玄宗說，這個殿叫做集仙殿。世人都想當神仙，可是，誰見過神仙呢？我反正不信這一套。真正讓我思慕不已的不是神仙，而是賢臣。如今我和諸位在這裡聚會，諸位都是賢臣，乾脆把集仙殿改叫集賢殿算了。學士們一聽，激動不已，山呼萬歲。從此，麗正書院就改叫集賢殿書院，學士也都叫集賢殿學士了，張說還是領導。這領導怎麼稱呼呢？玄宗說，別人都叫學士，你叫大學士吧！沒想到，張說一口拒絕。他說，這是個學術機構，不是個官僚衙門。在這裡，不能論誰官大，只能論誰學問好。所以，絕不能因為我官大、是領導，就叫大學士。這話說得多高明，多得人心，這就叫保持知識分子本色。有這樣的領導主掌文化，能不文治昌明嗎？

那麼，我們應該怎樣評價張說辦的這四件事呢？應該說，這可是關係著開元中期發展的基本思路的四件大事。如果說，姚崇的「十事要說」是開元前期的政治綱領的話，那麼，這四件大事也就奠定了開元中期的發展基礎。這四件大事，張說解決得乾淨俐落、舉重若輕，真是個難得的人才。

唐朝有本詩歌選集叫《河岳英靈集》，裡面講了一個故事。張說當宰相的時候，在辦公室掛了一幅匾額，上面寫著詩人王灣《次北固山下》中的名句：「海日生殘夜，江春入舊年。」他逢人就說，這是詩的楷模。確實，這兩句詩的氣魄太大了。殘夜未消，但是太陽已經露出了紅頂；時令雖然仍在舊年冬天，但是，萬物萌動，春天已然悄悄來到長江邊上。這孕育著無限希望與激情，展示著無限美好未來的詩句不正是開元年間的寫照嗎？那麼，真正的紅日磅礴、春意盎然會在哪一刻到來？小試牛刀就已經露出非凡能量的張說，又會有怎樣的精采表現呢？

請看下回：封禪大典。

【第十八回】

封禪大典

唐玄宗執政以後，經過十幾年的治理，唐朝政局平穩、邊疆安寧、文教興盛，社會出現前所未有的大好局面，開元盛世已經到來。那麼如何宣揚這樣的豐功偉績呢？一個傳統的概念出現在他的腦海中，那就是封禪。封禪是一個帝王告成天下最好的方式。通過封禪大典，玄宗又將展現出怎樣的志趣與情懷呢？

一、封禪啟動：開元十二年十一月，張說與文武百官請願封禪

孔子說過，人生發展是有階段性的。「三十而立，四十不惑。」一個人到三十歲的時候應該有自己的事業了，而到了四十歲，人就不再迷惑了。因為這個時候你自己是幾斤幾兩，已經基本清楚了。你是能人還是庸人、是成功者還是失敗者，基本上也已經確定。用這種階段論來套唐玄宗，還是挺合理的，他在差不多三十歲的時候開始當上大權獨攬的真皇帝，擁有自己的事業；到了開元十三年（七二五年），年滿四十歲的時候，他已經知道自己是什麼樣的皇帝了。什麼樣的皇帝呢？一代明君啊！開元盛世的絢麗畫面已經在他的領導下徐徐鋪開。人到這個時候會有什麼心理呢？有人打過一個很有趣的比方說，有點像剛吃完一頓豐盛的午飯，雖然還在回顧上午的工作，卻已經有點醺醺然，頭腦發暈了。唐玄宗當時就處於這樣的一種狀態下。十多年的殫精竭慮可以稍微告一段落，此時的唐朝政局平穩、邊疆安寧、物價低廉、文教興盛。把國家治理成這個樣子不容易，他要給自己一個說法，同時也讓天下人都知道，他是一個多麼偉大的皇帝。怎麼才能達到這樣的效果呢？

熟悉傳統文化的人都知道：封禪。沒錯，封禪是中國古代最隆重的大典，封禪泰山，告成功於天地，這是對皇帝最大的認可。唐高宗封禪過，武則天封禪過，對於唐玄宗而言，這既是先例，也是榜樣啊！事實上，早在開元初年，政變功臣崔日用就曾經拍皇帝馬屁，建議唐玄宗封禪。可是，當時玄宗還在艱苦創業階段，哪有心思擺那個排場，一口拒絕了。現在，經過這麼多年的治理，他覺得自己有資格封禪了，問題是，大臣們會不會體會到他的心意呢？

有一個大臣體會到了。誰呢？張說。他已經是首席宰相，是全國官員的領袖。在他的推動下，唐

朝的軍事、政治和文化領域都進行大刀闊斧的改革，得君行道，這不正是他的畢生追求嗎？現在，這個夢想已經成為現實，對張說而言，這也是人生的豐收時節。另外，他是麗正書院（後改叫集賢殿書院）的頭兒，也是全國文人的領袖。因為有這種身分，唐玄宗特地讓他負責修國史，這讓張說的歷史意識格外濃厚。怎樣才能讓自己的輝煌業績彪炳史冊，永遠留在人們的記憶中呢？當然也是封禪。能夠參與封禪，那可是一個文人、一個史臣的最大榮耀。當年漢武帝封禪的時候，司馬遷的爸爸司馬談當太史令，不就是因為沒能參加封禪大典，活活鬱悶死的嗎？所以，張說從自己的角度考慮，也願意攛掇玄宗封禪。既然皇帝和宰相想到一塊兒去了，是不是他們倆一合計就成？哪有這樣簡單，封禪是最隆重的典禮，一切都要鄭重其事才行。

開元十二年（七二四年）十一月，張說就安排文武百官請願了。說皇帝「英威邁於百王，至德加於四海」，應該封禪。大臣們好不容易生在這樣的時代，都希望能夠目睹這一盛事。面對大臣的請願，玄宗怎麼表態呢？一點懸念沒有，拒絕了。三讓而後受之是政治傳統，皇帝得謙虛啊！張說對這一點心知肚明，所以，不屈不撓，接著敦促。就在這次大規模的官僚請願之後，他和另一個宰相源乾曜接連三天上書，反覆懇請皇帝順應天意民心，而且，給玄宗戴的帽子一次比一次高。按照張說的說法，玄宗有什麼樣的功勞呢？「創九廟，禮三郊，大舜之孝敬也；敦九族，友弟兄，文王之慈惠也；卑宮室，菲飲食，夏禹之恭儉也；道稽古，德日新，帝堯之文思也；憐黔首，惠蒼生，成湯之深仁也；化玄漠，風太和，軒皇之至理也。」一段話，把所有古代聖君的優點都集中了，有這樣的聖德，不封禪哪行呢！與此同時，全國各地的儒生文士也紛紛獻詩獻賦，表達人民心聲。到這一步，玄宗覺得差不多了，終於勉為其難，發布詔令——將要在第二年，也就是開元十三年的十一月「封泰山，禪梁父，答厚德，告成功」。可能有人會認為，這一套禮儀多虛偽啊！其實，禮本來就是外在形式和內在精神的結合，三讓而後受之是形式，謙虛是內在精神。一個皇帝遵守形式反覆推讓，我們固然不能因此斷定他具有謙虛的美德。但是，如果根本不尊重形式，大言不慚地說我就是功蓋天地，這不更不可能有謙虛的美德嗎？就算是偽君子，那也是文治教化的表現，絕不能一概否定。

封禪是一種表明帝王受命於天下的典禮。這種儀式起源於春秋戰國時期。當時齊、魯的儒士認為泰山是天下最高的山，人間的帝王，應當到這座最高的山上去祭祀至高無上的神靈，向天下人彰顯國力的強盛。封禪是中國古代封建帝王都非常嚮往的一件事，但由於各種原因，進行過封禪的帝王屈指可數。封禪涉及極其複雜的禮儀，對於當時的唐玄宗君臣來講也非常頭疼。那麼，如果要封禪，需要解決哪些問題呢？

二、緊鑼密鼓：解決封禪三大問題——財政、禮儀、安全

詔令一發，封禪這件事算是定下來了，可是，真要把這道詔令變成現實，那可不是一件簡單的事。為什麼不簡單呢？因為辦這樣一場大的典禮，一定要解決三大問題——第一，財政問題；第二，禮儀問題；第三，安全問題。

先看財政問題。封禪是古代社會規模最大的慶典，當然也就是最燒錢的事。沒有強大的財力後盾，還真是辦不起來。但是唐玄宗不發愁這個。經過開元這十幾年的休養生息，朝廷物質儲備已經相

當豐富了。再加上宇文融清查戶口，財政上更加寬裕。筆記小說《開天傳信記》有一段充滿熱情的描述：「河清海晏，物殷俗阜。安西諸國，悉平為郡縣。自開遠門西行，亙地萬餘里，入河湟之賦稅。左右藏庫，財物山積，不可勝較。四方豐稔，百姓殷富，管戶一千餘萬，米一斗三四文，丁壯之人，不識兵器。路不拾遺，行者不囊糧。」一句話，國家很富裕，財政問題不用發愁。

第二，禮儀問題。可能有人會說，這個問題更容易。高宗和武則天不是都封禪過嗎？照搬他們的儀式不就可以了？事情可沒那麼簡單。要知道，高宗封禪的時候，武則天的影響力已經很大了，所以那一次，她在舉行禪禮的時候充當亞獻，把一個本來非常嚴肅的儀式搞得鶯歌燕舞，差點讓文武百官笑掉大牙。這怎麼能效仿呢！武則天自己封禪那一次就更不能照抄了，且不要說她是在嵩山封禪，地點不一樣；關鍵是，她一個女皇帝封禪，這純粹是異端嘛！所以說，前面兩次封禪都受到女性干政的強烈影響，而玄宗撥亂反正，反的內容之一就是女性干政，怎麼能再沿用那一套！怎麼辦呢？張說不是文人領袖嗎，對禮儀非常內行，玄宗就把這件大事交給他辦。張說跟麗正書院的學士們反覆商量大半年，到開元十三年（七二五年）十月，終於把整個儀式的方案拿出來了。這個方案和高宗那次相比，改革最大的是在禪禮的部分。所謂禪就是祭地。高宗時候，按照男性祖先配天、女性祖先配地的原則，陪祭的是長孫皇后——唐高宗的母親。正因為是女性陪祭，所以武則天才找到藉口，說男女授受不親，既然接受祭祀的是婆婆長孫皇后，是女性，那可不能讓大臣插手，只能是她這個兒媳婦充當亞獻。這一次，為了避免再出現類似情況，張說把禪禮改了，陪祭的不是玄宗的母親，而是玄宗的父親——唐睿宗。那有人可能要問，睿宗配地，誰配天呀？開國皇帝唐高祖配天。這樣一來，高天厚地之恩就全成了男性祖宗的事了。被祭祀的對象既然都是男性，那麼獻上祭品的人當然也就得是男性了。到底都是誰呢？首獻沒得說，當然是玄宗本人。亞獻是唐玄宗的堂兄邠王李守禮，終獻是玄宗的大哥寧王李成器，當時已經改名叫李憲了。張說這樣改儀式有什麼意義呢？首先當然是繼續清除武則天以來女性對於政治生活的影響，這是唐玄宗開元以來政治的主旋律。其次，也再次強調李唐皇室的精誠團結。李守禮是高宗長孫，李憲是睿宗長子，當年都是李隆基當皇帝的競爭者。玄宗對他們也沒少防範。現在時過境遷，他們已經不可能再掀起什麼風浪，就讓他們充當亞獻和終獻吧！也是表明玄宗對他們身分的尊重。自從武則天以來，李唐皇族都已經七零八落，活下來不容易，不是更應該精誠團結嗎？這也算是對皇室的一種正面教育。

由於封禪活動的複雜性和神聖性，宰相張說把所有可能出現的問題都考慮進去了。當時的財政狀況良好，禮儀細則也已制定出來，剩下的最大問題就是安全問題。那麼，安全問題是怎麼解決的呢？

禮儀問題解決了，接下來就是安全問題了。所謂安全，倒不是怕路上有刺客，而是怕皇帝和大臣都不在首都，老對手突厥、契丹等周邊民族趁機入侵。怎麼辦呢？張說就跟兵部商量，想要多派些軍隊到沿邊地帶，嚴防死守。這時候，兵部郎中裴光庭說話了。他說，所謂封禪，不就是向天地報告成功嗎？什麼叫成功？國家富強、四夷賓服才是成功。現在一方面封禪，一方面又怕少數民族，這不是笑話嘛！張說問，那你說怎麼辦呢？裴光庭說，在我們大唐周圍這些民族裡，突厥是最強的。其他民族都隨著突厥行事。所以，只要突厥不動，其他民族就不會有問題。可是，怎麼才能保證突厥不動呢？裴光庭說，突厥多次請求跟我們和親，朝廷都怕助長他們的威風，沒有答應。現在不如派一個使者到他們那裡去，暗示他們，只要隨同封禪，和親就有希望。突厥想和親，必然會派人來。這樣一來，我們手裡既有人質威脅著他們，又有和親的事情誘惑著他們，他們肯定就老實了。另外，只要突厥帶頭隨同封禪，其他民族保證跟風，這樣一來，我們不就高枕無憂了嘛！張說一聽，行啊！這個裴光廷別看官不大，相當有頭腦。馬上派使臣到突厥去。

果然，使者一去，突厥第一件事說的就是和親。他們說：吐蕃哪有我們高貴呀？契丹和奚族就更差了，過去都是我們突厥人的奴隸。現在倒好，他們都能尚公主，為什麼我們可汗屢屢求婚，都被拒絕？我們也知道，那些和親的公主都不是皇帝的親生女兒，我們也不在乎什麼親生不親生的，好歹嫁給我們一個，否則我們也太沒面子了，以後還怎麼在別的民族面前做人呀！使者一看上鉤了，馬上保證，我回去就跟皇帝彙報這件事。另外，我給可汗您出個主意。我國即將舉行封禪大典，您若想和親，最好隨從這次封禪，給皇帝留個好印象，這樣再談和親的事不就容易了嗎？突厥一聽非常高興，馬上把一個重臣派出來了。其他民族看見突厥都來共襄盛典，就更不敢怠慢，或者是王本人來，或者是派兒子、重臣來，個個爭先恐後。就這樣，不費一兵一卒，安全問題也解決了。

經過宰相張說等人的積極工作，唐玄宗封禪前的各種問題都迎刃而解，真是萬事俱備、只欠東風。封禪大典已經開始倒計時。隨著歷史的遠去，現在的人們已經很難想像，封禪到底是一個什麼樣的大典了。

三、封禪大典：玄宗撫今追昔，同時大赦天下，封泰山神為天齊王

眼看萬事俱備，開元十三年（七二五年）十月十一日，玄宗領著文武百官、皇親國戚、儒生文

士、四夷酋長，還有日本、新羅[1]、大食[2]等國的國君、使者從洛陽出發，浩浩蕩蕩地向泰山進發。場面浩大，光是後勤供應隊就前後綿延好幾百里。一路上彩旗飄揚、鼓樂喧天。這已經夠壯觀了，而最熱鬧的是晚上宿營的時候，方圓好幾十里全是帳篷。人熱鬧，馬也熱鬧。隨行的幾萬匹馬，按照毛色區分，每種毛色單獨編隊，組成方陣。遠遠望去，一塊黃、一塊白、一塊黑，簡直就像織錦的緞子在地上跑，真是讓人歎為觀止。大隊人馬在路上走了二十多天，到十一月初七，封禪的隊伍終於到達泰山腳下。這麼多人難道都登山嗎？不可能，人多，太擠。玄宗說了，神仙好清靜，咱們這麼多人，別都上去了，就宰相、諸王和禮官跟我走，其餘人都留在山下等著吧！

泰山還是比較險峻的，光爬上去也要一天的時間。所以，按照張說的安排，第一天爬上去之後就在山頂宿營，第二天再舉行儀式。一直到這一步，整個封禪活動還都相當順利。可沒想到，半夜時分，忽然下雨了。這可是十一月份，淒風苦雨撲面而來，把衛士們凍得瑟瑟發抖。這可讓玄宗和張說著急了。舉行典禮最怕壞天氣，再說，封禪本來就是告成於天地，要是老天下起雨來，豈不是面子上不好看。怎麼辦呢？這時候誰也做不到人定勝天，只能祈禱老天爺開恩。那老天爺還真給面子，眼看著清晨將至，雨居然停了。雲開日出，天清氣爽。這對於玄宗君臣來講簡直是意外之喜。玄宗趕緊登壇祭拜，焚柴展禮。眼看著祭天的大火熊熊燃燒，山下等候的大隊人馬山呼萬歲，聲震天地。

這時候，玄宗非常激動，對張說說：國家能走到今天，全靠宰相輔佐啊！希望我們君臣之間的關係永遠能像今天一樣。張說也很興奮，他動情地說：昨天夜裡還烏雲密布、細雨綿綿，今天早晨就天清氣朗，這真是上天顯靈，是千古未有的奇跡啊！希望陛下以後慎終如始，則天下幸甚。君臣兩個說得這樣動人，馬上，周圍又是一陣歡呼。封泰山之後，唐玄宗又在社首山舉行禪禮祭地，到十三日，封禪的主體活動基本完畢。唐玄宗在帳殿接受中央文武百官、地方刺史、儒生文士代表以及幾十個來自各個民族、各個國家的首領和使者的朝覲，真是空前的國際盛會。看到眼前的盛況，玄宗撫今追昔，感慨萬千。在高興之餘，他大赦天下，封泰山神為天齊王。真是普天同慶，連山神土地都跟著沾光了。

在史書的記載中，唐玄宗的封禪大典可謂規模巨大、盛況空前，呈現出開元盛世的偉大畫卷，中國歷史上的黃金時代通過這次封禪體現出來。但是這次封禪的背後，又潛伏著怎樣的危機呢？

四、封禪評價：開元中期，唐玄宗逐步走向好大喜功的標誌

我們應該怎麼評價唐玄宗的這次封禪活動呢？我想，有三點值得注意。首先，這次封禪是開元盛世成就的充分展示。我們說過，封禪是中國古代最隆重的典禮，不是哪個皇帝都有資格舉行的。張說曾經總結封禪的三個條件，非常有道理。第一，位當五行圖籙之序；第二，時會四海昇平之運；第三，德具欽明文思之美。「位當五行圖籙之序」其實就是說，你的政權具有政治上的合法性，不是小

1 朝鮮古國。是亞洲歷史上立國時間最長的國家之一。四世紀稱雄朝鮮半島東南部，與百濟和高句麗鼎足而立。七世紀滅百濟和高句麗，統一朝鮮半島。九三五年又被高麗所滅。

2 唐、宋時期對阿拉伯人、阿拉伯帝國的專稱和對伊朗語地區穆斯林的泛稱。大食帝國和大唐帝國大致同時建立，雙方有頻繁的交往。七五一年，雙方曾發生怛邏斯（今哈薩克斯坦共和國江布爾城附近）之戰。

朝廷。「時會四海昇平之運」是指國力強盛、天下太平。而「德具欽明文思之美」則是指統治者道德高尚、推崇文教。拿這幾點標準衡量唐玄宗，他都做到了，而且做得非常成功、非常到位。正因為如此，他的這次封禪才成為整個中國封建歷史上六帝十次封禪泰山中最為成功、也最為隆重的一次。

其次，這次封禪也是開元中期唐玄宗逐步走向好大喜功的一個突出標誌。整個封禪活動籌備用了一年的時間，從洛陽到泰山，路上又是一個月，在泰山上，正式典禮又持續一個多星期。從皇帝到衛兵，幾萬人參加慶典，為他們提供服務的恐怕就不止幾萬人，而是幾十萬人、上百萬人了。從洛陽到泰山的路上，每次宿營，光是帳篷就要占據方圓幾十里，沿途老百姓得受多大的影響啊！所以，封禪之後，唐玄宗並沒有原路返回，而是換一條路線。因為無論多富庶的地方，短時間內也禁不起兩次折騰。可能有人認為，在一定歷史時期，舉行這樣一次標誌性的活動也是有意義的，它可以凝聚人心，提高國際地位。沒錯，僅僅一次封禪並不能表明玄宗的統治理念發生變化，但關鍵問題是，封禪不是一次單一的活動，而是一系列熱鬧活動的開端。什麼活動呢？開元十七年（七二九年），也就是封禪四年後，八月初五，玄宗的生日到了。這一天，興慶宮裡大擺筵席，為玄宗慶祝生日。曲水流觴、酒酣耳熱之後，左丞相源乾曜和右丞相張說率領文武百官跪在唐玄宗面前，說：四十四年前的今天，祥光照室，陛下誕生，如果沒有那一天聖人的誕生，怎麼會有今天的太平盛世呢？所以，請陛下把八月初五設定為全國性的節日吧！玄宗怎麼反應的呢？這一次，玄宗連形式上的謙虛也不要了，根本沒有推讓，就滿口答應下來。他說，朝野同慶，這是好事啊！從此之後，八月初五就叫千秋節，全國放假三天，每個村子都要擺壽酒，普天同慶。皇帝過生日，大家得有所表示啊！怎麼表示呢？玄宗君臣連細節都想好了。這一天，群臣要給皇帝敬獻萬歲壽酒，王公貴戚要獻金鏡綬帶。老百姓見不到皇帝，就不用給皇帝送禮了，都用絲線編織「承露囊」互相贈送，表示承受皇帝的雨露之恩。要知道，在中國古代，節日都是根據時令訂的，拿皇帝生日做為國家節日，唐玄宗可是第一個，這還不是好大喜功嗎？所以，很明顯，從封禪泰山開始，玄宗君臣逐漸驕傲起來，愈來愈喜歡排場、喜歡享樂了。第三，儘管好大喜功、奢侈享樂的傾向出現，但是，在這個時候，玄宗還是比較注意民生疾苦的。舉兩個例子。第一個，封禪泰山的過程中有一個傳統儀式，就是把寫著祭祀文的玉牒放在祭祀用的石室裡。按照以前的慣例，這個玉牒究竟寫了什麼，從來都是祕而不宣的。可是，這次，玄宗忽然問，為什麼玉牒一定要保密呢？禮部侍郎，也就是大詩人賀知章回答說，因為牒文一般都寫的是皇帝的私人請求，比方說請求當神仙、長生不老之類的事情，所以不好公布。玄宗說，原來是這樣啊！我這個牒文寫的不是這方面的內容，所以，不妨公布出來，讓文武百官都知道。那唐玄宗的牒文到底寫了些什麼內容呢？牒文是這樣寫的：「恭承大寶，十有三年。敬若天意，四海晏然。封祀岱岳，謝成於天。子孫百祿，蒼生受福。」注意，這個牒文最後可是歸結到「蒼生受福」了，這個境界還是比較高的。我們拿他跟武則天比一比就知道了。武則天封禪嵩山，玉牒沒有找到，但是與之內容相似的金簡找到了。她的金簡裡寫道：「大周國主武曌好樂真道長生神仙，謹詣中嶽嵩高山門，投金簡一通，乞三官九府，除武曌罪名。」這裡有沒有跟老百姓有關的內容？沒有，全都是個人私利。兩相對比，不就看出玄宗的境界來了嗎？事實上，開元年間之所以能取得這麼大的成績，不正是因為玄宗心裡還裝著百姓。

再舉一個例子。玄宗從泰山返回洛陽，途經宋州，就是今天河南的商丘。在酒樓宴請隨從官員，宋州刺史當然也在座。酒席之上，玄宗對張說講：過去我也總派使臣到地方考察官吏，這次出來走了一圈，才知道：他們經常騙我呀！這次封禪，有幾個地方官值得表揚。第一個是懷州刺史王丘，這個人，除基本物資供應外，再沒有孝敬過其他東西，是個好官。第二個是魏州刺史崔沔，他給我提供的帳篷都質樸無華，沒有什麼裝飾，這是希望我儉樸，也不錯。第三個是濟州刺史裴耀卿，他給我上一個表，寫了好多規諫的話。跟我說，封禪絕不能擾民，如果擾民，就失去封禪的本意，我看了也很有感觸。這篇文章已經被我放在座位旁邊，隨時看看，提醒自己。第四個就是在座的宋州刺史寇泚了。說完，他回頭對寇泚說：你知道我為什麼表揚你嗎？因為這幾天身邊的人老是跟我告狀，說你安排的飯菜太簡單。我知道，你是不願意巴結我周圍的人來給自己求官。來，我敬你一杯。張說一看皇帝都親自敬酒了，趕緊率領群臣起來祝賀。整個酒樓，萬歲聲喊成一片。沒過多久，這幾個受表揚的人都升官了。唐玄宗表揚的這幾個人有什麼共同特點呢？兩個字：愛民。唐玄宗表彰提拔這些愛民的地方官，也說明他心裡還想著百姓。一方面好大喜功，一方面還在勤政愛民，這其實也正是開元中期唐玄宗的基本政治特色。

不管怎麼說，這次封禪，體現玄宗十幾年統治卓越的成就，也體現張說傑出的組織才華。通過封禪，玄宗和張說君臣都達到人生的顛峰狀態。在泰山上，玄宗也深情款款地對張說說：希望君臣之間能夠互相扶持，天長地久。可是，誰也沒想到，言猶在耳，張說卻要大難臨頭了。這是怎麼回事呢？

請看下回：張說下臺。

第三部

盛世危情

【第十九回】

張說下臺

唐玄宗封禪大典的成功與一個人密不可分，此人就是張說。無論是封禪之前，還是封禪過程中，張說都是殫精竭慮，為大典的圓滿舉行出力多多。然而封禪大典剛剛結束五個月，張說還沒來得及享受封禪帶給自己的榮耀，轉瞬之間就已鋃鐺入獄。這到底是怎麼回事？他和唐玄宗之間發生了什麼？

一、封禪得罪人：張說盡顯營私舞弊、目中無人的缺點

封禪是張說人生的頂點。但是，就在他還在泰山頂上得意揚揚、一覽眾山的時候，山上山下好多人都對他瞋目切齒。誰對他不滿意呢？有四類人——士兵、官僚、宰相和皇帝。

有人會想，這不是把所有人都包括進去了嗎？沒錯。張說還真是有點犯眾怒了。這些人怎麼都恨他呢？先看士兵。封禪隊伍裡頭，占大多數的就是士兵。沿途的保衛、後勤補給全靠他們。不光人數最多的是他們，最辛苦的也是他們。大清早，皇帝和官員們還沒起床，他們就得先行開路；晚上別人都睡了，他們還得站崗放哨。最倒楣的是在泰山頂上，不是下雨了嗎？頂風冒雨在皇帝的帳篷旁邊，一邊巡邏、一邊瑟瑟發抖的還是他們。士兵們這麼辛苦圖什麼呢？說白了無非是圖一點賞賜。當時不是已經僱人當兵了嗎？好多人就想，平時在首都站崗放哨給錢，這出遠門更得給錢吧！再說，這可是封禪，千載難逢的大典，我們這麼吃苦受累，賞賜肯定少不了。這種想法甚至成為他們長途跋涉的主要動力。封禪一結束，好多人就眼巴巴地等上了。可是，張說怎麼對待士兵呢？他一分錢賞賜沒給，只是給每個隨行的士兵都封了一個勳官。勳官是什麼？勳官是將士們通過立功取得的一種頭銜，在唐初還有一定的優待，但是，到唐玄宗時，勳官已經完全變成一種榮譽稱號，什麼實際待遇都沒有。要知道，老百姓最講實惠了，誰稀罕這種高帽子呢！再說了，國家為了這次封禪，多少錢都花了，怎麼對士兵就這麼苛刻呢？所以，士兵恨透了張說。

那有人可能會想，張說對士兵不好，看來好處都給當官的了。是不是呢？也不是，當官的對他意見更大。封禪之前，玄宗不是讓大部分官員都留在泰山腳下，只讓宰相和禮官隨同登山嗎？讓誰當禮

官可真是萬眾矚目。因為根據規定，協助皇帝封禪的禮官可以直接升任五品官。五品官可是中級官員了，號稱通貴，好多人一輩子都熬不上去，現在登一次泰山就解決問題，誰不願意呢？那到底會讓誰去呢？張說早開好一個單子了，裡面全是自己的親戚朋友，還有平常跟自己關係好、給自己打工順手的中書、門下兩省小吏。開完這個單子，他就把一個叫張九齡[1]的中書舍人叫過來，讓他根據這個單子起草一份正式詔書。張九齡是詩人，也是張說的好朋友。他出身於嶺南地區的一個小戶人家，文章寫得非常好。張說做為文壇領袖，惺惺相惜，對張九齡特別欣賞，不僅在仕途上提攜他，還跟他認了本家。張說對張九齡好，張九齡也知恩圖報，處處替張說著想，千方百計維護張說的利益，簡直就像兒子對待父親一樣。

可是，這一次，連張九齡都覺得張說做得太過頭了，就勸他說：「官爵者，天下之公器，德望為先，勞舊次焉。若顛倒衣裳，則譏謗起矣。今登封霈澤，千載一遇。清流高品，不沐殊恩。胥吏末班，先加章紱。但恐制出之後，四方失望。今進草之際，事猶可改，唯令公審籌之，無貽後悔也。」說官爵乃是天下的公器，授官應該先考慮道德聲望，再考慮勞苦程度以及個人愛憎。一旦顛倒這個原則，大家就要有意見了。如今遇到千載難逢的封禪盛典，更是萬眾矚目的時候。那些眾望所歸的人物還沒得到什麼恩典，先讓小吏升官，恐怕不太合適。如今這個名單還只是一份草稿，還可以更改，一

1 韶州始興（廣東韶關）人，是一位有膽識、有遠見的政治家、文學家、詩人，為「開元之治」做出重要貢獻。他的五言古詩以素練質樸的語言，寄託深遠的人生概望，對掃除唐初所沿習的六朝綺靡詩風貢獻尤大。

旦形成正式公文，可就不好挽回了。您千萬想清楚啊！這話說得夠明白、夠懇切了吧？可是，自負的張說卻沒聽進去，對張九齡說，這種老生常談，根本不必考慮，我已經決定了，就這麼辦。結果怎麼樣？這份名單一出，一下子真是輿論譁然，官員都炸鍋了。這不是明目張膽地以權謀私嗎？張說也太目中無人了吧！這樣一來，那些沒能跟著上山的官僚都很不滿意。

沒上山的官員不滿意，那上山的人應該滿意了吧？也並不都滿意。誰不滿意呢？宰相源乾曜就不滿意。本來，張說剛提出封禪的時候，源乾曜是不同意的，他覺得勞民傷財。但是既然皇帝願意，他也沒有辦法，只能幫著張說張羅。這還不算什麼，真正讓他受不了的是整個封禪過程全成張說露臉了，居然沒他什麼事。領銜請願的是張說，起草儀軌的是張說，寫祭祀文的還是張說，整個封禪就看見張說活動，源乾曜成了擺設。所以，在泰山頂上，皇帝才會只對著張說抒情。就算是宰相之中有主有從，也不能這麼不給面子啊！源乾曜雖然好脾氣，但是，好歹也算三朝元老，以前跟姚崇、張嘉貞都配合過工作，也沒見誰這麼欺負他呀！所以也是憤憤不平。

張說得罪的前三類人，都是因為利益受損，而對張說產生了不滿情緒，這是人之常情，我們可以理解。但是張說還得罪了皇帝，這就不好理解了。在封禪大典中，張說算是最大的功臣，他怎麼可能得罪皇帝呢？

皇帝為什麼也不滿意呢？說起來還是一個演小品的優人惹的禍。張說不是讓自己的親戚朋友都當禮官，然後超遷為五品官嗎？其中，受益最大的是他的女婿鄭鎰。小伙子本來是個九品官，這下子直接竄升到五品，平步青雲了。玄宗封禪完畢，宴請隨行官員，大家都穿著官服來了。紫的是三品，紅的是五品，分得很清楚。這時候，玄宗忽然在五品官的隊伍裡發現一個年輕小伙子，覺得眼熟，仔細一看，這個人正是鄭鎰。咦，前幾天他還是個九品官，怎麼一下子成五品了？就問他，你做什麼貢獻了，怎麼官升得這麼快呀？鄭鎰小臉通紅，說不出話來。這時候，有一個叫黃幡綽的優人看了張說一眼，擠眉弄眼地說話了：「此泰山之力也！」一方面提醒玄宗，人家從封泰山來著；另一方面也點出這小伙子的來頭，他可是張說的女婿。要不是有張說這麼一個有本事的岳父，陪皇帝登泰山這樣的好差事能輪得著他嗎？現在岳父不是還有一個雅號叫泰山嗎？就是從這兒來的。黃幡綽這句話一說完，官員都笑了，可是，玄宗不禁皺了皺眉頭。他只知道張說精明能幹，沒想到還有營私舞弊這一面。

這樣看來，因為這次封禪，張說把人得罪得差不多了，連皇帝也有點不信任他，這可不是一件好事。但是，我們也知道，僅僅因為這些問題是不會讓張說進監獄的，無論如何，張說在封禪問題上還是功大於過。關鍵是，有人正在睜大眼睛找張說的錯，只要有裂縫，接下去就好辦了。

二、宇文融發難：以張說任人唯親為缺口，主動出擊

誰在盯著張說的錯處呢？財政專家宇文融。他和張說可是一對老矛盾了，宇文融主持搜檢逃戶的時候，張說處處牽制他。每次他有什麼建議，張說總要駁回幾次，實在不行了才讓通過，這讓宇文融非常憤懣。張說為什麼總和宇文融對著幹呢？三個原因。

首先是兩個人治國理念不同。張說是知識分子出身，受儒家教育長大的。傳統儒家重義輕利，最不喜歡講經濟，也最不擅長講經濟。所以張說認為如果國家干涉經濟，那就是擾民，是與民爭利。可

宇文融是個從基層幹起來的實幹家，對於他來說，理財是天經地義的國家大事。國家就是要對經濟做出宏觀調控，怎麼能什麼都不管呢！兩個人理念不同，張說不贊同宇文融的思路，所以他制約、打擊一下宇文融，還算出於公心。

第二個原因就沒那麼光明正大了。張說嫉妒宇文融。宇文融不是覆田勸農使嗎？直接向皇帝負責，很得皇帝寵信，而且幾年之間連升三級，這讓張說很不痛快，所以想在自己的職權範圍之內壓一壓宇文融。上一回我們講過，張說改革宰相機構，也有控制宇文融的意思。

更重要的是第三個原因。張說瞧不起宇文融，因為宇文融沒有文化。俗話說物以類聚，人以群分。張說是靠寫文章起家的，也是當時的文壇領袖，他一輩子就喜歡跟自己一樣的文人。他提攜張九齡，就因為張九齡文章寫得好，他認為是「後來詞人之首」。所以不光提拔他，還屈尊降貴，主動跟他通譜連宗認本家。可是對宇文融這樣文化水準不高、靠門蔭或者實幹起家的，他是一百個看不起。當時張說經常壓制宇文融，張九齡就提醒張說，說：「宇文融承恩用事，辯給多詞，不可不備也。」而張說卻說：「此狗鼠輩，焉能為事！」拿他都不當人看，宇文融能不生氣嗎？

可是，生氣歸生氣，在封禪之前，宇文融不敢把張說怎麼樣，他只能忍著。但是現在，既然這麼多人都討厭張說，那就算有群眾基礎了，他想趁這個機會鬥一鬥張說！怎麼鬥呢？皇帝不是已經對張說任人唯親有所不滿嗎？宇文融就從這兒下手。

開元十四年（七二六年）年底，封禪剛剛結束，一年一度的選官工作又要開始了。本來，按照慣例，選官是由宰相掛帥，吏部具體負責的，也就是張說領導著吏部的官員幹。可是這次，宇文融給唐玄宗提一個新方案，他說：張相公與吏部的長官負責選官，這是誰都知道的事情，候選人難免會有請客送禮一類的舉動吧！再說，總讓他們主持，這不是也有結黨營私的危險嗎？唐玄宗一聽，正好觸動心事。是啊，封禪泰山，張說就把女婿、親信都照顧到了，現在主持選舉，誰能保證他公平呢？那怎麼辦呢？宇文融提議說，不如繞過吏部，臨時選十個人主持選官，這樣不就能保證不受干擾了嗎？玄宗聽了頻頻點頭。不是要找十個人嗎？第一個就把宇文融算進去了。其餘的還有卸任的宰相蘇頲、玄宗封禪後表揚過的愛民刺史王丘等，反正也都是一時之選。這十個人分別主持選官，然後把結果彙報給玄宗，玄宗再一一審核。這就把宰相、吏部都給晾到一邊去了。

宇文融主動出擊，張說非常生氣，心想，這不是衝著我來的嗎？照理性的看法，既然是皇帝要繞過他、繞過吏部，就說明他已經不受信任了，那就應該低調一點，不再插手這件事，從此以後防著宇文融就是了。可是張說這時候既是被封禪的成功衝昏頭，也是被宇文融給氣糊塗了，他一點都沒低調，相反，他把宰相的架子擺足了。經過宇文融他們十名考官圈定，也經過皇帝認可的官員名單，不是最終還要得到宰相認可嗎？張說就對著名單橫挑鼻子豎挑眼，充分行使否決權，最後搞得一塌糊塗。唐玄宗這下可真生氣了，你張說也太驕橫跋扈了，連我都不放在眼裡！

讓皇帝生氣，這後果已經很嚴重。不過，張說如果能就此打住的話，也還可以挽回。但是有一句話說得好：當局者迷。張說也不例外。他沿著錯誤的道路愈走愈遠了。

三、鋃鐺入獄：御史臺三名官員發難，告張說三大罪狀

開元十四年（七二六年）初，唐玄宗看上一個叫崔隱甫的人。這個人也是從基層起家，長期擔任

地方大員，政績突出。這時候，玄宗想讓他當御史大夫，就是御史臺[2]的最高長官，負責監察。拿這個人選跟張說商量，結果張說一聽，馬上就否決了，說：這個人胸無點墨，哪能當御史大夫。陛下要是想用他，頂多當個武官。至於您說的御史大夫，我倒有一個人選，就是崔日知。此人以前和我共過事，非常能幹，而且文化水準高，正好勝任御史臺。張說這建議好不好呢？平心而論，也並無大錯。他力薦的崔日知是唐隆政變功臣崔日用的堂弟。當年中宗時代，譙王重福在洛陽發動叛亂，官員都跑光了，正是他力撐危局、平定叛亂的，也確實是個能人。按理說，糾正皇帝的偏頗，給皇帝推薦合適的官員人選也是宰相的重要職責，以前也不是沒有做過。然而，這一次張說這麼做卻是大錯特錯。玄宗本來對他就一肚子氣了，這時候更是怒不可遏，什麼事都得你說了算，我倒要讓你看看誰是皇帝。沒過幾天，唐玄宗就宣布了，任命崔隱甫為御史大夫，至於崔日知嘛，既然張說認為崔隱甫頂多當個武官，那就讓崔日知當好了，任命崔日知為羽林將軍。

這件事對張說可是大大的不利，他不僅把皇帝得罪了，順帶著還把御史大夫崔隱甫也得罪了。要知道，御史臺可是管監察的，就算是宰相，也是他的監察物件。而且，更要命的是，宇文融當時也是御史臺的人，是御史中丞，這樣一來，張說在御史臺就已經有兩個敵人了。

有了崔隱甫這件事，宇文融覺得自己離勝利不遠了。可是要想一舉成功扳倒張說，光他和崔隱甫兩個人還沒有把握。因為眾所周知，他和崔隱甫跟張說都有過節，要是只有他們倆出頭的話，容易讓人懷疑動機不純。於是，宇文融決定再拉一個人增加公信力。誰呢？這個人就是唐玄宗一朝大名鼎鼎的權相李林甫。只不過當時他還只是個御史中丞，而且，這個御史中丞還是宇文融幫他當上的。宇文融為什麼拉李林甫呢？很簡單，除了賞識李林甫之外，還因為李林甫本人也沒文化。這樣的人，張說注定看不起。只要張說在上頭，他也很難混上去。所以，單從自己的前途考慮，李林甫也不會不同意。就這樣，御史臺三個沒文化的人聯合起來了。他們的共同目標只有一個——扳倒張說！

開元十四年（七二六年）四月初三，幾個人發難了，告張說三大罪狀。第一，私下結交僧人和術士，圖謀不軌；第二，以權謀私，招權納賄；第三，縱容手下的小吏貪贓枉法。這幾條罪狀可不得了，當年，姚崇只犯其中一條，縱容手下貪贓枉法就被迫辭職了，何況這裡又增加了兩條。在這增加的兩條裡，最有殺傷力的是哪個？肯定是招納和尚術士占星！要知道，玄宗可是靠政變起家的，他最知道和尚道士的分量了，所以，開元年間，玄宗三令五申，禁止百官公卿跟和尚道士交往。現在張說都已經貴為宰相，他還要占星幹什麼？他可是搞過政變的人，不得不防。玄宗本來已經不滿意張說了，接到這份彈奏之後更是勃然大怒，馬上命令，把張說抓起來。

抓起來之後，玄宗命令刑部、大理寺和御史臺三堂會審，侍中源乾曜負總責。源乾曜本來就討厭張說，另外，他跟宇文融一直關係不錯，當年宇文融還是一個縣主簿的時候，就是他發現這匹千里馬。所以，這個案子的審理結果沒有任何懸念。經源乾曜他們確認，御史臺的彈奏完全屬實，張說必須被繩之以法。我們上一回講過，張說和張嘉貞鬥法的時候，利用張嘉貞想要救弟弟的迫切心情，狠狠耍了張嘉貞一把。現在，輪到他們張家來體會這種兄弟情義了。張說的哥哥張光跑到朝堂去，跪在玄宗的面前割耳稱冤，血流滿面，結果怎麼樣？玄宗揚長而去，不予理睬。到了這一步，張說真是淒

2 官署名。是中國古代的監察機構，西漢稱御史府，長官為御史大夫。東漢時候改為御史臺。歷代多相沿不改，明洪武十五年（一三八二年）改為都察院，清因之，御史臺之名遂廢。

涼無比，簡直就像從泰山頂上直接掉下來一樣。

可能有人會想，玄宗也太無情了吧？沒錯，專制皇權本來就有非常無情的一面，但是，要說玄宗對張說一點情義都沒有，還真是冤枉玄宗。雖然張光訴冤時，玄宗沒有表態，但張說被關兩天後，玄宗又憐憫起他來了，派自己的心腹宦官高力士前去探視，看看張說過得好不好，有沒有悔罪表現。要知道，高力士和張說都是唐玄宗先天政變的功臣，本來關係就不錯；再說了，既然是玄宗派他去探視，高力士能不明白其中的感情嗎？所以，回來之後就向玄宗彙報，說：張說可憐極了，我去的時候，他正蓬頭垢面地坐在草上，捧著一個瓦罐吃飯呢！我一看，裡面竟是粗麥粒。就問他怎麼不讓家裡人送點可口的來。結果張說對我說，我既然犯了罪，哪能再享受生活呢？您聽，他是故意讓家人送這種東西的，這是在懲罰自己呢！有道是人非草木，孰能無情，當年張說是個何等驕傲的人啊！唐玄宗哪能真的忍心把一個意氣風發、神采飛揚的宰相逼成這個樣子呢？既然玄宗流露出了不忍的意思，高力士趕緊趁熱打鐵，說：張說當年曾經當過您的老師，於國有功，對您也還是忠心的，還是放他一馬吧！就這樣，張說又給放出來了，當然，中書令是別想再當了。

那我們應該怎樣評價張說遭逢的這場牢獄之災呢？我想，有三點值得注意。第一，玄宗對宰相似乎愈來愈不客氣了。姚崇是辭職，宋璟和張嘉貞是免職，到張說這裡，已經是關進監獄再免職了。張說當宰相的時候主張「刑不上大夫」，沒想到自己倒經受牢獄之辱。這也算是巨大的悲哀吧！

第二，最後挽救張說的，除了玄宗的憐憫之心、念舊之情外，還有宦官高力士的得體彙報。高力士的說法居然能夠決定一個大臣的命運，我們也可以看出他本人，乃至宦官這個集團的巨大能量。這也是高力士在先天政變後第一次出現在正史記載之中，以後，他的角色會愈來愈重要，記載也會愈來愈多。

第三，張說之所以有這樣的結局，和宇文融的打擊直接相關。張說和宇文融有意氣之爭、利益之爭，但是，最重要的還是所謂的文學和吏治之爭。張說尚文，以文化水準為衡量人的基本標準；而宇文融尚吏，以辦事能力為衡量人的基本要素。這兩種傾向也正是唐玄宗當時用人的兩條基本思路。本來，張說上臺意味著文治的抬頭，現在看來，似乎吏治派又占上風。看來，對於到底怎樣任用這兩類人士，玄宗本人還在思考糾結中。

就在張說和宇文融鬥法的過程中，還有兩個重要人物分別在兩個陣營參戰。一個是宇文融派系的李林甫，另一個則是張說派系的張九齡，這兩個人都是未來的宰相。可以想像，文學和吏治之爭還會繼續下去。高層之間的鬥爭，似乎已經成為玄宗中期政治的一個陰影了。那麼，下一步，還會發生什麼事情呢？

請看下回：后位之爭。

【第二十回】

后位之爭

唐玄宗的結髮妻子王皇后為其登上皇位出謀畫策，起到了重要的內助作用；李隆基登上皇位後，王皇后也順理成章地戴上了鳳冠，成為六宮之主。然而好景不長，王皇后很快就遇到了一個強勁的對手武惠妃，唐玄宗自從喜歡上武惠妃之後，對她百般寵愛，武惠妃也恃寵而驕，產生了取代王皇后的想法。一邊是割不斷的舊情，欲理還亂；一邊是賞不夠的新寵，欲罷不能。唐玄宗究竟會做出怎樣的取捨呢？

中國古代有兩句話非常有趣。一句是：「貧賤之交不可忘，糟糠之妻不下堂。」另一句則是：「貴易交、富易妻。」這兩句話的意思恰好相反，但是都廣為流傳。怎麼理解這兩句話呢？我覺得，這兩句話其實一句講天理、一句講人欲。如果誰做到了糟糠之妻不下堂，那就是天理戰勝人欲，是道德君子。誰要是有錢有勢了就想休妻再娶，那就是人欲占勝天理，沒良心。這樣的人在民間叫做陳世美，落實到我們所講的這段歷史，就叫唐玄宗了。就在開元中期，唐玄宗的感情生活也出了問題，最後以廢黜皇后告終。

一、將門虎女：王皇后文化程度差，出身背景低

唐玄宗的皇后姓王，爸爸是一個折衝府的果毅都尉。果毅都尉是五品的武官，所以，王皇后也算是將門之女。有人可能會說，這個皇后出身不怎麼樣，話可不能這樣講。要知道，王皇后是在李隆基當臨淄王的時候跟他結的婚，那時候，李隆基還看不出有什麼政治前途，所以，王皇后嫁給他也還算是說得過去。很快，李隆基就發現，這個媳婦娶對了。為什麼呢？因為王氏是個不可多得的賢內助。中宗去世後，李隆基開始策畫政變，要誅殺韋皇后。按道理講，這可是要準備掉腦袋的事情，別說是弱女子，就是七尺男兒也難免緊張，王毛仲不就臨陣脫逃了嗎？可是，王氏不一樣，她是將門之女，從小就為人豪爽、膽略過人，幫著李隆基出謀畫策，不僅不害怕，還顯出一副興致勃勃的樣子。後來，李隆基又跟太平公主鬥法，這一次，王皇后可是經驗豐富，先天政變的時候，她不僅自己親自參加策畫，還讓自己的雙胞胎哥哥王守一直接參加戰鬥，兄妹倆雙雙立功。政變成功，玄宗終於當上貨

真價實的真皇帝，她也成為名副其實的國母。所以說，她這個皇后的位子，可不僅僅是跟李隆基結婚得來的，而是憑著自己的功勞得來的。說到這裡，我覺得她挺像長孫皇后[1]的。當年，唐太宗玄武門之變，長孫皇后不是親自給戰士發放武器嗎？這兩位皇后，都是難得的巾幗英雄。長孫皇后贏得唐太宗終生的尊重，王皇后也應該差不多吧？

沒錯，開始的時候，王皇后坐在憑本事得來的位子上確實是底氣十足。可是，非常不幸，王皇后的底氣並沒有維持多久，很快就失寵了。為什麼呢？因為她有幾大弱點。首先，王皇后的文化程度比較低。就拿長孫皇后來比較吧！長孫皇后會寫詩，《全唐詩》現在還保存著她的詩歌。但王皇后就不行了。她是武官的女兒，想來小時候也沒受過什麼良好教育，斗大的字都認不了一籮筐。文化程度低也就制約了王皇后的轉型。長孫皇后因為受教育程度高，所以，在玄武門之變後，成功地從一個女英雄轉型為一個齊家治國的賢內助，幫助太宗處理政事，頭頭是道。可是王皇后呢？別看她在政變的時候，是個勇敢堅毅的好幫手，唐玄宗也比較仰仗她；但是一旦進入和平發展時期，需要用腦子而不是膽子給皇帝幫忙時，王皇后就無法勝任了。唐玄宗是個雄才大略、文雅風流的皇帝，做為皇后，總是跟不上皇帝的思路，不明白皇帝在想什麼，能不被邊緣化嗎？其次，王皇后的家庭背景比較差。一個皇后，畢竟不是一個宰相，即使個人素質差一點，如果能有家族支援的話也可以維持。就拿長孫皇后

1 中國歷史上的賢后典範，輔佐太宗開創貞觀之治的盛世局面。她出身名門，通達理儀，仁孝儉素，為了配合太宗勤儉治國的方針，率先提倡節儉，不講排場。她喜好讀書，注重提高自身修養。

來說，她是關隴貴族[2]出身，哥哥長孫無忌就是當朝宰相。娘家勢力大，就算是唐太宗也得高看她一眼。可是，王皇后的家族就幫不了她什麼忙了。她爸爸就是個老粗出身，又貪財又好酒，不給女兒惹麻煩已經算是不錯了。哥哥王守一雖說政變時立了功，又因為妹妹的緣故當上大官，但是，因為能力不行，再加上玄宗防範外戚，所以始終就是閒職，沒什麼真正的勢力。王皇后要想指望娘家的保護，沒門兒。第三，最致命的問題是王皇后的生育能力也不行。長孫皇后光是兒子就生了三個，而唐玄宗雖然兒子女兒一大群，但是沒有一個是王皇后的。中國古代講究母以子貴，沒有兒子，這對一個皇后來說可是大大的不利。說了王皇后這麼多不利條件，大家可能覺得，這皇后當得是比較費勁。問題是，這還不是王皇后遇到的全部困難。她面臨的最大打擊是，唐玄宗喜歡上別的女人了。開元年間，當一個姓武的妃子出現後，王皇后逐漸開始寢食不安、度日如年。那麼這個姓武的妃子究竟強在哪裡？她為什麼會讓王皇后惶惶不可終日呢？

二、武妃崛起：武則天的孫姪女文化程度高，有貴族氣質

唐玄宗喜歡的是誰呢？唐玄宗是個多情的人，他喜歡過的人太多了。當臨淄王的時候不就有趙麗妃、劉華妃和皇甫德儀嗎？但是，到開元年間，這幾個女人漸漸都被他丟在腦後，他開始專寵一個姓武的女人了。這姓武的女人是誰呢？說起來跟李隆基還是親戚。她就是武則天的姪孫女，恆安王武攸止的女兒，唐玄宗的小表妹。這個武氏從小死了父親，她也就按照當時的慣例，被接到宮裡來撫養。本來，武氏既然從小入宮，想來唐玄宗早就見過她，但是，哥哥妹妹的看慣了，小時候也沒覺得她有

什麼特別之處。可是，不是有句俗話叫女大十八變嗎？開元初年，李隆基不知道哪一天突然意識到，昔日不起眼的小表妹已經出落成一個大美女了。這一次，唐玄宗的多情本性再次發作，不由得愛上這個小表妹。當然，我們也知道，後宮裡美女一抓就是一大把，武家表妹能吸引唐玄宗，肯定不光是因為長得漂亮，還得有其他的優勢。什麼優勢呢？《舊唐書》裡引了一段唐玄宗本人的評價：「行合禮經，言應圖史。」說她文化程度很高，很有貴族氣質。有這樣的基礎，再加上從小在宮廷裡長大，又有武家人的優秀基因，她的政治心機也絕對上乘。換句話說，這個武氏不僅長得漂亮，而且言談舉止頗有當年武則天的風範。我們在第一回分析過，李隆基是在和女強人的鬥爭中成長起來的，對於女強人並不陌生，而且不乏尊重。所以，一看見秀外慧中的武氏表妹，馬上就把從前那些花花草草拋到腦後。在他看來，那些妃子都是繡花枕頭，只有武氏，才真算是一個紅顏知己。

大概在開元三、四年的時候，武氏的地位進一步提高。因為她的第一個孩子出生了。是個兒子，長得粉團一般，清秀可愛。玄宗愛不釋手，每天一退朝就把他抱在懷裡。雖然當時玄宗已經兒子女兒一大堆了，但是，他總覺得只有這個孩子才是獨一無二的。我們講過玄宗讓宋璟給孩子起名字，還要求起一個特別的名字和一個特別的公主邑號。其實這個所謂特別的名字就是準備給這個孩子的，沒想到讓宋璟拒絕了。雖然玄宗在一般問題上都還肯聽大臣意見，但是輪到這件事，他的表現可就跟一個溺愛孩子的普通父親沒什麼兩樣。你不是不給起名字嗎？我自己起！唐玄宗決定，這個孩子就叫李

---

2 歷史學家陳寅恪先生提出的一個概念，指興起於關隴地區的軍事貴族集團。特點是胡漢雜糅、文武兼資。關隴集團在西魏、北周、隋和唐初均占據著統治地位。

一！別看這個「一」字筆劃最簡單，但是，含義可是最複雜的，像什麼一元復始、一鳴驚人，我們能想到一大堆成語。「一」就是本源、就是上天啊！可見玄宗對這個孩子抱多大的期望。可是，老天就是這麼殘酷，這麼聰明可愛的孩子只活了一歲多，就夭折了，這對唐玄宗和武惠妃可是莫大的打擊。

唐玄宗和武氏因此傷心欲絕，還有一個人也傷心不已。誰呢？王皇后。只不過她不是為這個孩子傷心，而是為自己傷心。她切切實實感覺到，自己的皇后之位面臨著危機。本來，王皇后不得寵已經不是一天兩天了，她怎麼這時候忽然覺得危險了呢？很簡單，唐玄宗以前也喜歡過不少女人，但都是今翠明紅，沒有一定之規，她倒不怎麼擔心。王皇后也知道，當皇后就得有這個肚量，外面彩旗飄飄不要緊，彩旗愈多，家裡這桿紅旗愈不會倒。所以，那時候，王皇后還是以大肚能容著稱的，對誰都是一副笑臉，宮裡沒有一個妃子說她嫉妒。但是，現在她看出來了，這個武氏跟此前的趙麗妃、劉華妃她們可不一樣。她的兒子叫李一，傻子都明白這是什麼樣的感情，不是這個小孩子獨一無二，而是這個小孩子的媽獨一無二！王皇后不怕丈夫花心，她就怕丈夫專心。這個女人這麼得寵，總有一天會威脅到自己的位置。

怎麼才能讓玄宗回心轉意呢？有人會說，如果丈夫在外面有了第三者，做妻子的應該對他更溫柔、更體貼，只有這樣，才能把他拉回家，而不是推出去。從理論上來講，這個道理是對的，但是，從感情上講，有幾個人能做到呢？特別是像王皇后這樣的將門虎女，本來就是豪爽剛烈，讓她玩這種彎彎繞，她不會。王皇后一著急，就用起最笨的方法，只要一有機會，就在玄宗面前說武氏的壞話，而且，說著說著還要數落唐玄宗的不是，什麼喜新厭舊、忘恩負義，大帽子一頂一頂往玄宗頭上扣。簡直跟當年唐高宗那個王皇后如出一轍。人的感情都是有相似性的，當年，唐高宗厭倦了嘮嘮叨叨的王皇后，愈來愈喜歡好像受盡委屈的武則天，現在，時隔七十年，歷史又重演了。別看王皇后整天說武氏的壞話，但是，唐玄宗對武氏的感情一點都沒有減弱，相反，他對王皇后倒是愈來愈不耐煩了。

唐玄宗對光彩照人的武氏表妹，傾注全部感情，正所謂「此花開時百花殘」。武妃的出現，本來已經使得王皇后的地位岌岌可危，再加上王皇后的不智之舉又加劇了玄宗的厭惡感，讓他產生廢黜皇后的想法。然而，正當唐玄宗積極籌畫廢后的時候，一件洩密事件讓唐玄宗陷入被動，那麼，這究竟是怎麼回事呢？

三、預謀廢后：姜皎洩露唐玄宗廢后的想法，慘遭流放嶺南

唐玄宗心裡產生廢黜皇后的想法。可是，我們知道，在古代，廢黜皇后可是個大事，要考慮好各方面的影響和後果，不能憑感情莽撞行事，而是要好好謀畫。找誰謀畫呢？能不能找宰相呢？唐玄宗的宰相倒是不錯，可是一般說來，宰相如果沒有私心，一定主張維持後宮穩定。所以，如果諮詢宰相，肯定會引出他們一番類似於存天理、滅人欲的教訓，在王皇后這兒，唐玄宗已經沒少聽數落了，他可不想到宰相那兒再聽一遍。那找誰呢？只能找身邊的親信了。唐玄宗不是有個寵臣叫姜皎嗎？是李隆基當臨淄王時交的朋友，也是先天政變的重要功臣，跟唐玄宗感情特別好，玄宗甚至特許他自由出入宮廷。每次玄宗在後宮喝酒，姜皎都跟后妃坐在一起，一點不避嫌疑。所以，對玄宗後宮裡的事情門兒清。唐玄宗想，這傢伙了解情況，又能真心為我著想，腦子也靈活，不如找他幫忙。就把姜皎

叫來，說：王皇后嫉妒成性，而且性情粗魯，我實在受不了了，你幫我考慮考慮，能不能拿她沒兒子這個事情當理由，把她廢掉算了。具體應該怎麼操作，你想個方案給我。

姜皎會給玄宗出什麼樣的主意呢？他根本就沒出主意。而且，他和王皇后認識的時間也不短了，不知是不是因為有點同情王皇后，反正，姜皎走出宮門，就把這個事情洩露給王皇后的妹夫。而這個妹夫，還恰好是李唐宗室，是玄宗的堂兄弟。既然和玄宗以及王皇后都是親戚，這個妹夫就想了，我得勸勸他們，說起來大家都是一家人，有什麼問題不能解決，非要離婚呢？於是，這位妹夫直接來找玄宗，說：剛才我聽姜皎說，陛下要廢掉皇后？您看，我和陛下您以及皇后都是親戚，我誰也不向著，但是，俗話說得好，「百年修得同船渡，千年修得共枕眠。」您和皇后能有多大的矛盾，何苦要搞到這一步呢？玄宗一聽他這麼說，真是萬分尷尬。心想，姜皎啊姜皎，你真是不值得信任！現在這事情八字還沒一撇，你就在外面宣傳個沸沸揚揚，這不是要我的好看嗎？惱羞成怒，也顧不得和姜皎多年的情分了，直接以散布謠言、挑撥離間罪把姜皎給抓起來了。這下，姜皎可真是吃了不把自己當外人的虧了，別看平時關係那麼好，沒想到皇帝說翻臉就翻臉。就在朝堂之上打了姜皎六十大板，流放嶺南了。姜皎這麼多年養尊處優慣了，哪吃得了這份苦，還沒到地方就死了。所以，玄宗廢皇后沒廢成，還賠上一名好兄弟。

這次洩密事件讓王皇后明白，夫妻之間的患難恩情早已被唐玄宗拋到九霄雲外，如果再不採取有效措施，她的皇后之位必將不保。那麼，面對被動局面，王皇后又是如何應對的呢？

四、廢王不立武：為求一子，王皇后求助神靈、行厭勝之舉

雖然皇后沒廢成，但是，王皇后可是嚇壞了。俗話說，不怕賊偷，就怕賊惦記。只要皇帝惦記上了，廢黜就是遲早的事情。怎樣才能挽回玄宗的感情呢？這次，王皇后也學乖了，她不再一味地硬碰硬，也知道打感情牌。怎麼打呢？當時玄宗出於禮貌，偶爾也會到她這兒來敷衍敷衍。王皇后就抓住機會，眼淚汪汪地對玄宗說：「陛下獨不念阿忠脫紫半臂易斗麵，為生日湯餅邪？」什麼意思呢？阿忠，是王皇后的父親王仁皎的小名。當年玄宗還是臨淄王的時候，沒少到丈人家去蹭飯吃。可是，王仁皎好賭錢喝酒，經常吃了上頓沒下頓。有一次，李隆基在生日那天到王仁皎家去，中國人不是講究過生日吃長壽麵嗎？在唐朝叫湯餅。

可是，王仁皎家連一點麵都沒有。怎麼辦呢？再怎麼艱難，也不能虧待女婿啊！王仁皎就把自己身上穿的紫色半臂衫脫下來，到當舖裡當了，買回一斗麵，給李隆基做了一頓麵條。現在，王皇后提醒李隆基，這樣的艱苦歲月咱們都一起走過來了，我們家待你不薄，我王氏待你也不薄，你難道都忘了嗎？多情的唐玄宗，聽了王皇后這番話也很感動，好一陣子都不再流露出廢后的意思了。另外，王皇后性格豪爽，雖然在皇帝這裡不得寵，但是，跟其他妃嬪、宮女處得倒是滿好的，大夥都覺得她平易近人，沒架子，出手大方，是個傻乎乎的好人。所以，儘管誰都知道皇帝不喜歡她，可是沒有一個人落井下石，說她的壞話。要知道，皇后可是六宮之主，王皇后群眾基礎這麼好，唐玄宗也想不出什麼理由來廢黜她，這麼一拖，差不多兩年的時間就過去了。

雖然廢后風波暫時平息，但是王皇后還是覺得地位不穩固，為了挽回唐玄宗的心，王皇后準備從根本上解決問題。可是聰明反被聰明誤，王皇后的舉動反而加速唐玄宗的廢后步伐，那麼，王皇后究竟做了什麼呢？

雖然唐玄宗已經好長時間不提廢后的事了，但是，王皇后自己心裡還是不踏實。她知道，打感情牌只能解決一時的問題，誰也不能整天生活在回憶裡。要想維護自己的地位，關鍵不在這裡。那麼，關鍵問題在哪兒呢？王皇后覺得，上一次唐玄宗和姜皎商量廢黜她，藉口就是沒有兒子。只要這個問題不解決，她的皇后地位就穩當不了。更要命的是，她不生兒子，武氏這幾年倒是頻頻生育，而且生的孩子一個比一個漂亮，這讓王皇后愈發不安。怎樣才能生一個兒子呢？王皇后就找她哥哥王守一商量。人要是遇到自己無法解決的問題，本能的想法就是求助於神靈。今天我們不是還能看見到送子娘娘塑像前燒香的人嗎？王皇后兄妹倆的想法和這些人一樣，想要求神靈幫忙。

於是，王守一找到了一個叫明悟的和尚。明悟大師說，這個事情好辦，我教你一個祭祀南北斗的方法。但是，光祭祀還不行，還要找一塊霹靂木，也就是被雷劈過的木頭，在上頭刻上天、地兩個字和唐玄宗的名字，然後戴在身上，再念誦一條咒語，你就能生兒子了。王皇后有病亂投醫，當然不折不扣地照辦。可是沒想到，她頭一天祭祀，第二天玄宗就知道了。

皇帝知道會有什麼後果呢？要知道，這個事情如果放在現在，叫做搞迷信活動，批評教育兩句也就完了，但是，在古代可不一樣。在古代，王皇后的這種行為叫厭勝。厭勝可是重罪，一定要好好審理。唐玄宗親自掛帥，把涉案的幾個人都抓來了。結果，一審之下，更大的問題出來了，原來，明悟和尚讓王皇后念的那條咒語可不是一般的咒語，他說的是：「佩此有子，當如則天皇后。」到這一步，事情的性質就變了。本來，如果咒語只是天靈靈，地靈靈，保佑我生一個兒子一類的話語，這還是一般問題，可以理解，也可以從輕發落。但是，你要是說「佩此有子，當如則天皇后」，那就轉化成政治問題了。因為當時誰不知道武則天是何許人呢？這可是唐朝統治者的最大傷痛，你王皇后念這樣的咒語，難道也想改朝換代嗎？事情到這一步，結局也就可想而知，王皇后被順理成章地廢黜，打入冷宮，很快鬱鬱而死。

可是，我們在為王皇后歎息的同時不免要問一個問題，王皇后搞厭勝，唐玄宗是怎麼知道的呢？誰在整天盯著她，關注著她的一舉一動？要知道，王皇后在後宮人緣不錯，沒有什麼人特別恨她，因此，雖然史書沒有記載，但是我覺得，這樣做的只可能有一個人，那就是武氏。七十年前的唐高宗時代，武則天就是整天盯著王皇后，終於抓到王皇后的厭勝案，從而在廢后問題上推進了一大步。現在，武氏故技重演，也抓住王皇后的小辮子。這樣看來，新一任的王皇后只是在咒語裡表明要向武則天學習，實際上扮演了當年倒楣的王皇后的角色，而武氏才真正學到武則天的精神。那武氏這樣做目的是什麼呢？傻子都知道，有廢就有興，她想當皇后了，而這也正是唐玄宗的意思。但是，如果王皇后剛一廢黜，武皇后就閃亮登場，這也太明顯了，影響不好。所以，唐玄宗和武氏都很有耐心，他們願意等。然而，朝中大臣們對此卻非常敏感，強烈反對。那麼，大臣們為什麼要反對呢？唐玄宗又是如何決策的呢？

等了兩年之後，開元十四年（七二六年），唐玄宗覺得差不多了，終於跟大臣提出來，武氏溫良恭儉讓各項美德俱全，我想立她當皇后。這不又是一次廢王立武嗎？是不是七十年前的歷史重演？沒有重演。因為大臣反對了。李隆基這個動議剛一提出來，馬上，一個叫潘好禮的人就上書了。他說：「武氏乃不戴天之仇，豈可以為國母！人間盛言張說欲取立后之功，更圖入相之計。且太子非惠妃所生，惠妃復自有子，若登宸極，太子必危。」什麼意思呢？三點內容。第一，武家和李家有不共戴天之仇，怎麼能讓武家的人再當皇后呢？難道還想出一個武則天第二嗎？第二，唐玄宗當時已經立太子了，而武氏又有自己的兒子，一旦她當上皇后，太子肯定當不安穩，你難道還想引起更大的紛爭嗎？第三，坊間都說張說想通過支持武氏來謀求再次拜相，陛下難道希望看見後宮和外廷相互勾結嗎？

大臣這樣表態，唐玄宗怎麼辦呢？要不要向唐高宗學習，聯合武氏，對大臣開戰呢？唐玄宗沒有。他決定妥協了。畢竟，除了說張說和武氏勾結不大靠譜外，大臣們說的另外兩個問題確實存在，就連他自己也不能說完全沒有顧慮。唐玄宗還是個負責任的政治家，他明白，立不立武氏當皇后畢竟只是他個人的感情問題，他不能為了自己的私情得罪大臣，更不願意因此引起政局的動盪。這樣一來，王皇后是廢了，但是武氏也沒能被立為皇后，皇后的位置，就此空下來了。不過，雖然不能為了心愛的妃子放棄政治大局，唐玄宗也沒有虧待她，他給武氏一個惠妃的頭銜，這就是在楊貴妃之前寵冠六宮、叱吒風雲的武惠妃。

武惠妃雖然沒有皇后的名分，但是，宮中的禮節、待遇都和皇后一樣，也算是一個無冠之后，事實上的第一夫人了。經過幾年的折騰，唐玄宗的家庭問題算是解決了，那麼，他還會面臨什麼問題呢？

請看下回：寵臣興衰。

【第二十一回】

寵臣興衰

在中國古代，有外廷和內廷的區分。所謂外廷，就是以宰相為首的朝廷，是為國家工作的。所謂內廷，則是皇帝的私人服務機構，像我們熟悉的宦官就屬於內廷機構。因為有公、私之別，所以，歷來都是外廷尊而內廷親。內廷一頭連著後宮，一頭連著朝廷，地位非常特殊，也非常重要。上一回我們講到廢黜皇后，沒想到，後宮的事情剛解決，內廷的權力鬥爭又開始了。怎麼回事呢？

一、王毛仲勢盛：倚仗政變之功、養馬專業、和軍隊的交情而風光

內廷的權力鬥爭其實是由一個人引發的。誰呢？王毛仲。這個人我們可太熟悉了，本來是玄宗的家奴，因為政變有功，成了玄宗的心腹寵臣。為什麼說他是心腹呢？因為玄宗派他擔任檢校內外閒廄兼知監牧使，負責給中央禁軍和各地駐防部隊養馬。有人說，這不就是弼馬溫嗎？這算什麼心腹呢？要知道，古代戰鬥力最強的兵種是騎兵，而要裝備騎兵，就必須有戰馬。所以在古代，凡是馬匹充足的時代，比如漢朝和唐朝，中國的武力就強；反之，一旦戰馬不足，戰鬥力馬上就急劇下降。像宋朝和明朝就是最好的例子。正因為戰馬重要，所以，負責養馬的人也非常重要。別看王毛仲的職責是養馬，但是，官職可是左武衛大將軍，是堂堂正正的三品官，和宰相一個級別。王毛仲是個聰明人，他知道，唐玄宗雄才大略、重視軍功，那他就努力養馬，給皇帝提供堅實的保障。怎麼努力呢？

首先，他精心研究動物學。在他的養護之下，馬匹的數量逐年遞增，十年的工夫，唐朝戰馬的數量就從二十四萬匹上升到四十三萬匹，差不多翻了一番。

其次，王毛仲精於管理。幾十萬匹馬，耗費的馬料就是好大一筆開銷，最容易出經濟問題。而王毛仲既嚴格要求自己，更嚴格要求下屬，做到一點都不貪污、一點都不浪費，每年為國家節省下來的糧草就有幾萬斛。不浪費錢已經夠不錯的了，王毛仲還能生錢。馬每年都會因為各種原因有損耗。死馬怎麼處理呢？王毛仲特別有經濟頭腦，他把馬皮、馬肉、馬骨頭拆零碎了分別出售，光這一項，一年就能賺回八萬匹絹。要想把工作做好，除了有頭腦外，更要有吃苦耐勞的實幹精神。王毛仲在吃苦耐勞方面更是堪稱典範。本來，他在長安城裡也有不止一處豪宅，但是，為了把工作做好，他乾脆每

天就住在宮廷馬圈旁，這樣兢兢業業，比大禹治水也不差多少。功夫不負苦心人，王毛仲養馬取得了令人矚目的成就。開元十三年，唐玄宗封禪泰山，讓王毛仲選派馬匹隨行。王毛仲精心挑選了幾萬匹馬，按毛色分成幾隊，遠遠看過去，簡直就像彩色錦緞在大地上飄動，氣勢非凡。唐玄宗非常有面子，一高興，就在泰山腳下加封王毛仲為開府儀同三司。我們知道，唐玄宗一朝，只給過四個人這個頭銜，一個是姚崇，一個是宋璟，一個是玄宗的岳父王仁皎，第四個就是王毛仲了。能跟這些大人物並肩，這不是最大的榮耀嗎？那為什麼又叫他寵臣呢？唐玄宗跟王毛仲的私人感情太不一般了。要知道，感情就像酒一樣，要靠時間來發酵。王毛仲從唐玄宗當臨淄王時就開始追隨他，從小小少年相伴成長到中年，別看是君臣有別，私下裡還真有點哥們兒的意思。何況王毛仲又是那麼聰明，沒少在關鍵時刻給唐玄宗幫忙，所以，唐玄宗在感情上也很依戀王毛仲。每次宮裡舉行宴會，玄宗都會讓王毛仲坐在皇帝的御榻前，省得彼此看不見。哪一次要是王毛仲沒參加活動，或者是來晚了，你看吧！玄宗準悶悶不樂；一旦王毛仲出現，玄宗馬上就眉開眼笑，真是整天混到一起都嫌不夠。跟皇帝有感情，賞賜自然是滾滾而來。玄宗賞給王毛仲的豪宅、奴婢、車馬、錢帛不計其數。這還不算什麼，更重要的是，玄宗還不惜違反法律，賞給他一個夫人。賞給他一個夫人犯什麼法呢？要知道，中國古代實行的是一夫一妻多妾制度，一個人在同一時間只能有一個妻子，其他的都是妾。本來，到唐玄宗掌權的時候，王毛仲已經娶妻，可是唐玄宗覺得不夠，那個黃臉婆怎麼配得上王毛仲呢？就做主替他挑了一名如花似玉的美人。皇帝賞賜的夫人總不能做妾吧！得當正妻，這也是對皇帝的基本尊重。那原來的夫人怎麼辦呢？是不是就得離婚呢？王毛仲還算有良心，跟唐玄宗講：糟糠之妻不下堂，我幹不出那樣的事。一個位置，兩個人爭，怎麼辦呢？唐玄宗一看王毛仲為難的樣子就笑了，說：法律還管得著你我嗎？兩個都算正妻，都封為國夫人！從此之後，每次宮裡頭給這些官員夫人們賞賜，王毛仲都領雙份的，他夫人多啊！有夫人就會有兒子，王毛仲的兒子就更不得了了，生下來就封五品官，而且，隔三岔五就被請進宮去，和皇太子一起玩兒，這待遇，宰相都望塵莫及。

看見王毛仲在皇帝面前這麼紅，有人就跟他走得近了。誰呢？萬騎的將領們。我們前面講過，李隆基發動政變誅殺韋皇后的時候，用的就是萬騎將士。萬騎的效忠，也是李隆基政變成功的關鍵。所以，政變後，這些立功將士都被封為「唐元功臣」，官階也是一升再升。唐玄宗開元初年一直在做打擊功臣的工作，好多功臣都貶官了。但是，所有被貶官的都是能夠左右政局的文官，武將並沒有受到衝擊，相反，這些立功的萬騎將士一直被視為李隆基的心腹，是他的貼身保鏢。這些萬騎將士跟王毛仲又有什麼關係呢？當年，李隆基和萬騎之間的聯絡員就是王毛仲。萬騎最終能夠倒向李隆基，王毛仲差不多有一半的功勞。本來淵源就很深了，王毛仲負責養馬後，雙方的工作聯繫就更緊密。王毛仲的職銜是檢校內外閒廄兼知監牧使，所謂內外閒廄，其實就是禁軍專門的養馬場。這樣一來，萬騎用的戰馬全都由王毛仲提供，雙方經常打交道。開元年間，眼看著王毛仲在唐玄宗面前紅得發紫，萬騎將士誰不巴結他呢？一來二去，別看王毛仲在萬騎並沒有職位，但是儼然成了左、右萬騎的最高首腦，萬騎的將領們都對他唯命是從。本來，王毛仲對萬騎有影響力，唐玄宗也不反對，因為他信任王毛仲。雖然王毛仲當了大官，但是，在唐玄宗的心目中，依然是那個機靈能幹的小家奴，讓他掌管著戰馬，再控制著禁軍，就像自己控制一樣，所以，也願意縱容著王毛仲。有了皇帝的信任，王毛仲跟萬騎的關係愈走愈近。開元十七年（七二九年），王毛仲家又迎來一件大喜事，他的女兒嫁給萬騎將軍葛福順的兒子。葛福順我們講過，就是唐隆政變兩個最重要的前敵指揮之一，到開元十七年，早已是萬騎的最高統帥。王毛仲和葛福順一個管馬、一個管兵，真是門當戶對。兩個人又是多年的朋友，從朋友做到親家，天下還有比這更舒心的事嗎？

王毛仲雖然沒有在軍中任職，但是由於皇帝的寵愛，再加上與軍界錯綜複雜的關係，他成了軍界的無冕之王。然而，風光無限的王毛仲，在不知不覺間使得同樣是奴才的宦官們不高興，那麼，這究竟是怎麼回事呢？

二、宦官出擊：王毛仲爭寵、爭權、過於高調，成為宦官眼中釘

可是，王毛仲舒心了，有些人卻不舒心了。誰呢？宦官。宦官為什麼看不上王毛仲呢？首先當然是出於嫉妒。因為他們其實都屬於內廷勢力。宦官是皇帝的奴才，王毛仲和萬騎不也是皇帝的奴才嘛！就好比一個是貼身僕人，一個是馬童，一個是保鏢一樣，只不過分工不同罷了。現在，馬童和保鏢得寵了，貼身僕人怎麼能不惱火呢？

宦官看不上王毛仲的第二個原因是爭權。開元中期不僅王毛仲紅得發紫，也正是宦官力量崛起的時期。本來，開元初年，因為姚崇的「十事要說」特別提醒過抑制宦官，所以，宦官發展還是受到了很大的限制。但是後來，隨著這些宰相死的死、退的退，宦官在玄宗朝的勢力還是愈來愈大。宦官勢力為什麼大呢？說白了還是因為皇帝勢力大，而他們整天待在皇帝身邊，位置太重要了。他們不經意的一句話，就能勝過一般人的千言萬語。為了能得到他們幾句美言，無論是中央還是地方，官員都對

他們趨之若鶩。宦官收禮收到手軟，競相在長安買房置地。按照《資治通鑑》的說法，「京城第舍、郊畿田園，參半皆宦官矣」。

光有經濟基礎還不算，這時候，宦官在政治上也嶄露頭角。其中有兩個人風頭最健，一個是高力士，另一個是楊思勖[1]。高力士我們知道，那是玄宗先天政變的功臣，政變之後就成了無可爭議的宦官領袖，相當於玄宗的大管家。整天就陪在玄宗身邊，隨便什麼事都能插上話。我們不是講過張說嗎？本來都抓起來了，高力士一句「說曾為侍讀，又於國有功」就使其轉危為安。一句話就能改變一個宰相的命運，夠厲害吧！楊思勖就更傳奇了。這個人別看是個宦官，但是號稱「有膂力，殘忍好殺」，唐玄宗誅殺韋皇后，他也立下戰功。所以到開元年間，他乾脆轉換角色，成了一個不折不扣的將軍，專門負責嶺南防務。唐玄宗開元十六年（七二八年）之前，跟嶺南少數民族一共有四次大的戰爭，全是楊思勖領兵，基本可以做到戰無不勝。不過可能是當宦官當得心理有點變態，特別殘忍，每打一仗都要殺好幾萬人，而且還是虐殺，像什麼剝臉皮、剝頭皮，都是楊思勖的拿手好戲。每次看見他虐殺俘虜，手下的人都忍不住瑟瑟發抖，唯恐哪一天，這套刑罰用在自己身上。所以，楊思勖絕對是令行禁止，軍紀特別嚴整。開元中期，高力士和楊思勖這兩大宦官一文一武，炙手可熱，而王毛仲偏偏也是紅得發紫，真有點像《三國演義》裡周瑜和諸葛亮的關係。估計在高力士他們的心裡，也是整天喊著「既生瑜，何生亮」呢！

宦官和王毛仲矛盾的第三個原因是王毛仲太高調了。本來，王毛仲、萬騎將士和宦官身分都差不多，套用《紅樓夢》裡的話，那叫「梅香拜把子——都是奴幾」。可是，王毛仲卻偏偏看不起宦官。像高力士這樣的大宦官，王毛仲都不放在眼裡，更不要說一般的小宦官了。好歹人家也是皇帝的奴才，王毛仲把人家看得跟自己家的奴才一樣，稍不如意就罵個狗血噴頭。宦官能不恨他嗎？

基於以上三種原因，宦官集團與王毛仲結成冤家，可是王毛仲對軍界具有重大影響力，從某種意義上講，他也算掌握了大唐帝國的槍桿子，所以皇帝李隆基對王毛仲也是非常倚仗。那麼，手無寸鐵的宦官究竟會用怎樣的方法，來打擊王毛仲呢？

宦官看王毛仲不順眼，可是，怎麼才能打擊王毛仲的囂張氣焰呢？這時候，高力士出馬了。怎麼出馬的呢？是不是直接找唐玄宗，挑撥挑撥他和王毛仲的關係呢？高力士沒有那麼傻。他知道，一個宦官輕易在皇帝面前說三道四是危險的。那怎麼辦呢？

我們剛才不是說外廷不少官員都跟高力士有瓜葛嗎？高力士先讓跟他關係好的官員探路。開元十七年（七二九年）六月，就在王毛仲嫁女兒之後不久，吏部侍郎齊澣來找唐玄宗了。他說：「福順典兵馬，與毛仲為婚家，小人寵極則奸生，不預圖，且有後患。高力士小心謹畏，加宦人可備禁中驅使，腹心所委，何必毛仲哉？」齊澣是何許人？就是說姚崇是「救時宰相」的那個傢伙。這個人博古通今，是著名的小諸葛。他這個說法還是很有分量的。本來，騎兵和戰馬分開管理，就有相互制約的意思，現在兵和馬都跑到王毛仲他們一家去了，王毛仲如果忠心耿耿，自然沒什麼問題，可是，誰又能保證人的思想永遠不變呢？一旦王毛仲忠誠不保，玄宗的安全可就存在巨大隱患了！與其這麼信任王毛仲，倒不如信任高力士，不管怎麼說，宦官也比奴才靠得住！玄宗一聽，還真是倒吸了一口涼

1 羅州石城（今廣東廉江縣北）人。唐玄宗時的著名宦官，從小進宮，有軍事才能，生性剛毅果決，性情凶暴，對待俘虜十分殘忍。因功封為將軍，是玄宗的得力幫手。

氣，覺得齊澣說得有道理，而且，齊澣這麼一說，讓玄宗想起一件事來。

就在不久前，王毛仲還向他提過要當兵部尚書，他當時想也沒想就否決了。要知道，兵部可是非常重要的部門，姚崇、張說他們都是從兵部尚書走上宰相崗位的，再怎麼也輪不到王毛仲。所以，他還以為王毛仲跟他開玩笑呢！現在想來，王毛仲還是有野心的。他都控制皇帝的禁軍了，還要向國家軍隊插手，他到底想幹什麼呢？

想到這裡，玄宗對齊澣說：我知道你是一心為國，但是，這個事情不簡單，你等我慢慢想一個妥當的解決辦法。齊澣說：陛下，您慢慢想沒問題，但是，您可千萬要保密。常言道：「君不密則失臣，臣不密則失身。」玄宗心想，這我還不明白嗎？把齊澣打發走了。沒想到，沒過幾天，這個事情還真的洩密了。怎麼回事呢？當時有一個小官叫麻察，因為一點小事被貶官了。齊澣跟麻察關係不錯，就去給他餞行。兩個人喝了幾杯酒，齊澣就管不住自己的嘴，從議論朝政開始，一直說到他給唐玄宗提的建議，整個一個竹筒倒豆子，全倒給麻察。話說完，酒也喝完了，兩個人依依惜別。齊澣還在一路哀嘆麻察「西出陽關無故人」呢！可是，沒想到，麻察並沒有走。目送著齊澣遠去，他翻身上馬，折回朝廷，直接向唐玄宗告密，說：齊澣隨便議論大臣，洩漏國家機密。麻察為什麼要這麼幹呢？一言以蔽之，自私呀！按他的想法，我雖然犯了罪，但是檢舉揭發別人有功，將功折罪總可以吧！人不為己，天誅地滅，朋友義氣算得了什麼。唐玄宗一聽麻察的彙報那個氣呀！我還真當個祕密在這兒守著，你倒自己出去洩密，這讓我多被動啊！怎麼辦呢？能不能乾脆一不做、二不休，把王毛仲解決掉算了？不能這樣處理，因為此事牽扯的不是王毛仲一個人。那些萬騎的將軍怎麼辦？將軍手裡都是有兵的，萬一解決不好就會引發軍事政變。這些問題都沒想好解決辦法，怎麼能輕舉妄動呢？

既然解決王毛仲還沒做好準備，只好先把責任推到齊澣身上，另外，麻察居心叵測，也絕不能放過他。開元十七年七月，唐玄宗頒下制書，說齊澣和麻察離間君臣，把兩個人都貶官了。

事情鬧到這一步，王毛仲幸災樂禍呀！心想，我是什麼人物呢？樹大根深。你們幾個文官就想撼動我，自不量力，看看，自己栽了吧？絲毫都沒想收斂一下。他不收斂，萬騎那幫軍官就更放肆了，沒事只知道賭錢喝酒、快意恩仇，甚至大白天就敢殺人越貨，真是無法無天。

雖然高力士通過大臣打擊王毛仲的計畫，表面上看是失敗了，但是高力士敏感地察覺到，唐玄宗對王毛仲愈來愈膨脹的權力已經深存戒心。王毛仲缺乏危機意識，依然我行我素；高力士卻鍥而不捨，一直在耐心地尋找著機會。那麼，高力士還會使出怎樣的撒手鐧呢？

三、高力士出手：藉王毛仲喜獲麟兒之機，分析北門萬騎與王毛仲的威脅

通過齊澣打擊王毛仲失敗了，高力士是不是會失望呢？他沒有。經過齊澣這次事情，聰明的高力士看出來，雖然沒能一步到位，但是，玄宗對王毛仲有了戒心，這就好辦了。怎麼辦呢？齊澣那樣的外廷官員是從大局入手的，那高力士就從小事入手。只要找準機會，四兩也能撥千斤嘛！過了一年多，機會終於來了。

開元十八年（七三〇年）年底，王毛仲的夫人又生了一個兒子。中國不是有洗三的風俗嗎？小孩出生三天的時候，唐玄宗派高力士去看望。賞賜王毛仲好多東西，而且，還封這個嬰兒當五品官。高力士回來覆命，唐玄宗就問他，王毛仲高興嗎？就在這一刻，高力士意識到，機會來了，怎麼回答

呢？他說：「毛仲抱其襁中兒示臣曰：『此兒豈不堪做三品邪！』」這句話太厲害了。首先，它是不是王毛仲說的我們不知道，反正當時也沒有錄音，無法對證。以後就算當面對證，王毛仲也解釋不清；另外，他把王毛仲和玄宗感情的基礎給破壞掉了。當主子的要求奴才的，無非就是無條件的忠誠和感恩，只要你能對主子死心塌地，其他方面犯再大的錯誤都情有可原。可是，如果奴才居然敢怨恨主子，那就是活得不耐煩了。果然，就這麼輕飄飄的一句話，把唐玄宗的新仇舊恨給勾起來。他憤憤然對高力士說：王毛仲算什麼東西！當年殺韋氏的時候，他就首鼠兩端，跑得不見蹤影，我都沒跟他計較，現在居然敢因為一個小孩子怨我。高力士一看火候差不多，趕緊又在旁邊說了一句：北門萬騎這幫奴才，勢力太大了，個個都像王毛仲這麼驕橫跋扈。他們和王毛仲都是一條心，如果不及早除掉的話，後患無窮啊！就這麼幾句話，王毛仲的命運算是決定了。開元十九年（七三一年）一月，唐玄宗突然下詔，把王毛仲貶為瀼州別駕（今廣西上思境內）。王毛仲還沒到地方，就被玄宗派來的人勒死了。萬騎將領不是跟王毛仲好嗎？王毛仲一貶，以葛福順為首的好多萬騎將軍也紛紛被貶官，所謂的北門奴官一蹶不振，再也掀不起風浪來了。

這一次，內廷的爭鬥以大宦官高力士的勝利而告終。他取代王毛仲，成為唐玄宗新的心腹寵臣。那麼高力士為什麼會成為最終的勝利者呢？我們從高力士的得寵又會看出唐玄宗怎樣的用人思路呢？

王毛仲一夥下去，誰上來了？當然就是宦官了。王毛仲一死，壓在宦官頭上的大石頭終於搬掉了。現在，內廷只剩下宦官一家勢力，再也沒有人跟他們爭權了。王毛仲原來不是唐玄宗的心腹寵臣嗎？現在，這個位置被高力士取代了。原來唐玄宗看不見王毛仲就悶悶不樂，現在，他是離了高力士就睡不著覺。唐玄宗親口對人講「力士上直，吾寢則安」。把高力士感動得一塌糊塗。本來他在外面既有豪宅又有嬌妻，但是，從此就住在宮裡，晚上也很少回家了。生活上的信任還不算什麼，更重要的是，唐玄宗在政治上也漸漸依靠起高力士。當時每天都有許多奏疏要讓皇帝審批，文件太多，唐玄宗審不過來，於是，他就讓高力士先把第一道關。小事由高力士處理，大事再交給他。這也是唐朝宦官參政的開始。取得一部分行政權力還不算，高力士也開始插手軍隊。他提出，除現有的禁軍之外，宮廷守衛要進一步加強。很快，一支由宦官組成的內飛龍兵應運而生，肅宗時期大名鼎鼎的大宦官李輔國就出身於此。可以說，唐中期以後宦官專權的局面已經初露端倪。

皇帝寵信宦官，馬上，官員也就來跟風了。剛剛我們不是提到萬騎的將領葛福順跟王毛仲攀親嗎？現在，金吾大將軍程伯獻和高力士結為異姓兄弟了。這兄弟可不是隨便說說而已。開元年間，高力士的母親麥氏去世，程伯獻在靈堂披麻戴孝，和高力士一起給那些前來弔喪的官員答禮，哭得比親兒子還凶呢！更好笑的是，高力士別看是個宦官，夫人可是照娶不誤。高力士的夫人姓呂，長得相當漂亮。當然，這麼漂亮的夫人可不能白娶，在高力士的運作下，呂夫人的爸爸和哥哥們都當上三品大員。開元中，呂夫人去世，滿朝文武誰敢不參加葬禮呢！從高力士家到城東的墓地，官員沿路拜祭，把道路都給擠滿了，這派勢，可比當年的王毛仲更勝一籌。

那麼，我們到底應該怎麼看待王毛仲和高力士的興衰交替呢？首先應該說，高力士的心機和手腕遠勝於王毛仲，深謀遠慮，步步為營，一代大宦官的風采已初露端倪。其次，雖然這裡面充滿了爭權奪利和陰謀詭計，但是，總體說來，貶殺王毛仲還是有助於維護政治穩定的。本來，唐玄宗是靠萬騎和王毛仲對他的私人感情來維繫他們的忠誠的，而私人感情往往並不牢靠。特別是，帶兵的官和養馬的官結合起來之後，玄宗的風險就加大了。一旦感情有變，就可能產生非常大的政治變故。唐玄宗在這種情況下當機立斷，迅速剷除王毛仲及其黨羽，應該算是英明之舉。

當然，也有人說，去了王毛仲，來了高力士，這不是前門拒虎、後門迎狼嗎？話不能這麼講。因為宦官身體的特殊性，他們對皇權的忠誠遠遠高於其他勢力。而且，高力士也是一個遠比王毛仲更加知進退、懂分寸的人。唐代宗時期，文人潘炎奉代宗敕命撰寫《高力士碑》，稱讚他「周旋無違，獻納必可，言大小而皆入，事曲折而合符，恭而不勞，親而不黷，諫而不忤，久而不厭，美暢於中，聲聞於外」。儘管不乏溢美之詞，但是，也基本上代表了當時人對高力士的認可。由這樣一個謹慎而明智的人來充當玄宗的心腹寵臣，危險無論如何也要比王毛仲小吧！

就這樣，隨著王毛仲的死亡，內廷鬥爭基本告一段落。可是，就在這前後，朝廷裡，宰相之間也是矛盾迭起。這是怎麼回事呢？

請看下回：宰相紛爭。

【第二十二回】宰相紛爭

開元初期，唐玄宗算得上是有火眼金睛、知人善任，任用了姚崇、宋璟等一批賢相，國家出現欣欣向榮的大好局面，然而隨著這批賢相的下臺，繼任的宰相素質就下降了，非但沒有創造出「姚宋」那樣的功績，而且還像中了魔咒一樣，彼此紛爭不已，把朝廷搞得烏煙瘴氣。這到底是怎麼回事？唐玄宗怎麼會任用這樣的人當宰相呢？

一、李杜相爭：兩位清正廉潔的宰相，卻無法和平共事

第一對打架的宰相是杜暹和李元紘。這是在張說被罷相後，唐玄宗又選的兩位宰相。在當宰相之前，李元紘是戶部侍郎，杜暹是安西副大都護。一個擅長理財，一個軍功突出，這也正是開元中期的政治重心所在。不過，玄宗選他們倆當宰相，除了工作搭配的考慮外，還有一個重要原因，就是他們有一個共同的美德——清廉簡樸。要知道，張說下臺的重要原因之一就是貪污受賄，所以再選宰相，玄宗想要清廉的。這兩個人清廉到什麼程度呢？各自都有先進事蹟。李元紘是當官多年，不修房子。住得差也罷了，出門的裝備更差。別人當宰相都是輕裘肥馬，李元紘呢，一個穿得破破爛爛的僕人，一匹瘦骨嶙峋的老馬，這就是李相公的全部隨從了。那他掙那麼多工資都到哪去？跟盧懷慎一樣，散給窮親戚了。

杜暹的先進事蹟就更突出了。他年輕時擔任婺州參軍，卸任時，地方小吏送給他一萬張紙。我們現在可能覺得送這樣的禮很傻，又重又不值錢。但是要知道，在唐朝紙張可是奢侈品。別看中國很早就有造紙術，但是，因為手工業生產規模不大，所以生產紙張的數量一直很有限。大家現在看敦煌藏經洞留下來的卷子，好多都是寫了正面再寫背面，就是因為紙不夠用。俗話說物以稀為貴嘛！因為紙是緊俏物資，唐朝好多官員卸任的時候都把過了保存期的公文帶走，現在吐魯番地區出土了好多全國各地的文書，其實就是官吏們帶去的各地作廢的公文。因為紙張難得，官員又有帶公文紙的慣例，所以婺州的小吏才把節餘下來的辦公用品送給卸任的長官。而且既然是慣例，送的時候也是大大方方地公開送。面對這份禮物，杜暹怎麼處理啊？乾脆拒絕太不講人情了，於是，他從一萬張紙裡抽出一百

張，對小吏說，你們的心意我收下，其餘的還是拿回去接著用吧！因為送禮本來就是公開的，所以杜暹的回絕也就成了公演，送行的當地官員紛紛讚歎說：「昔清吏受一大錢，復何異也！」什麼意思呢？這用的是東漢劉寵的典故。東漢有一個清官叫劉寵，當會稽郡太守的時候治理有方，所以離任時父老湊了幾百錢來給他送行。劉寵不忍拂了父老的心意，就從中揀一個錢收下。但是，剛剛離開會稽，他就把這枚大錢扔進河裡。沒想到，錢一扔進去，河水立刻變清了。從此這條河就叫錢清河，就在今天的紹興市。東漢有一劉太守，本朝又出了個百紙參軍，這在任何時候都是政壇佳話啊！所以，沒多久，這個故事就傳開，清廉也就成了杜暹的名片。後來，杜暹因為一件公事沒辦好，被移送司法機關。按照現在的說法，就是被雙規[1]了。可是，上級考慮到杜暹以清廉著稱，處理他不利於激勵其他官僚，不僅沒有治他的罪，反而還提升了他。這下子，杜暹當然感激涕零，從此更加嚴格要求自己了。不過，人有的時候就是這樣，榮譽太大，就會變成負擔。自從得了清廉的美名，杜暹就覺得自己的親戚很礙事。怎麼回事呢？李元紘有一幫窮親戚，都指望他幫忙，所以李元紘被他們搞得很窮。但是杜暹不一樣，他恰恰有一幫富親戚，平常相互往來，總給他送禮，這豈不是對他的美名有損，所以杜暹發誓，絕不接受親戚饋贈。一來二去，親戚都疏遠了，真是為名所累。

這兩位宰相的背景相似，會不會相處得很好啊？照理說應該好，首先，工作上各有所長，可以互補；其次，在精神追求上志同道合，應該有惺惺相惜之感。是不是呢？完全不是。根據《舊唐書》的

1 雙規為大陸的一種政治紀律調查，調查過程必須隔離並限制人身自由，被調查的人通常都是做了違反共產黨紀律的事，而且是在接受國家檢調機關調查前，黨即先進行雙規的隔離審查。

記載，李元紘和杜暹當上宰相後，清正廉潔倒是沒有問題，但是，兩個人天天在玄宗面前爭吵，具體吵什麼史書沒說。不過，既然史書沒有記載，我們也就大體可以知道，吵的肯定是些雞毛蒜皮的小事，沒有原則性問題。吵架開始可能還是為了工作，後來就成為意氣之爭，再到後來，兩個人居然撕破臉皮，互相到唐玄宗面前控告對方。這樣一來，終於把唐玄宗搞煩，說：你們兩個都給我下臺吧！一起被貶官了。

杜暹和李元紘儘管有著共同的優點，卻沒有合夥搭班子的緣分，爭爭吵吵毀掉兩人的政治前程。他們倆下臺了，宰相的位置誰來補缺呢？依照常理，既然李杜相爭讓唐玄宗也傷不少腦筋，那麼下一屆宰相，一定要找相互能配合的。那麼，唐玄宗到底會起用誰呢？新一屆宰相班子又會相處得怎麼樣呢？

二、蕭裴之爭：兩人「同位數年，情頗不協」，政事難以順利執行

杜暹和李元紘下臺，唐玄宗又換了兩位宰相，一個叫蕭嵩，一個叫裴光庭。為什麼讓這兩個人當宰相呢？因為蕭嵩是位軍事專家，而裴光庭則是位行政專家，各有專長，也是互補型人才。這兩個人當宰相怎麼樣呢？先看蕭嵩。蕭嵩這個人有三大特徵。第一個特徵是美男子。此人是當年南朝蕭梁皇室後裔，貴族血統，遺傳基因好，長得高大魁梧。最搶眼的是一把好鬍鬚，飄飄灑灑，跟關公似的。要知道，唐朝選官的時候都要考察身（相貌）、言（言詞）、書（書法）、判（判詞）四項，第一條就是外形好。蕭嵩長相如此瀟灑，沒少給他在仕途上加分。第二個特徵是沒文化。怎麼叫沒文化呢？舉

個跟宋璟的老搭檔蘇頲有關的例子。我不是講過，唐玄宗為了選一個好宰相，常常半夜睡不著覺嗎？不僅選張嘉貞是這樣，當年選蘇頲的時候也是如此。經過半夜的苦苦思索，終於敲定蘇頲這個人選。玄宗心急啊！等不得天亮，馬上叫人來起草制書。起草制書是中書舍人的事，那天晚上，值班的中書舍人就是蕭嵩。蕭嵩一進來，唐玄宗都看呆了，天底下還有這麼英俊的人呀！心想：長得這麼帥，寫文章一定也瀟灑，就把寫制書的任務交給他了。蕭嵩得到命令，趕緊找來以前拜相的制書，照葫蘆畫瓢，寫了一篇，給唐玄宗送來。唐玄宗一看，上面有「國之瓌寶」四個字，就好心提醒蕭嵩說：蘇頲的爸爸就叫蘇瓌（古同「瑰」），按照傳統習俗，在兒子面前提到人家爸爸的名字是不禮貌的，這個字還是換一換吧！蕭嵩趕緊拿著詔書往外走。玄宗說：算了，就一個字的事，還跑回去做什麼，就在這裡寫好了。蕭嵩一看現場作文，嚇慌了。這沒有參考書讓他怎麼寫啊？急得滿頭大汗，一個字也想不出來。過了好一陣子，玄宗等不及了，心想，這小子該不會是把文稿整個修改一遍，要不怎麼這麼久！改得這麼認真，這得是多好的文章，我還是先睹為快吧！忍不住就湊上去看了一眼。一看差點沒氣死，蕭嵩汗倒是沒少出，但是字只寫了一個，把「國之瑰寶」改成「國之珍寶」了。就改一個字，至於費這麼大的勁嘛！唐玄宗鐵青著臉把蕭嵩趕出去，然後一把將他起草的詔書扔到了地上，說：真是虛有其表！要知道，唐朝是個重視文詞的時代，蕭嵩沒文化，又給他減分不少。有加分項，也有減分項，看起來是優劣相抵了，那蕭嵩為什麼還會當到宰相呢？因為他還有第三個特徵，能幹、行政能力強。我們不是講過著名的開元賢相姚崇嗎？他的眼界很高，一般人很難入他的法眼。可是，姚崇唯獨對蕭嵩特別眷顧，說他雖然沒有寫文章的小聰明，但是有搞政治的大智慧。

姚崇還真沒有看走眼呢！蕭嵩的大智慧在西北戰場上表現得淋漓盡致。開元十五年（七二七年），唐朝的西北戰場真是四面楚歌。先是吐蕃[2]攻陷唐朝在西北地方的軍事重鎮瓜州，也就是現在的敦煌。接著，回紇又趁火打劫，伏擊唐朝的軍隊，把當時的河西節度使王君㚟給殺了。要知道，王君㚟也是一員猛將，連他的夫人夏氏都是唐朝著名的巾幗英雄。現在，一貫被朝廷視為西北邊疆萬里長城的人物居然被殺，當然是人心惶惶。為了挽回局面，朝廷趕緊選拔新的河西節度使，蕭嵩當時正擔任兵部侍郎，光榮入選，成了新一任河西節度使。這可是臨危授命啊！所以，為了安撫蕭嵩，玄宗又給他升了一級，成為兵部尚書。別看蕭嵩沒什麼文化，可也是文官出身，這河西地區形勢如此嚴峻，連勇將王君㚟都玩不轉，他去行嗎？孫子有一句話說得好：「百戰百勝，非善之善者也；不戰而屈人之兵，善之善者也。故上兵伐謀，其次伐交，其次伐兵，其下攻城。」通過你死我活的方式去打仗，那是下策，最高明的應該是運用頭腦、運用謀略去打仗，這才是上策。蕭嵩文化水準不高，但是腦子並不笨。他覺得，自己一個文官，跟吐蕃人拚命肯定不行。怎麼辦呢？只能在謀略上打主意了。到了河西之後，蕭嵩沒有急於打仗，而是先進行調查研究。經過一段時間的調查研究，他發現吐蕃之所以能打勝仗，關鍵是有一個叫做悉諾邏恭祿的大將，這個人有勇有謀，非常厲害，上次攻陷瓜州就是他的功勞。可是，他立功多了，難免有功高震主的嫌疑；而且，因為老打勝仗，吐蕃贊普就飄飄然了，希望悉諾邏恭祿再接再厲，擴大戰果，而悉諾邏恭祿又是個謹慎的人，不打無準備之仗。這樣一來，前方嫌快，後方嫌慢，雙方就產生矛盾。有了這樣的信息，蕭嵩就知道怎麼辦，這正可以使用反間計啊！馬上派人到吐蕃人面前造謠，說悉諾邏恭祿之所以不急於打仗，是因為他已經被唐朝收買，下一步沒準兒還要殺一個回馬槍，推翻贊普呢！謠言傳播起來，比網路還快，很快地，吐蕃贊普坐不住了，把悉諾邏恭祿召回處死，情形跟明朝的袁崇煥差不多。大將無辜被殺，吐蕃士兵的士氣一下子就垮了。接下來的幾次戰役，吐蕃連連敗北。捷報傳到長安，唐玄宗高興極了，沒想到當年的繡花枕頭還有這樣的出息。

打了大勝仗怎麼獎賞呢？這時候已經不是姚崇、宋璟的時代了，唐玄宗正熱中於軍功呢！馬上，蕭嵩被調回中央擔任中書令，兼任河西節度使。自從張說貶官後，中書令的崗位可是一直空缺著，杜暹他們雖然也是宰相，但都是以同平章事的身分參政，誰也沒當過中書令。開元十七年（七二九年），空了將近四年的職位終於有主人了。這還不算，為了表達自己對蕭嵩的倚重，玄宗還把女兒嫁給蕭嵩的兒子，蕭嵩的夫人入宮謝恩，玄宗對著老太太就叫了一聲「親家母」，把老太太給樂壞了。

蕭嵩是個寶貝，讓誰和他搭班子呢？玄宗任命一個叫裴光庭的人當侍中。這個人我們前面講過，玄宗封禪的時候，就是他出主意讓突厥派人隨行，才解決封禪的安全問題。從那件事以後，裴光廷就被重點培養，在兵部和吏部都幹過，尤其精通組織人事工作，創造唐玄宗時期著名的選官原則「循資格」[3]，算是個行政專家。照玄宗看來，蕭嵩和裴光庭這兩個人共同點太多了，第一，都是既有軍事頭腦又有行政頭腦；第二，都是玄宗的親戚。蕭嵩是玄宗的親家，可裴光廷是唐玄宗的什麼親戚呢？說起來還是從武則天這兒論出來的。唐玄宗不是武則天的孫子嗎？裴光廷是武則天的姪子武三思的女

2 古代藏族政權名。西元七至九世紀存在於青藏高原。與唐朝交流頻繁，經濟文化聯繫密切，曾迎娶文成公主與金城公主，接受大量漢族工藝技術。九世紀後，吐蕃政權瓦解。

3 唐開元時的選官制度，以年資為提拔官吏的條件。把候選人按前任官階分為若干等級。規定罷任後各經過若干年即可獲得官職。前任官階低者，候選年限長；前任官階高者，候選年限短。不問能否，選滿即住，即稱「循資格」。循資格在選官上不問才能，只憑資格，忽視人才的重要性，對官吏的選拔有不利的一面。

婿，所以兩人也是姻親關係。親戚的親戚當然還是親戚，所以，唐玄宗、蕭嵩和裴光庭真是愈論愈近了。第三，兩個人性格也差不多，都沉默寡言。這樣兩個人，應該可以和平共處了吧？還是沒有。按照《舊唐書．蕭嵩傳》的記載，兩個人「同位數年，情頗不協」，雖然沒有公開爭吵，但就是彼此不和。至於為什麼不和，還是沒有任何記載，估計又是些雞毛蒜皮的意氣之爭。這兩個人不和怎麼辦？是不是像杜暹和李元紘那樣一併貶官啊？沒有，還沒到貶官的時候呢！開元二十一年（七三三年），裴光廷一下子病死了。他這一死，唐玄宗和蕭嵩都鬆了一口氣，朝廷總算消停了。

人死了固然不會再吵架，可問題是，他死了，誰來接著當宰相呢？這一次，玄宗想好了，既然他搭配的宰相不能和諧相處，索性讓老親家蕭嵩自己挑一個，他肯定挑自己人，這不就沒矛盾了嗎？自己也省心，也算是賣給蕭嵩一個大人情。蕭嵩一聽皇帝這麼體貼他，激動得熱淚盈眶。心裡想：蒼天啊，大地啊，終於輪到我老蕭揚眉吐氣了。選誰呢？蕭嵩想了半天，選了一個叫王丘的人。這個人我們也講過，就是玄宗封禪泰山之後重點表揚的愛民模範之一。按說，能當宰相應該是每一個官員的夢想吧？可是沒想到，愛民模範的境界就是不一樣，王丘居然說：我這個人水準不夠，當不了。他當不了，那誰能當呢？王丘對蕭嵩說：我給您推薦一個人吧！此人叫韓休，我看他行！蕭嵩想了想，王丘也算知人，他推薦的人還能有錯嗎？再說，韓休這個人他也了解，平時不言不語的，是個有名的忠厚長者。現在我向皇帝推薦他當宰相，他能不感恩戴德嗎？以後肯定聽我的。於是，就跟唐玄宗彙報：人我已經選好了，就是現任尚書右丞韓休。此人忠厚善良，而且志存高遠，我們倆一定能夠齊心協力，絕不再給陛下添麻煩。

三、蕭韓之爭：耿直、強硬的韓休，同時得罪唐玄宗與蕭嵩

那麼，是不是蕭嵩和韓休就真的沒有矛盾呢？非也。他們倆的矛盾比誰都大。怎麼回事呢？韓休當尚書右丞的時候固然不言不語、脾氣柔順，可是，那是因為他還沒有找到說話的機會。現在當上宰相，韓休覺得，這是天降大任，不好好工作對得起誰呀？怎麼才叫好好工作呢？他認准「文死諫，武死戰」的道理，腦子裡整天迴旋著魏徵等人的英雄形象，連脾氣都變了，變得非常耿直、非常強硬，只認真理，不認人情，眼睛裡絕對不揉沙子。有了這樣的精神追求，別說是蕭嵩，連玄宗他都敢得罪。當時，有個將軍叫程伯獻，與大宦官高力士是結拜兄弟，在玄宗面前也很得寵。仗著背後這兩棵大樹，程伯獻目無法紀、驕奢淫逸，民憤很大。韓休早就想收拾他了。正好，這時候，有個萬年縣尉叫李美玉，不知道怎麼得罪了玄宗，給逮起來了。玄宗震怒之下，特令將李美玉發配嶺南。皇帝做主的事情，誰敢反對？可是，韓休就出來說話了。他說，李美玉是個小官，犯的罪也是小事。程伯獻將軍比李美玉的官大多了，他犯的罪也比這大得多，陛下怎麼倒不管呢！我請求先處分程伯獻，再來處理這個李美玉。這玄宗哪能答應？一碼是一碼，咱們現在要解決的是李美玉的問題，別把什麼事都往這裡扯。

韓休脾氣耿直，偏不答應，說：這就叫「竊鉤者誅，竊國者為諸侯」。陛下如果不處分程伯獻，我做為宰相，堅決不能處分李美玉。把玄宗搞得沒脾氣。這種性格讓我們想到誰呢？往遠裡想，能想到魏徵；往近裡想，就要想到宋璟了。不光我們這樣感覺，宋璟也覺得韓休像自己，因而對韓休印象特別好，逢人就講：都知道韓休是忠厚長者，沒想到還有這樣的勇氣，真是仁者之勇啊！原來宋璟當

宰相的時候，玄宗對他就又敬又怕，現在，有過幾次這樣的事情，玄宗又怕起韓休來了。當時國家不是安定富裕了嗎？玄宗已經不像開元初年那樣勵精圖治，沒事就想打個獵，或者搞個大型音樂歌舞晚會，娛樂一下。可是，自從韓休當上宰相之後，玄宗都產生心理障礙，辦娛樂活動時，只要聲音大了一點，就趕緊跟左右講：小點聲，千萬別讓韓休知道。可是，不管他怎麼小心，過不了一會兒，韓休保證把諫書送到。這樣一來，太影響情緒了，沒過多久，唐玄宗就吃不下飯、睡不著覺，直犯神經衰弱。

既然連皇帝的面子都不給，韓休就更不可能給蕭嵩面子了。蕭嵩也是老官僚了，做事圓滑，喜歡無可無不可。但是，韓休是個堅持原則的人，就看不上這套官場習氣。看著蕭嵩今天打點宦官、明天巴結皇帝，韓休真是氣不打一處來。看不慣當然就要鬥爭，所以，蕭嵩想要辦什麼事，韓休經常跟他對著幹。一來二去，關係愈來愈僵，漸漸就走上李元紘和杜暹的老路，在皇帝面前互相攻擊。我們不是說過蕭嵩沒什麼文化嗎？寫文章不行，反應也慢半拍。而韓休卻是當時的才子之一，口齒伶俐，每次在玄宗面前揭蕭嵩的短，都把蕭嵩駁得體無完膚，連玄宗都替這個親家沒面子。可能有人會說，歷代中國不是最講「滴水之恩當湧泉相報」嗎？這種美德，在韓休身上怎麼就一點也體現不出來呢？韓休是不是沒有感恩之心，甚至恩將仇報呢？我想，也不能這麼看問題。韓休就是一個把政治原則看得高於一切的人，在私人感情和政治原則發生衝突的時候，他永遠選擇堅持原則。古希臘哲學家柏拉圖不是說過「吾愛吾師，更愛真理」嗎？別看時間、空間都隔著十萬八千里，但是韓休的精神和柏拉圖高度一致。在韓休看來，要是因為私人恩情就無原則地附和蕭嵩，就等於結黨營私，這豈是一個君子應該做的。可是，雖然我們現在可以理解，甚至敬重韓休這種想法和做法，但是，落實到當事人蕭嵩這裡，他真是把腸子都悔青了，心想，我怎麼引狼入室，推薦這麼一個傢伙！嚥不下這口氣，怎麼辦呢？

想來想去，蕭嵩決定，乾脆使一招苦肉計，與韓休一起下臺算了！開元二十一年（七三三年）十月，也就是韓休拜相七個月之後，蕭嵩主動找唐玄宗辭職。他說，我能力不夠，還是告老還鄉算了。玄宗對這個老宰相、老親家一向挺器重的，趕緊說：「朕未厭卿，卿何為遽去！」蕭嵩說：「臣蒙厚恩，待罪宰相，富貴已極，及陛下未厭臣，故臣得從容引去；君已厭臣，臣首領且不保，安能自遂！」說完眼淚就下來了。什麼意思呢？這是跟皇帝講，我整天被人說壞話，陛下難免有一天會厭倦我的。我對前途沒有信心，只能辭職。至於不跟我合作、逼我辭職的那個人，陛下您看著辦吧！眼看著平常瀟灑從容的親家變成這個樣子，玄宗也跟著難過起來，對蕭嵩說：「卿且歸，朕徐思之。」那麼玄宗思考的結果是什麼呢？要知道，當時已經是開元中期，唐玄宗愈來愈貪圖享樂了，有韓休這樣死腦筋的人在身邊，他也厭煩啊！既然韓休難以相處，那還不如遵循以前的慣例，宰相爭則兩罷之好了！第二天，蕭嵩的辭職是批准了，但是同時，韓休也被罷免宰相職務，真是同歸於盡。

那我們應該怎樣看待這幾年的宰相紛爭呢？我覺得，有兩點值得注意。

第一，這幾任宰相相對都比較平庸。他們有的是軍事專家，有的是行政專家，在具體問題上都有不錯的表現。但是，要論到統觀全域，和前幾任宰相相比，就有好大的差距了。正因為專業性強而全域觀念差，所以他們才更容易自以為是，這是幾任宰相連續不和的重要原因。

第二，玄宗在處理這幾任宰相的問題上，既有失誤的一面，又有清醒的一面。什麼意思呢？古人講十步之內，必有芳草。宰相平庸其實並不是宰相的問題，而是皇帝的眼光問題。開元前期，無論是任用姚崇、宋璟，還是張嘉貞、張說，玄宗都能摸準時代的脈搏，選擇最合適的宰相，引導時代前進。但是，自從張說下臺後，玄宗似乎失去這種精準的預見力了。這是他的失誤之處。

那他清醒的地方又在哪裡呢？在於他還保持著所謂的人君之德。舉一個例子。韓休被罷相前，有一天，唐玄宗對著鏡子看了半天，沉默不語。這時候，左右宦官就說了，自從韓休當上宰相，陛下可是一天比一天瘦，為何不把他趕走！玄宗是怎麼回答的呢？他說：「吾貌雖瘦，天下必肥。蕭嵩奏事常順旨，既退，吾寢不安。韓休常力爭，既退，吾寢乃安。吾用韓休，為社稷耳，非為身也。」意思是，我雖然瘦了，天下會因此獲利的。蕭嵩老是順著我說，可是我回去睡不著覺，老覺得這裡頭可能還有不足的地方。韓休老駁我，可是每次被他駁斥、教訓一頓後，我要睡覺的話睡得還挺熟，因為我知道，所有可能的失誤，都已經被他提前制止了。所以我任用韓休當宰相，不是為我自己，是為天下的百姓。選擇宰相要考慮天下的利益，而不是自身的喜好，這正是玄宗的清醒之處。

就在玄宗這種半明半暗的心境下，蕭嵩和韓休卸任了，又一屆宰相班子即將粉墨登場。這一屆宰相會是什麼人呢？他們是會團結一心帶領國家往前走呢，還是會繼續鬥爭下去？

請看下回：二相登臺。

【第二十三回】

二相登臺

開元中期，唐玄宗選定的宰相相對平庸，彼此紛爭不已，整個朝廷烏煙瘴氣。到了開元二十二年（七三四年），兩位重量級的人物登上宰相的舞臺，一位是張九齡，另一位是李林甫。一位號稱是唐玄宗時代的最後一位賢相，一位一直被認為是安史之亂的罪魁禍首。提起張九齡，人們馬上會想到他的著名詩句「海上生明月，天涯共此時」。說起李林甫，人們也會想到一個成語「口蜜腹劍」。這樣的兩個人為什麼會同時走上宰相的崗位？

一、文壇領袖張九齡：歷經幾任宰相爭鬥的風波，玄宗起用張說生前推薦的人

先看張九齡。張九齡這個人有三個特徵。第一，他是個少年天才、文壇領袖。張九齡是韶州曲江人，韶州就是現在廣東的韶關，雖然現在經濟發達，在唐朝可是個蠻荒之地，在張九齡之前從來沒出過什麼人物。按說這樣的文化荒漠對孩子的成長不利吧？但是，天才是不受環境限制的。張九齡七歲就能寫文章。他十三歲的時候，大書法家王方慶到廣州擔任刺史，張九齡平時難得見到高明人士，趕緊跑了很遠的路，把自己的一篇習作獻給王方慶，請求指點。王方慶一看邊疆地區能有這樣的好學少年，大為讚賞，說：「此子必能致遠。」有了王方慶的激勵，張九齡學習更有信心。到了二十歲那年，張九齡一舉考上進士。唐朝不是有「五十少進士」的說法嗎？二十歲能考中進士，真是一鳴驚人。這樣的天才誰不願意栽培呀！大詩人張說一見張九齡，就讚歎不已，說「後來詞人稱首也」。以前我是天下第一，以後他就是天下第一了。那麼，張九齡在文學方面到底厲害到什麼程度呢？大家知道，一般文學選本都把最有水準的詩文放在最前面，而我們熟知的《唐詩三百首》開篇兩首就是張九齡的《感遇》，這還不說明問題嗎？當然，張九齡在普通人心目中更出名的還不是《感遇》，而是《望月懷遠》。頭一句是「海上生明月，天涯共此時」。意境開闊而感情深沉，直到今天，年年中秋節我們都得複習一遍，可見我們今天的文學想像力還沒超過張九齡呢！

第二個特徵是風度翩翩。別看張九齡出身寒門，但是，舉手投足都有派，比貴族還貴族。舉個例子，中國古代官員不是有一種隨身裝備叫笏[1]囊，就是張九齡發明的，而且也就是張九齡貴族氣質的產物。張九齡怎麼想起發明笏囊呢？這得從他的小身板說起。在唐朝崇尚豐滿健壯，偏偏張九齡長得

玉樹臨風。人太瘦了，難免體力不足。當時官員上朝都拿著笏板，退朝之後，這笏板就別在腰帶上，然後騎馬回家。一般官員長得壯實，把笏板往腰上一別，再跨上馬，沒有任何問題。可是張九齡身體弱，如果把笏板別在腰帶上，他就上不去馬。怎麼辦呢？張九齡想了一個辦法，把笏板裝在袋子裡，讓僕人捧著，等他上馬之後再遞給他。

有一次這一幕被唐玄宗看見了，唐玄宗一下子覺得這種做法太有貴族範兒了，再看看那些往腰帶上插笏板的官員，怎麼感覺那麼粗魯呢！第二天就下令，每位官員都得準備一個袋子盛笏，讓僕人拿著，誰也別再往腰裡別了。從此，古代官員就多了笏囊這麼一個裝備，類似於今天的公事包。張九齡引領一代潮流，這叫什麼？潮男！

第三個特徵是性格自負。有人可能問，出身那麼低還自負呀？這說起來並不難理解。唐朝號稱詩的國度，詩人是全社會的寵兒，張九齡又是大詩人、又是翩翩公子，當然也就成了大眾偶像。因此，張九齡雖然出身寒微，但是，仕途一直很順利，包括皇帝在內，幾乎所有的人都哄著他、捧著他。這樣的經歷讓張九齡非常自信，凡事都覺得自己正確。另外，既然人生歷練不足，張九齡也就格外理想主義，眼裡不揉沙子，凡事堅持原則，不肯妥協。張說不是張九齡的政治保護人嗎？可是，在封禪泰山這個問題上，張九齡就和張說意見相左，一副當仁不讓其師的派頭。

別看張九齡並不總順著張說，張說對他的扶植可真是不遺餘力。當宰相的時候，張說就一直把張九齡視為心腹。即使在下臺以後，張說也仍然利用自己和唐玄宗的私交力薦張九齡，說他的水準足夠

1 即「朝笏」。古代大臣朝見天子的時候手中所執的狹長板子，以玉、象牙或竹片製成，以為記事之用，也叫「手板」。

當集賢院學士，希望皇帝重用他。開元十八年（七三〇年）張說去世，當時朝廷裡宰相間的鬥爭正是風生水起，激烈得不得了。看著宰相們鬥來鬥去，玄宗心裡煩透了，回想這些年來的風雨歷程，他覺得還是張說時代最好，登泰山封禪，那是何等豪邁！跟集賢院的學士一起飲酒賦詩，又是何等的風雅啊！張說能輔佐我達到極盛，想來張說推薦的人也不會錯吧！就真的讓張九齡當了集賢院學士，而且還擔任集賢院[2]副知院事，基本算是讓他接了張說的班。幾年下來，張九齡完全勝任，特別是在起草詔書方面，簡直出神入化。當時，重要的文誥都是張九齡起草，只有他的文章，才能體現出華麗莊嚴的大國風範。以玄宗那樣的風雅愛才，能不欣賞這樣的人嗎？現在，宰相的崗位空出來了，就讓張九齡接著做吧！希望他能夠打造出風流儒雅的文治形象，重現張說當年的輝煌。

張九齡雖然出身草根，但身上充滿貴族氣，是一個才子型的宰相，唐玄宗也是風流皇帝，自然喜歡這樣的人物，選擇張九齡當宰相不難理解。但問題是，與張九齡比起來，李林甫可不是什麼才子，那麼，為什麼唐玄宗也選擇李林甫呢？李林甫這個人有什麼特點呢？

二、行政專家李林甫：集白字先生、實幹、巴結性格於一身

張九齡是才子型政治家，那李林甫是什麼人呢？李林甫的第一個特徵和張九齡正好相反，張九齡是文壇元帥，李林甫則是白字先生。李林甫是李唐宗室出身，論起輩分來，還是唐玄宗的叔叔呢！因為是宗室子弟，怎麼也能混碗飯吃，所以，李林甫念書的動力不強，長大後就成了個白字先生。怎麼

叫白字先生呢？咱們都知道，中國古代管生兒子叫弄璋之喜。璋是左邊一個斜玉旁，右邊一個印章的章，就是美玉的意思，這是恭維人家兒子以後是貴人、當大官。有一年，李林甫的表弟家生了一個兒子，李林甫按照一般人情規矩向表弟道喜，寫了一封賀信，開頭就說「聞有弄獐之慶」。表弟一看，真是哭笑不得。怎麼回事呢？原來李林甫把玉璋的璋寫成獐子的獐，那不是從美玉變成野獸了嗎？這倒好，別人的兒子生下來抱著美玉玩，李林甫表弟的兒子生下來抱著野獸玩！

白字先生自然不是什麼好事，不過好在李林甫還有第二個特徵，就是實幹。李林甫曾經有一段時間擔任國子司業，就是唐朝的最高學府國子監的副校長。當時國子監已經好長時間沒人認真負責了，紀律渙散，學生們也都不好好學習。李林甫一上任，馬上整頓紀律，沒過多久，學校面貌煥然一新。學生們都特別佩服這個校長，就偷偷刻了一塊碑，稱頌他的政績，而且專揀國子監[3]舉行祭祀大典，文武百官都到場的情況下把碑立了起來，打算好好讓自己的校長露一露臉。結果李林甫一看，大發雷霆，說：我李林甫只是做自己該做的事罷了，我有何德何能，值得樹碑立傳？這是誰出的主意？誰幹的？學生們一看弄巧成拙，把校長惹生氣了，趕緊認錯，連夜把這塊碑給磨平。這不是和宋璟當年不讓廣州人立德政碑如出一轍嘛！經過他這一番折騰，碑上的字是沒有了，但是李林甫不圖虛名的口碑

2 官署名。唐開元年間置，以宰相領銜，置集賢學士、直學士、侍讀學士、修撰官等官，集中修撰經、史、子、集等文化古籍資料，並為皇帝提供文化方面的諮詢。

3 國子監是隋朝以後的中央官學。初為教育機關，至清代變為只管考試、不管教育的考試機構。在唐朝，既是國家最高學府，又兼有教育部高教司的職能。

可樹起來了。另外，李林甫不僅在國子監政績突出，此後歷任刑部和吏部侍郎，業務水準也都是一流的。

李林甫的第三個特徵是會巴結。可能大家又想不通了，他不是宗室子弟，貴族出身，人又能幹，怎麼還用得著巴結別人呢？其實也好理解。李林甫不是文化程度不高，這在唐朝可是大大的不利。而且，雖然出身李唐皇族，但是他爸爸一輩子只當了個七品芝麻官，也不能給他幫多大忙。在這種不利的條件下想要出人頭地，不巴結行嗎？他巴結誰呢？李林甫第一個巴結的是他舅舅。他舅舅就是我們前面提過的玄宗寵臣姜皎。這個人能量大，李林甫當然得巴結。怎麼巴結呢？姜皎愛玩，李林甫就整天琢磨吹拉彈唱，討姜皎的喜歡。甥舅倆脾氣相投，姜皎當然不會虧待這個外甥。就是通過姜皎的關係，李林甫很快升到太子中允。雖說是五品官，但是個閒職，沒什麼前途，李林甫還是不滿意。怎麼辦呢？我們不是講過，唐玄宗有一個宰相叫源乾曜嗎？李林甫開始打他的主意。這個源乾曜和姜皎是姻親關係，所以李林甫跟他也算是曲裡拐彎的親戚。不過，親戚關係雖然遠，李林甫走動得可近，一來二去，與源乾曜的兒子就成了好朋友，好朋友當然要相互幫忙。有一天，源乾曜的兒子就替李林甫跟他爸爸要官去了。李林甫想當什麼官呢？他想當郎官，就是六部的郎中。雖然郎中也是五品官，但是，崗位比較重要，有利於往上爬。沒想到，源乾曜一聽就笑了，說：郎官是品德好、有學問、有聲望的人才能幹得了的，就哥奴（李林甫小名）那樣的？算了吧！不過，雖然源乾曜沒讓他當郎官，但是，看在兒子的面子上，還是又把他提拔到四品的太子諭德。總之，每往上走一步，都有巴結的成分在裡頭，巴結的頂點當然就是皇帝啦！李林甫怎麼巴結皇帝呢？他使的是借力打物的招數，從玄宗身邊的人入手。為了給玄宗留下好印象，李林甫整天和宦官、妃子套近乎。就是通過這些人，李林甫把唐玄宗的脾氣秉性摸得清清楚楚。事先有了準備，他在玄宗面前說話辦事當然就妥貼無比，玄宗能不喜歡他嗎？這就是巴結的功夫。巴結靠什麼？一靠了解人性，投其所好；二靠堅韌頑強，能屈能伸。這門學問，考驗的不是智商，而是情商。這樣一對比我們就明白了，張九齡是草根出身，貴族脾氣；李林甫是貴族出身，草根脾氣，兩個人剛好相反。

李林甫既然會巴結，看好他的人自然不少。不過，對他拜相幫助最大的人有兩個。第一個就是以耿直著稱的宰相韓休。有人可能奇怪，韓休那麼正直，他怎麼會對李林甫青眼相加呢？因為韓休拜相的消息就是李林甫透露給他的。李林甫不是人脈廣嗎？跟大宦官高力士也有瓜葛。高力士小的時候給武則天當宦官，因為一點小事得罪武則天，就被趕出宮了，後來，全靠武三思幫忙，才又重新回到朝廷。高力士是個知恩圖報的人，從此對武三思感恩戴德。武三思有個女兒，這個女兒秉承武家人的基本特徵，既風流放蕩，又有政治權略。她的丈夫是我們前面提到過的當朝宰相裴光庭，但是她還有一個情人，這個情人就是李林甫。古往今來，女人為了心上人總是不惜一切，武三思的女兒也不例外，當時高力士在唐玄宗面前很有面子，武三思的女兒就找到高力士，求他看在自己父親的面子上，給李林甫幫忙升官。怎麼幫呢？當時玄宗正好要任命韓休當宰相，外界還不知道。就在委任狀下來前的那天晚上，高力士把這個任命告訴武氏夫人，讓她轉達李林甫，趕緊給韓休道喜去，好在新宰相面前買好。李林甫自然是心領神會。到了韓休家裡，一番寒暄之後，李林甫神祕地說：根據可靠情報，朝廷有意讓您當宰相，林甫不才，特來向您道喜，還希望您以後多多栽培。韓休一聽，半信半疑，一夜都沒睡好。結果第二天，拜相詔書果然到了，從此，韓休就把李林甫視為生命中的貴人，對他印象特別好。現在，他自己不是下臺了嗎？馬上就跟玄宗打報告，推薦李林甫接班。

第二個推薦李林甫的人就更厲害了。誰呢？武惠妃。前邊我們講過，武惠妃雖然費盡心機扳倒王皇后，但是，她自己並沒能當上皇后，因為有大臣反對，說如果立她為皇后，可能會讓太子不穩。可是，哪個母親不想給孩子最光明的前途呢？即使自己沒當上皇后，武惠妃還是想讓兒子當太子，只是苦於朝廷裡無人支持罷了。李林甫最懂得人際關係的意義了，他知道武惠妃在唐玄宗心中所占的分量，也知道，武惠妃最想要的是什麼。於是，就託關係好的宦官悄悄給武惠妃傳話，說願意幫助她的兒子當太子。武惠妃當然感激不盡，整天在玄宗面前誇獎李林甫。本來玄宗對李林甫的印象就不錯，再有素來敬重的宰相韓休和寵妃武惠妃吹風，他能不對李林甫感興趣嗎？就這樣，唐玄宗也把李林甫提拔到宰相的崗位上了。

張九齡和李林甫在各個方面都剛好相反，不但出身天懸地隔，才情也高下立判，性格更是迥然不同，那麼對這兩位各方面都如此懸殊的宰相，唐玄宗更欣賞哪一位呢？

三、張九齡失寵：張九齡兩大弱點——矯情、固執

張九齡和李林甫都拜相了，那他們在玄宗心目中的地位到底孰輕孰重呢？張九齡重，這一點從官職上就能看出來。張九齡是中書令，名副其實的第一宰相；而李林甫只是禮部尚書同平章事[4]，地位和人家差一截。唐玄宗為什麼更看好張九齡呢？除了資歷和人望之外，還有個重要原因，那就是他也是張九齡的粉絲。唐玄宗見過的文學家多了，唯獨對張九齡佩服得五體投地，說：「張九齡文章自有

唐名公皆弗如也。朕終身師之，不得其一二，此人真文場之元帥也。」評價比當年的張說和蘇頲還高。文章之外，唐玄宗更欣賞張九齡的風度。唐代有早朝制度，每天早晨五點多，大臣都要朝見皇帝，為了不遲到，好多官員半夜就得起床。起得太早難免犯睏，所以大多數官員早朝的時候就不太有精神。但張九齡不是這樣。他不管睡得多晚、起得多早，上早朝時都照樣精神抖擻、意態縱橫。要知道，人的精神是有傳染性的，如果旁邊的人都打呵欠，你也不免跟著犯睏；相反，如果身邊的人意氣風發，你也跟著長精神。因此，為了給自己找個好榜樣，唐玄宗每次早朝就看著張九齡。他說：「朕每見九齡，使我精神頓生。」唐玄宗可是個風流天子，張九齡這樣風流儒雅的形象對他太有殺傷力，所以，唐玄宗滿心巴望張九齡不僅能夠引領風尚潮流，更能引領政治方向。至於李林甫，在兵部、吏部等要害部門都待過，行政能力不錯，人又乖巧和氣，正好給張九齡打下手。很顯然，唐玄宗還是想走當年文學與吏治並用的老路，而且希望讓文學統領吏治。

這樣的安排好不好呢？剛開始運行起來的時候也真不錯。張九齡一心想當個好宰相，在玄宗面前知無不言、言無不盡。李林甫呢？也確實像唐玄宗希望的那個樣子，不聲不響，努力做好日常行政工作。可能有人會說，開元中期的宰相不是整天打架嗎？張九齡和李林甫這兩個人差距那麼大，能配合好嗎？配合得還真不錯。張九齡固然很自負，不大瞧得起李林甫，可是，李林甫能忍啊！他知道自己在皇帝心目中的分量遠不及張九齡，就對張九齡畢恭畢敬、做小伏低，這樣一來，張九齡不就沒話說

4 同平章事為官名，是同中書門下平章事的簡稱。平章是商量處理國事的意思。唐代官非中書令、門下侍中而又實際擔任宰相者，加以同中書門下平章事的名義。

了嗎？就連唐玄宗也覺得，自己這次真把宰相選對了。然而事實上，唐玄宗對張九齡的欣賞只保持了一段時間，就迅速降溫了，這是怎麼回事？到底是誰出了問題呢？

沒過多久，唐玄宗就發現，兩個宰相之間倒是沒什麼問題，可是，自己跟宰相之間有問題了。玄宗跟誰有問題了呢？張九齡。他覺得，張九齡這個人固然人品不錯，寫文章一流，但是，用起來真彆扭。怎麼個彆扭法呢？張九齡有兩大弱點，一個是矯情，一個是固執。先舉個矯情的例子。開元十七年（七二九年）以後，唐玄宗不是把自己的生日訂為千秋節了嗎？按照慣例，這一天，王公大臣都得給玄宗送銅鏡，當時號稱金鏡。這規矩也都行之好幾年，誰也沒說過什麼。可是，到張九齡這裡就不行了。他覺得，這多俗氣、多奢侈腐化呀！一定得改一改。開元二十四年（七三六年），唐玄宗的生日又到了，別的大臣還是照樣送各式各樣的銅鏡，張九齡送什麼呢？他送了一本自編的小冊子，起名叫做《千秋金鏡錄》，說白了就是一本思想品德修養手冊，裡面全是過去的皇帝做好事就發達、做壞事就亡國的故事。張九齡說，照普通的銅鏡只能看到自己的長相，照我這本《千秋金鏡錄》才能知道興亡的道理。唐玄宗看見這個禮物什麼反應呢？要知道，玄宗這時候已經五十多歲了，當皇帝當了二十多年，國家治理得也不錯，早不是過去那個需要宰相耳提面命的年輕皇帝。看著張九齡這個禮物，唐玄宗心裡真是鬱悶，張九齡怎麼這麼矯情呢？雖然表面上他還是把張九齡大大地褒獎一番，但是心裡真恨不得這個宰相別那麼有文化。

再舉一個固執的例子。當時有個將領叫張守珪[5]，在東北戰場屢立戰功，唐玄宗很賞識他。唐朝不是有出將入相的傳統嗎？玄宗就想讓他當宰相，也激勵一下其他的將軍。有了這個想法，玄宗就找張九齡商量。結果，被張九齡一口駁回，說：宰相是什麼？宰相是百官之首，是幫助皇帝處理全國政事的，可不是賞功的閒職。陛下隨隨便便就讓一個將軍當宰相，他當得了嗎？玄宗一聽，趕緊說：張愛卿，你誤會了。我就給他一個宰相的榮譽頭銜，不是真讓他做。他還是回東北邊疆接著當他的將軍。這該不成問題吧？沒想到，張九齡還是不答應，說：這就更不行了，古人說得好：「唯名與器不可以假人，君之所司也。」名分就是君主手裡的武器，您要是隨隨便便就把一個名分給人，那以後別人就既不尊重這個名分，也不尊重您。再說，這個張守珪剛剛打敗契丹您就想讓他當宰相，那如果有一天，他把東北少數民族都打敗了，您還拿什麼官來獎賞他呀？唐玄宗被他駁得啞口無言，只好作罷。可以看出，只要是張九齡認准的事，他絕不會妥協，一點兒也不給皇帝留面子。

表面看起來，張九齡在這兩件事上都贏了，都讓皇帝低頭，但是，在皇權至上的體制下，要是宰相屢屢壓倒皇帝，未必是件好事。慢慢地，張九齡在皇帝心中的地位就變了。本來，唐玄宗對張九齡充滿好感、充滿期待，但是，這時候，他逐漸不耐煩。沒錯，張九齡是個道德君子，但是，他怎麼就那麼固執、那麼不通情理呢？皇帝有了這樣的情緒，張九齡馬上察覺到，他的心裡非常失落。正好，開元二十四年（七三六年）七月，唐玄宗賜給宰相白羽毛做的扇子。中國古代不是一向有秋扇見捐的說法嗎？張九齡拿到扇子，悲從中來，馬上給玄宗寫一篇《白羽扇賦》，上面寫道：「當時而用，任物所長。彼鴻鵠之弱羽，出江湖之下方……苟效用之得所，雖殺身而何忌？肅肅白羽，穆如清風，縱秋氣之移奪，終感恩於篋中。」什麼意思呢？大意是說，為了做一把羽毛扇子，鳥兒付出自己的生

5 唐代名將，陝州河北（今山西平陸、芮城、運城東北地區）人，長期鎮守西北、東北邊疆，戰功顯赫。後因罪被朝廷查處，貶為括州刺史。經過這次打擊，張守珪心情沮喪，赴任不久病死。

命。可是，如果能對君主有用，付出生命又算得了什麼？到了秋天，扇子就沒用了，難免被扔在筐裡。儘管如此，扇子仍然會感謝陛下曾經的知遇之恩。看起來像是說扇子，其實就是以扇自況！說我張九齡為陛下披肝瀝膽，如今卻和秋天的扇子一樣，就要被陛下拋棄。寫得跟怨婦似的。玄宗一看，這哪兒跟哪兒呀，趕緊安慰張九齡，說我不過是因為天熱，才送你扇子的，你在我心目中非常有用、非常重要，怎麼會想到被拋棄呢？話雖然這麼說，但是，玄宗還是開始慢慢地冷落張九齡了。

玄宗的態度一變，馬上有人暗中笑起來了。誰呢？當然是李林甫。別看李林甫平時對張九齡客客氣氣，心裡早恨得牙癢癢。我們不是說過張九齡自負嗎？因為自己是文章魁首，眼高於頂，最看不起李林甫這樣不學無術的人了。唐玄宗想要任命李林甫之前，曾經徵求過他的意見，當時張九齡就說，李林甫除了巴結還會什麼呀？陛下要是任命這樣的人當宰相，總有一天會亂了宗廟社稷。這話還是對著皇帝一個人說的，倒也罷了，更可氣的是，張九齡居然在大庭廣眾之下說什麼「李林甫議事如醉漢語也，不足言」。說李林甫說話像醉漢一樣，稀里糊塗。這個評價傳到李林甫耳朵裡，可把他氣壞了。可是，當時張九齡還正得寵啊！李林甫也只能是大丈夫能屈能伸，整天對張九齡賠笑臉。但是現在不一樣了，眼看著張九齡和皇帝的關係愈來愈冷淡，李林甫的心裡也在蠢蠢欲動。那麼，李林甫會有怎樣的舉動呢？他和張九齡各自面臨著怎樣的前景呢？

請看下回：宰相鬥法。

【第二十四回】

宰相鬥法

張九齡曾經是唐玄宗非常欣賞的一個有才情的宰相，然而好景不長，張九齡的直言極諫、堅持原則，已經和唐玄宗驕傲自滿的心理格格不入，慢慢地，玄宗疏遠張九齡。唐玄宗的這種心理變化，讓一貫忍氣吞聲的李林甫看到機會。通過一年多的冷眼旁觀，李林甫覺得，此時的張九齡，在唐玄宗眼裡就是一根雞肋，食之無味，棄之可惜，只要自己稍稍推動一下，這雞肋就要被拋棄了。那麼李林甫會怎麼做呢？

一、還都事件：東都洛陽出妖怪，張九齡不容玄宗及時回長安

怎麼推呢？李林甫利用了兩件事。第一件是還都事件。唐朝開元二十四年（七三六年）十月，東都洛陽宮裡出妖怪了。到底什麼妖怪，史書沒有記載，反正是鬧得人心惶惶。當時玄宗正在洛陽，怎麼辦呢？他把張九齡和李林甫都召來，跟他們商量，想要回長安。張九齡聽完馬上說：這不好吧，現在農民還沒收割完呢！這時候出發不是擾民嗎？還是等到冬天農閒時再說吧！玄宗一聽又很鬱悶，心想，你讓我等農閒，這妖怪可不等農閒啊！你也太不把我的安全放在眼裡了吧！可是，看看張九齡一副不容置疑的樣子，玄宗也覺得說不出話來，畢竟，人家宰相關心民生疾苦也沒有錯啊！只好宣布退朝。張九齡大搖大擺地走出去。再看看李林甫，一瘸一拐地落在後面。對大臣的這種表現，玄宗早有經驗，看來李林甫是有話說啊！那李林甫到底說什麼？他說，長安和洛陽，不過就是陛下在東邊和西邊的兩個家罷了。陛下想在哪邊住就在哪邊住，還用得著考慮時間嗎？再說，就算是妨礙一點收割又有什麼關係，把沿路老百姓的租稅免了，不就算補償他們了嗎？照我看來，陛下要是想走，現在就跟有關部門打招呼，明天就能啟程！唐玄宗一聽，行啊，又解決我的實際問題，又考慮到了老百姓的經濟補償，顧此而不失彼，這比張九齡強多了，這宰相當得多貼心啊，那就按照李相公的意見來吧！從此，李林甫的意見在唐玄宗心目中就重要起來了。

二、牛仙客事件：宰相以出身不好的理由，駁回玄宗欲獎賞牛仙客的提議

沒過多久，第二次機會又來了。這次機會，可以稱之為牛仙客[1]事件。這個牛仙客本來是西北邊疆的小吏出身，因為為官清廉，又講究誠信，就在比較重視實幹的邊疆地區成長起來，當到河西節度使。開元二十四年，他又從河西調任朔方。這屬於平級調動，本來也沒什麼特別之處。可是，接替他擔任河西節度使的人一到任，馬上就被震撼。怎麼了？牛仙客留下來的倉庫內容太豐富了，糧食布帛堆得像小山，幾年都用不完。軍事器械也都擦得乾乾淨淨、碼得整整齊齊，好像新的一樣。別的邊疆節度使都獅子大開口，整天跟皇帝哭窮，人家牛仙客這兒拿著同樣的經費，怎麼就這麼富裕呢？這個繼任的節度使是個好人，不想埋沒人才，馬上把牛仙客的先進事蹟上報。唐玄宗一聽也覺得新鮮，趕緊派人去調查。一調查發現，真實情況簡直比資料上寫得還要好，這可讓玄宗太感動了。唐玄宗是個雄才大略的皇帝，對邊功很感興趣。可是，要打仗就得燒錢，就得增加財政壓力。軍政和財政，往往是一對矛盾。現在，人家牛仙客又能打仗、又能理財，這是先進典型，能不獎賞嗎？

怎麼獎賞呢？因為有了前一次張守珪的教訓，唐玄宗決定自己先降低標準，不讓牛仙客當宰相，而是讓他到中央來擔任六部的尚書。按照玄宗的想法，牛仙客的事蹟比張守珪突出，他給出的獎賞又比張守珪小，這下，張九齡應該同意吧？完全不是。張九齡說：尚書是什麼人當的啊？或者是卸任的

1 涇州鶉觚縣人（今甘肅平涼），唐代名臣。天寶元年（七四二年），牛仙客任左相，兼任尚書。擔任宰相期間，處事待人，謹小慎微，同年，因病去世。

宰相，或者是德高望重的大臣才能當。牛仙客不過是河西地區的小吏出身，讓他當尚書，豈不是顯得我們國家無人，這不是會貽笑大方嗎？唐玄宗心裡那個氣，心想，我退一步，你倒來勁了！可是尊重宰相也是他親手確立的政治傳統啊！只好忍氣吞聲，再跟張九齡商量：尚書不行，那就給他加實封好吧？所謂實封，就是獎賞給他一些封戶，讓他享受來自這些封戶的稅收。既是經濟待遇，也是政治榮譽。沒想到，張九齡絲毫不給面子，又駁回了。他說：實封是用來賞賜有功之臣的。邊防將領充實倉庫、修備兵器，這就是他們的本職工作，哪能稱為功勳啊！陛下要是真覺得他做得好，賞給他一些金錢絲帛也就罷了。至於加實封，恐怕不太妥當。唐玄宗一看自己的提議屢遭否定，臉都青了，怒氣沖沖地宣布退朝。張九齡扭頭就走了，李林甫呢？又留下了。他對唐玄宗說：這牛仙客是個人才啊！別說當尚書，當宰相都綽綽有餘。陛下您別什麼都聽張九齡的，他是個書生，不識大體。唐玄宗一聽眼睛都亮了。他本來覺得李林甫不過就是個辦事人才，在大事上根本沒什麼想法，沒想到關鍵時刻居然支持自己。本來，因為張九齡強烈反對，唐玄宗都準備放棄了，現在一看李林甫支持他，底氣足了不少。第二天上朝，又把這件事給提了出來，還是要給牛仙客實封。張九齡呢，當然是再次駁回。一看張九齡這麼固執，唐玄宗的臉色變了，厲聲問：天下事都要依著你才行嗎？張九齡一聽皇帝說出這樣的話來，馬上跪在地上，說：陛下既然讓臣當宰相，臣只能是知無不言、言無不盡。話是跪著說的，但是，強硬程度是一點都沒變。這下子，玄宗可是真生氣了。他問張九齡：你整天嫌牛仙客出身不好，你又是什麼好出身？一看皇帝連人身攻擊都用上了，張九齡更是寸步不讓。他說：我是嶺南草民出身，確實比不上牛仙客這個中原人。但是，我出入朝廷，掌管誥命這麼多年，而牛仙客不過是個大字不識幾個的邊疆小吏罷了，他豈能跟我相比。君臣兩個再次不歡而散。眼看著張九齡出去了，李林甫什麼表示呢？他對著空氣說了一句：一個人只要有見識、有才能就夠了，何必非得是滿腹經綸的書呆子。皇帝想用誰就用誰，幹嘛非得聽別人的呢？這句話的聲音不大不小，剛好讓玄宗聽到。玄宗聽到之後什麼反應？沒過幾天，一紙任命就下來了。賜牛仙客為隴西縣公，食實封三百戶。

本來張九齡的古板和固執已經讓玄宗大傷腦筋，再加上在還都事件與牛仙客事件中，他一點都不給皇帝留面子，更是惹怒了唐玄宗，唐玄宗對張九齡的厭惡感愈來愈強烈，相反，對善解人意的李林甫印象卻愈來愈好。那麼面對這種尷尬的狀況，張九齡有沒有意識到這個問題呢？他會不會有所收斂呢？

隨著牛仙客的任命，張九齡和李林甫在玄宗心目中的地位也完全顛倒過來了，一個目中無人，一個善解人意；一個專橫跋扈，一個體諒順從。兩人一比，玄宗能不喜歡李林甫、討厭張九齡嗎？說到這裡，我們不得不承認，李林甫太聰明了，以前的宰相紛爭，都是彼此唇槍舌劍地吵，把皇帝吵得心煩意亂，最後難免兩敗俱傷。但是李林甫不一樣，他一次也沒和張九齡發生正面衝突，他只是隨時隨地支持皇帝的意見罷了。如果說以前宰相糾紛，皇帝還是裁判員的話，這一次，皇帝卻變成糾紛的一方，需要李林甫當同盟軍了。

事情到了這一步，張九齡終於看到李林甫的厲害。本來，張九齡是非常瞧不起李林甫的。當年，他和李林甫剛拜相的時候，曾經有一天陪著唐玄宗一塊兒在後花園喝酒，酒過三巡，唐玄宗心情不錯，指著面前的金魚池說：金魚真可愛啊！李林甫馬上接口說：全賴陛下恩波所養。當時，張九齡哼了一聲，說：陛下身邊的人就像金魚一樣，只能點綴風景罷了。現在看來，李林甫哪裡是只知道搖尾巴的小金魚啊！相反，他是盤旋在藍天之上，隨時準備抓住機會撲向獵物的老鷹。有了這隻老鷹，自己的宰相地位恐怕是岌岌可危了。怎麼辦呢？在這種情況下，張九齡不得不低下高貴的頭，向李林甫妥協。他寫了一首詩，叫做《詠燕》，寄給李林甫。「海燕何微渺，乘春亦暫來。豈知泥滓賤，只見玉堂開。繡戶時雙入，華堂日幾回。無心與物競，鷹隼莫相猜。」說自己好比一隻卑賤的小燕子，根本無心和鷹隼競爭，希望老鷹能放他一馬。那麼，李林甫看到這首詩會不會放過張九齡呢？

事實上，李林甫盯著張九齡的首席宰相之位已經很久了，他怎麼會輕易放過張九齡呢？再說，張九齡也好，張九齡的朋友也好，並沒有真的吸取教訓，還是那麼才子氣十足。很快，李林甫又抓住他們的把柄，向張九齡打出一記重拳，這是什麼事情呢？

三、嚴挺之事件：張九齡為貪污犯開脫罪責，玄宗斥為朋黨

李林甫可不是心慈手軟、優柔寡斷的人。恰恰相反，一旦時機成熟，他是一定會「宜將剩勇追窮寇」的。很快，李林甫又對張九齡出招了，而且一出招就是一記重拳。怎麼回事呢？說起來還是張九齡的一個朋友惹的禍。李林甫和張九齡不是明爭暗鬥嗎？兩個人都想提拔自己人來加強實力。有一句話叫物以類聚，人以群分，說得一點都沒錯。李林甫選中的人叫做蕭炅，跟他一樣沒文化；而張九齡選中的人叫嚴挺之[2]，也和他一樣是個才子。有一天，同僚家裡辦喜事，兩人都去送禮，碰到一塊了。在主人家悶坐著等吃飯沒意思，兩個人就亂翻書。什麼書呢？《禮記》。今天我們覺得《禮記》挺高深，但是，在唐朝這可是知識分子的必讀書。蕭炅看了兩眼，就念出聲來了：「伏獵。」念完了

還在那兒嘀咕，什麼叫伏獵呀？難道是埋伏在那裡打獵？嚴挺之一聽，差點沒笑掉大牙，為什麼呀？因為蕭炅念錯了，人家《禮記》裡寫的是「伏臘」，是指伏日和臘日兩個節日，跟打獵有什麼關係，蕭炅這不是鬧笑話了嗎？這個嚴挺之也是文人輕狂，他聽見還不算，還想讓更多的人知道，好再出出蕭炅的醜。於是就故意逗蕭炅，問他：蕭公，您剛才說什麼？蕭炅傻乎乎地回答，我說「伏獵」呀？這麼一問一答，好多客人都快笑岔了氣。嚴挺之開夠了玩笑，回去就報告給張九齡，說：我們都有一個弄獐宰相了，豈能再來一個伏獵侍郎！張九齡和嚴挺之一樣，最看不起不學無術的人，沒過兩天，就把蕭炅給貶到地方當刺史。要知道，蕭炅可是李林甫的人，你張九齡把他貶官，李林甫能善罷甘休嗎？再說，兔死狐悲，物傷其類，蕭炅和李林甫都是白字先生，張九齡和嚴挺之這麼嘲笑蕭炅，可想而知，他們對李林甫也是輕蔑之極啊！李林甫是能屈能伸，但是，這絕不意味著他沒有自尊心，相反，他是把怒火深深地埋在心裡，就等著哪一天爆發。一般來說，這樣心機深沉的人，得罪一次就夠你受的，可是嚴挺之倒好，又去得罪第二次。怎麼回事呢？

當時玄宗不是看重邊功，老想提拔張守珪、牛仙客這一類的將軍當宰相嗎？張九齡挺著急，就想趕緊把嚴挺之拉進宰相圈子，好加強一下自己這方面的力量。張九齡也知道，李林甫正得寵，用人免不了要過他那一關，因此，雖然看不起李林甫，張九齡還是囑咐嚴挺之，說：李林甫現在很紅，能量很大，你最好拜訪他一下，爭取他的支持。沒想到，這個嚴挺之比張九齡還驕傲，馬上說了，李林甫算什麼呀，讓我去看他，沒門兒！這話傳到李林甫耳朵裡，可把李林甫給氣壞了。暗暗發誓，不收拾

2唐代華陰（今陝西華縣）人。從小好學，進士出身。曾任尚書左丞、洛州刺史。後為李林甫所排擠，言其老病，抑鬱而死。

一下嚴挺之，誓不為人。怎麼收拾呢？開元二十四年十一月，因為一件普普通通的刺史貪污案，李林甫終於抓住嚴挺之的把柄。當時有個姓王的刺史因為貪污被告發，經過有關部門審理，罪名成立，馬上就要治罪。

王刺史可是家裡的頂梁柱，他要是被治罪了，全家老小怎麼辦呢？王刺史的妻子趕緊想辦法營救。怎麼營救呢？王太太來找嚴挺之。她為什麼找嚴挺之？因為嚴挺之是她的前夫。兩個人本來是結髮夫妻，後來因為感情不和，離婚了，她這才改嫁給王刺史。自從離婚之後，王太太跟前夫也就沒什麼來往。可是，這個時候，王太太實在是走投無路，這才找到嚴挺之，一把鼻涕一把淚，請嚴挺之看在以前的情分上幫幫忙，救她丈夫一命。嚴挺之可犯難了，幫吧，這個刺史確實貪贓枉法，罪有應得，不好幫。可是不幫，俗話說一日夫妻百日恩，雖說兩個人離婚了，但是人家在危難時刻求到你頭上，你不伸手管一管豈不是顯得太小家子氣了。左思右想，嚴挺之還是英雄主義占上風，情感戰勝理智，為了這個王刺史積極奔走。李林甫早就在盯著嚴挺之了，一看嚴挺之為一個貪污犯上竄下跳，馬上向唐玄宗告發，說嚴挺之徇私枉法，必須嚴懲。

那究竟應該怎麼嚴懲呢？唐玄宗又是把宰相找來開會。問張九齡：聽說嚴挺之為了前妻，居然給一個貪污犯開脫罪責。張愛卿，你看該怎麼辦呢？面對皇帝的詢問，張九齡應該怎麼回答？聰明一點的辦法自然是趕緊和嚴挺之撇清關係，再檢討幾句自己失察的責任。但是，張九齡和姚崇、張說等歷史上一切強勢的宰相一樣，太喜歡保護自己人。他居然替嚴挺之辯解開了。張九齡說：嚴挺之跟這個案子有什麼關係？不就是被告的妻子是嚴挺之的前妻嗎？嚴挺之跟他前妻能有什麼感情啊？要是有感情就不至於離婚了。

離婚了就沒感情？玄宗說什麼也不信呀！在他看來，不是嚴挺之沒私情，而是你張九齡有私心。於是，唐玄宗冷冷地說一句：「雖離乃復有私。」這句話貌似輕飄飄，其實可是一句重話，重就重在「私」字上頭了。要知道，玄宗之所以能容忍張九齡一再頂撞自己，無非是因為他還算一心為公、從不徇私。而今張九齡保護嚴挺之，卻暴露了他自己徇私的一面，徇私再往前引申一步就是朋黨[3]。我們講過，歷朝歷代的皇帝最討厭的就是臣子結黨。張九齡本來已經夠飛揚跋扈，再加上結黨營私，那就突破玄宗容忍他的底線了。到了這一步，事情突然就發生了戲劇性的轉折，本來不過是一個小小的刺史貪污案，在李林甫的操作下，轉成嚴挺之徇私案，現在經過一場朝堂辯論，居然成了張九齡結黨營私案了。一旦被定性為結黨，也就等於宣布張九齡政治生命的死刑。第二天，唐玄宗下詔，張九齡結交朋黨，罷免宰相之職，擔任左丞相，中書令崗位由李林甫接任。

當年張九齡不是說牛仙客不配當尚書嗎？為此還跟玄宗反覆爭吵。現在，張九齡下臺了，唐玄宗簡直就像報復一樣，立刻任命牛仙客為工部尚書、同中書門下三品。真應了李林甫那句話：牛仙客是宰相的材料，讓他當個尚書算什麼？天子用人，有何不可。到這一步，其實，張九齡和李林甫的勝負已見分曉。但是，張九齡畢竟德高望重，只要他還在朝廷，李林甫心裡就不踏實。怎麼辦呢？宜將剩勇追窮寇！李林甫窮追不捨，繼續把所謂的結黨案做深、做大，終於在開元二十五年（七三七年）把張九齡貶到荊州當長史。至此，李林甫和張九齡的鬥法，終於以李林甫完勝、張九齡完敗告終。

3 指一些人為私利而互相勾結，朋比為奸。泛指士大夫結成利益集團，為私利而相互勾結。後專指排斥異己的結黨宗派。如唐代中葉有牛僧孺、李德裕的朋黨之爭。歐陽修曾作《朋黨論》。

在扳倒張九齡的過程中，李林甫始終處在暗處，從來不和張九齡發生正面衝突，但處處都能攻其要害，開元時期最後一位賢相張九齡就這樣被貶出朝廷。張九齡才高八斗，最終卻敗在一個白字先生的手下，這多少有些讓人不解。那麼，李林甫為什麼能扳倒張九齡呢？

四、勝負原因：李林甫的政治手腕、玄宗的昏聵，擊倒張九齡

那我們就來分析一下，張九齡才華橫溢，怎麼就鬥不過李林甫這麼一個白字先生呢？第一個原因大家都清楚，李林甫的政治手腕比張九齡高明多了。你看，他跟張九齡鬥法，其實也是三大戰役，但是，始終沒見兩個人正面衝突。每次都是張九齡跳出來，在臺前和唐玄宗爭辯，而李林甫呢，就躲在幕後靜觀事態發展，關鍵時刻再出來幫皇帝一把，而且不是公開地幫，就是私下裡說那麼一句，表一個態度。這私下裡的一個表態太討人喜歡了。在唐玄宗看來，李林甫就是一個膽小的宰相、一個順從的僕人、一個可靠的幫手，哪個專制皇帝不喜歡這樣的大臣呢？唐玄宗覺得這樣的大臣好用，其實，李林甫也把唐玄宗給利用了。本來，歷史上常見的是大臣相爭，皇帝漁利。這次卻成了君臣相爭，李林甫漁利。玄宗被李林甫當槍使，還覺得李林甫對自己好，你能說李林甫不高明嗎？相反，張九齡雖然才學出眾，但是在政治心機上和李林甫比就差遠了。根據《新唐書．張九齡傳》的記載，張九齡的性格自負、固執，而且急躁。自負就是永遠覺得自己正確，固執就是非要讓別人服從自己的意志，急躁則意味著一言不合就要爭吵起來。而且是事無大小，想吵就吵。這樣的性格當個自由職業者可以，但是，當宰相可就成問題了。和李林甫根本不是一個重量級的，你能怪李林甫以柔克剛嗎？

第二個原因是李林甫比張九齡更務實。張九齡固然志向遠大、為人清高，但是，他的才子氣太重了。他自己是靠文才起家的，在他看來，文學才華高於一切，其他方面的才能都一錢不值。可是，開元中期，隨著邊疆形勢和社會矛盾的發展，軍功和實際行政能力愈來愈重要了。而張九齡一類的才子們既不願正視這些問題，也不善於解決這些問題。舉個例子，張九齡剛當宰相的時候，唐朝正鬧錢荒，也就是國家鑄造出來的銅錢不夠花。怎麼辦呢？張九齡說，那就乾脆取消國家鑄錢的禁令，讓老百姓都來鑄錢算了，大家都來鑄錢，錢不就夠花了嗎？這個辦法可不可行？當然不可行，而且簡直是荒唐。要知道，鑄錢的多少是要跟市場需求掛鉤的，如果根本不考慮需求濫鑄，那不是人為搞亂市場、搞亂通貨嗎？再說了，老百姓誰有能力鑄錢？有能力的都是大商人、大地主。這些人本來就已經很有勢力，如果再讓他們鑄錢，他們的勢力就會更加膨脹，萬一哪一天造反怎麼辦？張九齡提出這樣的解決辦法，說明他實際行政能力不強。其實，不光張九齡行政能力不強，他看好的那些才子也都有這個弱點。如果朝廷裡全是這樣的理想主義者，不也是一件很可怕的事嗎？李林甫就不一樣了，他本人也好，他賞識的人也好，都是從實際工作中崛起的能人。這些人可能文采不高，理想也不夠遠大，但是，解決實際問題的能力都比較強。本來，理想加實幹才是最好的組合，但是既然彼此不能相容，最後唐玄宗還是選擇實幹家，畢竟，他要解決的現實問題太多了。

第三個原因是到開元中期，唐玄宗已經逐漸走向昏聵。本來，一個政權如果想要向前發展，是需要容忍不同意見的。勇於納諫也是開元盛世得以實現的重要原因。開元前期，宋璟給玄宗提意見，玄宗不是都放在御座旁邊，隨時提醒自己注意嗎？甚至到了韓休當宰相的時候，玄宗還能大度地說出「吾貌雖瘦，天下必肥」這樣的經典名句，可是，隨著唐玄宗年齡愈來愈大，統治時間愈來愈長，他也愈來愈自滿、愈來愈懈怠、愈來愈聽不進不同意見了。在這種精神狀態下，他看到耿直剛正的張九齡就厭煩，看到柔順謹慎的李林甫就高興，也就順理成章了。

張九齡在《感遇》詩中寫道：「蘭葉春葳蕤，桂華秋皎潔。欣欣此生意，自爾為佳節。誰知林栖者，聞風坐相悅。草木有本心，何求美人折？」以孤高皎潔而又堅貞自守的蘭桂自喻，張九齡真是一位理想主義者。理想主義可能有和現實脫節的地方，但是，政治也罷，社會也罷，要想良性發展，一定要有理想，要容得下理想主義。可是，到了張九齡罷相，我們悲哀地發現，唐玄宗對理想已經不那麼感興趣了。

就這樣，隨著開元二十四年張九齡的被罷相，隨著唐玄宗政治理想的消磨，開元中期結束了。《資治通鑑》在總結開元年間政治的時候說過這樣一段話：「上即位以來，所用之相，姚崇尚通，宋璟尚法，張嘉貞尚吏，張說尚文，李元紘、杜暹尚儉，韓休、張九齡尚直，各其所長也。」這些宰相雖然各有各的問題，但是，總體來說，都是正人君子，也都是有為的政治家。這些人在唐玄宗的精心安排下，揚長避短，功成身退，共同締造開元盛世。

但是，開元二十五年（七三七年）以後，隨著最後一位開元賢相的離去，再也不會看到宰相百花齊放的局面了，因為一個真正意義上的鐵腕人物——李林甫已經登場。從此，他將擔任首席宰相，時間長達十六年之久。那麼，張九齡和李林甫的交替會引起怎樣的政治後果？

請看下回：太子風波。

【第二十五回】太子風波

開元二十五年（七三七年），張九齡被李林甫徹底打敗，被貶荊州。就這樣，唐玄宗時代最後一任賢相下臺了，這對唐王朝和張九齡來說，當然是一個政治悲劇。但是更加可悲的是，就在張九齡被貶之後不久，一個更大的悲劇發生了，唐玄宗在一天之內殺死自己的三個兒子，其中還包括當朝太子，這是怎麼回事？在唐玄宗的宮廷裡，究竟發生了什麼事？

一、第一次風波：欲立武惠妃為后，太子李瑛地位受到威脅

要說清楚這件事，我們先得了解唐玄宗太子的情況。唐玄宗的太子還是開元三年（七一五年）立的，名字叫做李瑛，是玄宗的第二個兒子，母親就是唐玄宗當臨淄王時納的寵妃趙麗妃。可能有人會奇怪，按照傳統，太子應該由皇帝的嫡長子來當，這李瑛既不是嫡子也不是長子，為什麼讓他當太子呢？我們講過，玄宗的皇后王皇后沒有兒子，嫡子根本就不存在。嫡子沒有，那就應該考慮長子了，可是，玄宗的長子小時候打獵被野獸抓傷了臉，有損國家形象，不適合當太子。老大不行、那就考慮老二吧！這個老二李瑛不僅排行靠前，而且母親趙麗妃在開元初年也正得寵，以長以愛都占優勢，所以，他就順理成章地成了太子。如果沒有變故，這個太子就安心等著接皇帝的班。但是，變故還是出現了。

什麼變故呢？武惠妃橫空出世，而且很快就成為後宮專寵，趙麗妃靠邊站了。大家都知道一句話叫做「母色衰則子愛弛」，李瑛的地位會不會受到威脅？暫時倒沒有。因為武惠妃雖然專寵，也不停地生孩子，但是不知道怎麼回事，她生的孩子都活不長，連著三個孩子都夭折。接連的打擊讓武惠妃都沒自信了，所以，生到第四個孩子，她再也不敢自己帶，乾脆送給李隆基的大哥寧王去帶，對外都謊稱是人家的兒子。這樣一來，雖然唐玄宗對趙麗妃的感情淡了，但是，李瑛的地位倒沒發生什麼動搖。可是，到了開元十二年（七二四年）之後，接連發生三件大事使得情況又發生變化。第一件事，開元十二年，武惠妃動用種種手段，終於扳倒王皇后，眼看就要成為新一任皇后了。第二件事，開元十三年，武惠妃的兒子李瑁[1]（當時叫李清）已經七歲，過了兒童危險期，從寧王那裡回到唐玄宗和

武惠妃身邊，封為壽王了。第三件事，開元十四年，李瑛的親媽趙麗妃死了。這三件事疊加到一起，李瑛的地位可就危險了。失去親媽的庇護，又多了一個強大的競爭對手，他這個太子還能繼續當下去嗎？果然，就在開元十四年，李瑛人生中第一個考驗終於到來。這一年，唐玄宗跟大臣提出，要立武惠妃當皇后。可以想像，如果這個動議一通過，武惠妃變成武皇后，李瑛馬上就得給她的兒子讓位。這可是千鈞一髮的時刻，好在大臣出來說話了。大臣說：太子已立，武惠妃又有兒子，如果讓她當皇后，難道太子也要跟著換嗎？當時玄宗還比較明智，想想政治成本太大，終於放棄這個想法。武惠妃幾乎到手的皇后之位隨風飄散，李瑛的位子才算保下來，李瑛政治生命中的第一波驚濤駭浪算是通過了。

可是，就像諺語說的那樣，女人柔弱，為母則強。只要是為了孩子好，母親什麼事都做得出來，武惠妃也是如此。雖然沒能當上皇后，但是，她還是想讓兒子當太子。可是，面對著明智的丈夫和對她並不友好的朝廷，武惠妃勢單力孤，一時也想不出什麼辦法。就這樣，十來年的時間就過去了。開元二十三年（七三五年），壽王已經十七歲，該娶妻了。娶誰呢？他娶了大美女楊玉環，就是後來的楊貴妃。眼看兒子長大成人，武惠妃更著急了，怎麼辦呢？

---

1 唐玄宗第十八子，武惠妃所生。初名李清。開元十三年封為壽王，並遙領益州大都督、劍南節度使。大曆十年（七七五年）死。最初納楊玉環為正妃，後被玄宗所奪，又封韋氏為正妃。

二、第二次風波：李林甫、武惠妃、楊洄聯手攻擊太子李瑛

就在這時候，事情出現轉機，武惠妃一下子覺得又有希望了。什麼轉機呢？首先，李林甫悄悄讓宦官帶話，許諾要幫助壽王，武惠妃在朝廷終於有了支持者。另外，武惠妃的女兒咸宜公主也長大嫁人，武惠妃又多了兩名幫手。咸宜公主嫁的人是誰？這個小伙子叫楊洄，說起來也是親上加親。當年唐中宗和韋皇后不是生了兩個女兒嗎？一個叫長寧公主，一個叫安樂公主。安樂公主被唐玄宗殺了，但是，長寧公主活了下來，楊洄就是她的兒子。楊家在唐朝可是太出人才了，武則天的母親楊夫人、後來大名鼎鼎的楊貴妃都出身於這個家族。這小伙子出身在政治世家，可想而知，對政治也非常敏感。小夫妻兩個都表態，願意幫助母親給哥哥爭個太子當。這樣一來，武惠妃的勢力一下子增強了。這些資源怎麼利用呢？武惠妃不愧是武則天的姪孫女，馬上做出部署。她自己專心致志地在後宮給玄宗灌迷魂湯，李林甫在外廷暗中相助，至於楊洄，就利用青年公子哥的身分，專門負責盯著太子的一舉一動，隨時舉報他們的不法行為。俗話說三人成虎，她就不信這隻大老虎吃不了太子李瑛。

開元二十四年，機會終於來了。這一年的十月，楊洄向武惠妃彙報，最近，太子李瑛總和兩個弟弟混在一起，一個叫鄂王李瑤，一個叫光王李琚，三個人經常發表對皇帝的不滿言論。這三個小伙子為什麼對皇帝不滿呢？其實很簡單。他們三個人的母親當年都曾經得過寵，後來有了武惠妃，又都失寵了。母親同病相憐，孩子自然就走得近一些，三個人所謂的不滿，也就是不滿意父親對自己的母親太薄情。這本來也算不上什麼大事，可是，武惠妃有本事把它做大。怎麼做呢？武惠妃對著玄宗哭了個梨花帶雨，說：太子和兩個王爺結黨，說是妾身奪了他們母親的寵愛，想要害死妾母子，請陛下千

萬為我們母子做主啊！另外，他們還說了好多關於您的惡毒的話，我都不敢跟您說。唐玄宗一聽就怒了，為什麼呢？他生氣的倒不光是太子對武惠妃不敬，而是太子居然敢對他不滿。要知道，中國古代的皇帝跟太子的關係最微妙了，雖然是自己的兒子，但畢竟也是未來的接班人，試想，要是有這麼一個人，職業就是等著你死了好去接你的班，任何人都會覺得不舒服，何況是夢想自己的統治千秋萬歲的皇帝呢！本來心裡就彆扭著，你再說太子對他不滿，他能不生氣嗎？所以，唐玄宗聽武惠妃這麼一說，馬上血往上湧。第二天一上朝就跟宰相提出來，太子和兩個兄弟結黨，擅自議論皇帝，應該廢掉！皇帝這麼一說，李瑛政治生命中的第二波大浪可就又打過來了，而且來得比上次還猛，這一次他能頂住嗎？能，因為又有貴人來搭救了。誰呢？張九齡。

要知道，這還是開元二十四年，這時的首席宰相還是張九齡。我們不是講過張九齡剛正不阿，喜歡跟皇帝叫板嗎？一般小事尚且要爭個是非曲直，何況是廢太子這樣的大事啊！張九齡說：「陛下踐祚垂三十年，太子諸王不離深宮，日受聖訓，天下之人皆慶陛下享國久長，子孫繁昌。今三子皆已成人，不聞大過，陛下奈何一旦以無根之語，喜怒之際，盡廢之乎！且太子天下本，不可輕搖……陛下必欲為此，臣不敢奉詔。」一表明態度之後，張九齡還給唐玄宗上起歷史課，講了一大堆歷史上因為聽了女人的話，改換太子引發的禍害，矛頭直指武惠妃。要知道，唐玄宗當時已經被感情所左右了，哪裡聽得進這些呀？愈聽眉頭皺得愈緊。可是，廢太子也是國家政治生活中的大事，沒有宰相認可，玄宗不敢也不能貿然行動，怎麼辦呢？

這時，李林甫為了當宰相，已經開始為武惠妃效力了。他得發揮作用呀，怎麼發揮呢？李林甫用起自己的經典招數——退朝之後悄悄嘀咕。這一次，他對著玄宗身邊的宦官嘀咕一句：「此主上家事，何必問外人。」他知道，宦官肯定會把他這句話報告給玄宗。那麼李林甫這句話厲害不厲害？太厲害了，這可是中國歷史上宰相慫恿皇帝違規時最經典的說法。當年，唐高宗想立武則天當皇后，長孫無忌他們反對，李勣[2]不就說了這麼一句，幫高宗下決心嗎？時隔八十多年，李林甫又拿這句話來蠱惑皇帝了。唐玄宗一聽李林甫這麼說，心裡也頗有點豁然開朗之感，是啊，跟國家有關係的事情我聽你宰相的也就罷了，可是，讓哪個兒子接班，這是我們李家的私事，你張九齡管得著嗎？乾脆拋開宰相算了。可是，轉念一想，唐玄宗又有點負罪感，畢竟，在內心深處，他覺得張九齡還是對的。到底聽誰的呢？唐玄宗心裡的天使和魔鬼各占一半的位置，反覆鬥爭，哪邊戰勝都有可能。

可是，就在這個時候，武惠妃沉不住氣，走了一步臭棋，一下子讓自己陷入不利的局面。怎麼回事呢？當時廢不廢太子，關鍵不就在張九齡這兒嗎？武惠妃想，乾脆去他那裡疏通疏通關係好了，告訴他，只要在這個問題上高抬貴手，我武惠妃絕對不虧待他！於是，就派了一個心腹宦官牛貴兒去找張九齡，跟他說：「有廢必有興，公為之援，宰相可長處。」武惠妃這樣做好不好？大大的不好。她太低估張九齡的政治操守了。她以為宰相都像李林甫那樣，只知道固權保位，她不知道，張九齡是有原則的人，這樣的人可能被打倒，但是絕不能被收買。果然，張九齡一聽，鼻子都氣歪了，妳武惠妃居然想收買我，這不是侮辱我嗎？對著牛貴兒一頓臭罵，把他給罵走了。這還不算，第二天一早，張九齡就把這件事原原本本彙報給唐玄宗。唐玄宗一聽，一下子清醒了。本來，武惠妃梨花帶雨一番哭訴，他還覺得武惠妃楚楚可憐，引起他保護弱者的衝動，但是，現在看來，這個女人的心機不簡單啊！更不能容忍的是，她居然想對外廷插手，跟宰相勾結，這可就觸犯了唐玄宗的底線。要知道，唐玄宗可是在武則天、韋皇后和太平公主時代歷練成長起來的，他太知道後宮和外廷勾結的威力了。他可以寵愛一個有政治頭腦的女人，但是，絕不能接受一個有政治野心的女人。就這樣，因為武惠妃的失策，也因為張九齡的保護，李瑛的太子之位又保住了。

李瑛的命運真是一波三折。雖然在經歷兩次大風浪之後，勉強保住太子之位，但是在開元二十四年年底，他的保護人張九齡被罷相，這對太子來說，絕不是什麼好兆頭。一旦失去宰相強有力的保護，他的地位就岌岌可危了，風浪隨時會再次來臨。果然，就在此時，一個更大的災難降臨到太子頭上。

三、一日殺三子：太子與兩名弟弟圖謀不軌

李瑛的太子之位雖然保住，但他在唐玄宗心目中的位置可是愈來愈邊緣。更糟糕的是，開元二十四年年底，他的保護人張九齡被罷相，而且在開元二十五年四月被遠貶荊州，徹底離開長安城的政治舞臺。失去張九齡的保護，李瑛人生的第三次危機出現了。怎麼回事呢？就在張九齡離開京城之後第二天，唐玄宗再次召集宰相，商量要把太子李瑛廢掉。大家可能要疑惑了，這事怎麼又提出來？唐玄

2 唐代政治家、軍事家。原姓徐，名世勣。因唐高祖李淵賜姓李，改稱李世勣。後因避唐太宗李世民諱，改為李勣。他出將入相，位列三公，極盡人間榮華。歷事唐高祖、唐太宗、唐高宗三朝，長期鎮守邊疆，被朝廷倚之為長城。在武則天上升為皇后的過程中發揮過重要作用。

宗為什麼再次提出廢掉太子呢?史書有兩種不同的記載。第一種記載出自《舊唐書》和《資治通鑑》,說武惠妃的女婿楊洄又在唐玄宗面前打小報告,說太子李瑛和他的兩個弟弟鄂王李瑤、光王李琚一起圖謀不軌,唐玄宗這才再次發威、舊事重提。另一種說法就是《新唐書》的記載,說太子李瑛誤入武惠妃的圈套了。什麼圈套呢?《新唐書》記載,就在頭一天夜裡,武惠妃派人向太子兄弟傳旨,說是內宮有盜匪,請太子立即領兵護駕。事情緊急,哪裡容人多想,再說,太子兄弟早就在玄宗面前失寵,正想找機會挽回呢!所以,太子李瑛,還有李瑤、李琚趕緊帶著自己的衛隊去了。一看三兄弟真的帶兵進宮,武惠妃裝得比誰都緊張,大叫太子謀反!玄宗自己就是個搞政變的高手,對政變最敏感了,馬上採取行動,把三個兒子給抓起來。李瑛他們這才知道,上了武惠妃的當。總之,大體情節跟林沖誤入白虎堂差不多。

這兩個記載都出自正史,到底哪個是真的呢?我個人覺得,雖然《新唐書》的記載更加活靈活現,但是,恐怕不是真的。為什麼呢?三點理由。首先,太子及其兄弟都是成年人,他們和武惠妃的矛盾由來已久,武惠妃派人讓他們帶兵進宮,他們豈能那麼輕易相信?這也太低估太子及其兄弟的智力了。其次,如果太子帶兵入宮被抓,審問時必定會說出武惠妃假傳聖旨的事情,雖然武惠妃可以否認,但是唐玄宗也不是傻子呀!那樣冒的政治風險可就太大了。第三,如果真是帶兵入宮的話,事後牽連的人必定不少,可是,從以後處理的情況看,被牽連的都是三兄弟的親戚,這也不符合處理政變的慣例。這樣看來,我覺得,還是《舊唐書》和《資治通鑑》的記載更有道理。三兄弟並沒有吸取上次的教訓,還是經常混在一起,搞小集團,亂發牢騷,被楊洄抓住把柄。唐玄宗對這個兒子早就不感興趣了,一看兒子屢教不改,就又動了廢太子的念頭。

上一次玄宗要廢太子，被張九齡勸阻了，那麼，這一次玄宗跟宰相商量，宰相又會怎麼表態呢？要知道，這時候的首席宰相已經是李林甫了，李林甫當然是支持廢太子的。那他會怎麼說呢？說陛下，我早看太子不順眼，廢掉算了。不可能，那可不是李林甫的風格。李林甫不是以柔順著稱嗎？他做任何事情，都要讓皇帝感覺到，是皇帝自己在拿主意。所以，李林甫還是那句話：「這是陛下的家事，我們當大臣的不宜過問，您就按照自己的意思來吧！」這種說法貌似不表態，其實就是支持啊！一看宰相沒有意見，唐玄宗的決心也就定了。李林甫不是說這是家事嗎？那就按家法處理吧！不用在朝廷裡宣布了。他直接派了一個宦官到宮裡宣制，把太子李瑛、鄂王李瑤、光王李琚都廢為庶人。廢黜的皇后通常沒有好結果，倒臺的太子也一樣。十五天之後，太子李瑛及其兄弟三人被賜死在長安城東的驛站裡。一日之內殺三子，這可是唐玄宗當皇帝以來最大的冤案。李瑛當太子已經二十多年了，從來沒出過什麼大錯，李瑤和李琚更是以博學多識著稱，三個人就這麼不明不白地死了，好多人都替他們惋惜，覺得唐玄宗心太狠了。既然太子已死，誰來接替太子之位呢？當時人都覺得肯定是武惠妃的兒子壽王李瑁。可是人算不如天算，儘管武惠妃費盡心機，事情卻沒有像她想像的那樣。那麼，這中間又出現了什麼問題呢？

太子李瑛被廢又被殺，誰會接替他當太子呢？當時，誰都覺得應該就是武惠妃的兒子壽王李瑁。武惠妃這麼上竄下跳，不惜害人，不都是為了這個兒子嗎？現在，障礙已經掃除，她苦心經營多年的目標終於就要實現了。是不是這樣呢？沒有。因為就在這個關鍵時刻，武惠妃生病了。什麼病？精神病。武惠妃雖然是武則天的姪孫女，但是，精神的堅強程度可比武則天差遠了。自從李瑛兄弟死後，武惠妃就出現幻覺，整天覺得三個人冤魂不散，纏著她，跟她索命。請醫問藥、抓鬼跳神統統沒用，開元二十五年年底，竟然一命嗚呼。面對這個陪伴自己二十多年的愛妃，唐玄宗悲痛欲絕，他下制追贈武惠妃為「貞順皇后」，也算是了卻多年的心願。死後的武惠妃終於得到一頂皇后的鳳冠，那活著的壽王李瑁還要不要立為太子呢？唐玄宗一下子拿不定主意。本來，如果武惠妃不死，他是打算讓李瑁接班的。可是現在，愛妃死了，唐玄宗被愛情蒙蔽的雙眼也就睜開了。從武惠妃病死這件事上，唐玄宗也明白了，太子李瑛之死，絕對是武惠妃陰謀陷害的結果，現在如果讓李瑁接替李瑛當太子，那不就成了鼓勵大家靠陰謀詭計爭位子嗎？

四、忠王得立：高力士一句話，李瑁與太子之位就此無緣

可是，如果不選李瑁，又該讓誰當太子呢？唐玄宗左思右想，理不出頭緒。三個成年的兒子讓自己給殺了，愛妃也死了，眼看自己都五十多歲了，繼承人還搞不定，唐玄宗一時間真覺得活著都沒意思，整天悶悶不樂，吃不下飯，睡不著覺。怎麼辦呢？這時候，一個關鍵人物看出問題來了。誰呢？高力士。高力士找了個閒置時間，問唐玄宗：陛下最近怎麼這麼沒精打采的？唐玄宗看了他一眼，說：你是我家的老奴才了，你還不明白為什麼嗎？高力士心想，我要真不明白就不問你了。他問：是不是因為太子定不下來呀？唐玄宗說是啊！高力士說：這件事哪用得著這麼費心呢？推長而立，不就誰也說不出什麼了嘛！玄宗一聽，連聲說：你說得對呀，你說得對呀！就這麼一句話，新任太子決定下來了。誰呢？不是排行十八的壽王李瑁，而是唐玄宗的三兒子，忠王李嶼，也就是後來的唐肅宗。

老大破相失去候選資格，老二已死，這老三不就是最大的兒子了嗎？就這樣，武惠妃辛苦半生，全成了給他人作嫁衣裳，相反，忠王李嶼倒是不經意間吃到天上掉下來的餡餅，榮登太子寶座。這就叫人算不如天算，鷸蚌相爭，漁翁得利。至此，太子風波歷經十多年，終於塵埃落定。為什麼玄宗在最後關頭放棄壽王李瑁，改立忠王李嶼呢？我覺得，這裡有三個原因。第一，唐玄宗屬意李瑁，完全是因為寵愛武惠妃，子以母貴的結果。現在武惠妃去世了，李瑁也就失去保護傘，露出本來面目。那他的本來面目是什麼樣的呢？《舊唐書．李瑁傳》提到他的唯一優點，就是從小就能把複雜的宮廷禮儀演習得明明白白。有人說，這也不錯，可見是個聰明乖巧的孩子。但是別忘了，他是在玄宗的大哥寧王家裡長大的，面對著這麼一個出身高貴的養子，寧王夫婦敢管嗎？整天就知道順著孩子說好話，就算天資有點崢嶸，也逐漸被大人過度的寵愛泡軟、泡沒了。成年後的李瑁一無所長，怎麼能引起玄宗真正的興趣呢！如果武惠妃活著，玄宗為了討好她，固然可以接納這個不怎麼優秀的兒子，可是，惠妃已經死了，那玄宗就沒必要再委屈自己的心意。

第二，也是更重要的原因，是唐玄宗不想立一個跟宰相關係過於密切的太子。眾所周知，李林甫一直是李瑁的鐵桿支持者。可是，玄宗既然已經把朝政交給李林甫，他就不希望這位宰相再去擁立一名太子。因為一旦太子和宰相勾結，就可能形成對自己皇位的威脅。在這個問題上，忠王李嶼就讓人放心多了，他的母親姓楊，早就去世，既談不上後宮勢力，也談不上外戚勢力；他又排行老三，本來就不引人矚目，所以無論在後宮還是在朝廷都沒有任何支持，對於唐玄宗這樣一個強勢的皇帝而言，這就是最好的太子人選呀！

第三，忠王得立，也是高力士的功勞。高力士是一個忠心耿耿為玄宗著想的人。在當時政治鬥爭紛繁複雜的情況下，他所說的立長原則無疑最不會引起爭議，也最有利於政治的穩定。雖說是宦官，但是，能夠在關鍵時刻發揮正面作用，這就是一個合格的政治家。同樣，唐玄宗雖然在太子問題上犯過重大錯誤，但是，能夠在事後聽取意見，盡量挽回損失，也反映了他的清醒和明智。

隨著太子問題的解決，開元時代也就基本結束了。開元時代雖然以李林甫拜相和唐玄宗一日殺三子黯淡收場，但是，整體說來，唐玄宗君臣銳意進取、勵精圖治還是時代的主流，也正因為如此，才會出現中國古代封建社會的盛世顛峰。那麼，接下來，唐玄宗的統治又會進入怎樣的歷史時期呢？他和楊貴妃的浪漫愛情裡又隱藏著怎樣的真相？安史之亂為什麼會突然爆發？歷盡繁華的風流天子唐玄宗又會面臨怎樣的結局呢？咱們下部再講。

國家圖書館出版品預行編目資料

蒙曼說唐：唐玄宗 從開元之治到安史之亂／
蒙曼著. -- 初版. -- 臺北市：麥田，城邦文
化出版：家庭傳媒城邦分公司發行，2010.07
冊； 公分. --（重說・史；9）

ISBN 978-986-173-656-3（上冊：平裝）. --
ISBN 978-986-173-657-0（下冊：平裝）

1. 唐玄宗 2. 傳記 3. 唐史

624.14 99010043

重說・史 09

蒙曼說唐：唐玄宗 從開元之治到安史之亂 上部

作　　者 蒙曼
責任編輯 江麗綿・林俶萍
封面設計 黃暐鵬

編輯總監 劉麗真
總 經 理 陳逸瑛
發 行 人 凃玉雲
出　　版 麥田出版
城邦文化事業股份有限公司
台北市中山區民生東路二段141號5樓
電話：02-2500-7696　傳真：02-2500-1966
發　　行 英屬蓋曼群島商家庭傳媒股份有限公司城邦分公司
台北市中山區民生東路二段141號11樓
客服服務專線：02-2500-7718　2500-7719
服務時間：週一至週五09:30~12:00；13:30~17:00
24小時傳真專線：02-2500-1990　2500-1991
讀者服務信箱：service@readingclub.com.tw
劃撥帳號：19863813　戶名：書虫股份有限公司
麥田部落格 http://blog.pixnet.net/ryefield
香港發行所 城邦（香港）出版集團有限公司
香港灣仔駱克道193號東超商業中心1樓
電話：(852)2508-6231　傳真：(852)2578-9337
E-mail：hkcite@biznetvigator.com
馬新發行所 城邦（馬新）出版集團【Cite（M）Sdn. Bhd.（458372U）】
11, Jalan 30D / 146, Desa Tasik, Sungai Besi, 57000 Kuala Lumpur, Malaysia.
電話：（603）90563833　傳真：（603）90562833

印　　刷 中原造像股份有限公司
初版一刷 2010年7月13日
初版五刷 2010年8月25日

定價：300元
ISBN：978-986-173-656-3